MARIA BONITA

Adriana Negreiros

Maria Bonita
Sexo, violência e mulheres no cangaço

8ª reimpressão

Copyright © 2018 by Adriana Negreiros

Grafia atualizada segundo o Acordo Ortográfico da Língua Portuguesa de 1990, que entrou em vigor no Brasil em 2009.

Capa
Alceu Chiesorin Nunes e Joana Figueiredo

Foto de capa
Benjamin Abrahão

Caderno de fotos
Joana Figueiredo

Pesquisa iconográfica
Sérgio Bastos

Preparação
Victor Almeida

Checagem
Érico Melo

Índice remissivo
Probo Poletti

Revisão
Carmen T. S. Costa e Marise Leal

Dados Internacionais de Catalogação na Publicação (CIP)
(Câmara Brasileira do Livro, SP, Brasil)

Negreiros, Adriana
   Maria Bonita : Sexo, violência e mulheres no cangaço / Adriana Negreiros. – 1ª ed. – Rio de Janeiro : Objetiva, 2018.

   ISBN 978-85-470-0068-4

   1. Cangaço – Brasil – História 2. Lampião, 1900--1938 3. Maria Bonita, 1911-1938 4. Mulheres no cangaço 5. Violência contra mulheres 6. Violência sexual I. Título.

18-17780   CDD-302.340981

Índice para catálogo sistemático:
1. Mulheres no cangaço : Brasil : Sociologia   302.340981

Iolanda Rodrigues Biode – Bibliotecária – CRB-8/10014

Todos os direitos desta edição reservados à
EDITORA SCHWARCZ S.A.
Praça Floriano, 19, sala 3001 — Cinelândia
20031-050 — Rio de Janeiro — RJ
Telefone: (21) 3993-7510
www.companhiadasletras.com.br
www.blogdacompanhia.com.br
facebook.com/editoraobjetiva
instagram.com/editora_objetiva
twitter.com/edobjetiva

Para Lira

É pecado contra a Pátria endeusar Maria Bonita.
Trecho do relatório da Comissão Acadêmica Coronel Lucena, designada pelo interventor de Pernambuco, Agamenon Magalhães, sobre a operação oficial que culminou na morte do Rei e da Rainha do Cangaço, em 28 de julho de 1938.

Sumário

Prólogo. Salve Maria Bonita/ Maria do capitão/ Mulher forte destemida/ Que viveu sua paixão 11

1. Meu Padim Pade Ciço/ Me clareie a inspiração/ Pra falar de uma mulé/ Arretada feito o cão 17
2. Maria Gomes de Oliveira/ Amou muito a Lampião/ Decidiu ser a primeira/ Cangaceira do sertão 32
3. Todos os cabras ficaram/ Um a um mais alarmado/ Vendo que o chefe estava/ Por Maria apaixonado 47
4. Apesar de ser valente/ Maria era afeiçoada/ Às coisas bem femininas/ Só andava perfumada 62
5. Da história do cangaço/ Muito tem pra se saber/ Enfeite e bala de aço/ Conhaque para beber 77
6. Dezenove trinta e dois/ A brisa soprou rasteira/ Dia treze de setembro/ Nasceu Expedita Ferreira 90
7. Trate bem esse menino/ Com amor e instrução/ Não deixe que ele siga/ O caminho de Lampião 105
8. As moças de Vila Bela/ São pobres, mas têm ação/ Passam o dia na janela/ Namorando Lampião 118

9. Pode tê corpo de gente/ Mas gente mesmo não é/
Acho inté que não nasceu/ Das entranha de muié 129
10. Pra mode se vê defunto/ Num é preciso adoecê/
Quarqué intriga é bastante/ Pra se matá ou morrê 141
11. A Bahia tá de luto/ Pernambuco de sentimento/
Sergipe de porta aberta/ Lampião sambando dentro 153
12. A mulé de Lampião/ É faceira e é bonita/ Cada cacho
de cabelo/ Tem cinco laços de fita 164
13. Tiraram a minha farda/ Depois me puseram nu/
Me deram tão grande surra/ Com facão e couro cru 176
14. Ouviu o pai da defunta/ Dizer nesta exclamação/
Sou culpado porque dei/ Hospedagem a Lampião 187
15. Se não fosse essas caboca/ Não tinha graça o sertão/
Não brigava os cangaceiro/ Não havia Lampião 199
16. Lampião tem muita ideia/ Sua vida está segura/
Atirá nele é bobagem/ A bala bate e não fura 212
17. Acorda, Maria Bonita/ Levanta, vai fazer o café/
Que o dia já vem raiando/ E a poliça já está em pé 225

Epílogo. Meu amigo, bom leitor/ Eis o que pude historiar/
Não inventei o que escrevi/ Foi do que pude escutar 237

Este livro 249
Fontes 255
Notas 261
Referências das imagens 283
Índice remissivo 285

Prólogo

Salve Maria Bonita
Maria do capitão
Mulher forte destemida
Que viveu sua paixão

A estradinha de areia vermelha que, depois de catorze quilômetros, entrega o visitante na casa onde Maria Bonita nasceu e cresceu, em Malhada da Caiçara, na Bahia, é ladeada por três espécies de cactos típicos da caatinga: mandacaru, facheiro e xiquexique. A Serra do Umbuzeiro, formação rochosa que, vista de longe, parece um vulcão, aparece e desaparece da paisagem sinuosa, verde em períodos chuvosos e algo entre o cinza e o amarelo queimado se a seca é braba.

A habitação marrom de paredes de pau a pique é protegida por uma cerca baixa de madeira, com portão trancado a cadeado. Uma placa de ferro com sinais de oxidação anuncia que ali funciona um museu. Outra, de bronze, informa a restauração do espaço, em 2006, pela prefeitura de Paulo Afonso, cujo centro fica a 38 quilômetros de distância.

Apesar das placas, pode-se cogitar, à primeira visita, se aquele é o endereço certo. Nos arredores, um bar com as portas fechadas, onde uma mesa de bilhar jaz ao terraço, é o único indício de presença humana por ali. No entanto, alguma perseverança traduzida em gritos leva até a entrada da casa um jovem imberbe que costuma ficar com a chave do museu.

Mediante o pagamento em dinheiro vivo de uma taxa simbólica — o equivalente ao preço de uma garrafa de água mineral de meio litro —, é possível entrar no local, com o esbaforido adolescente como guia. Um caminho de pedras rústicas recentemente construído corta o gramado e conduz ao alpendre, onde um totem gigante em formato de carro de boi dá as boas-vindas ao turista.

No interior do museu, réplicas de utensílios domésticos de época tentam reproduzir o ambiente de uma casa sertaneja típica dos anos 1930 — panelas de cerâmica, canecas em ágata, facas, lampiões a gás e uma máquina enferrujada de costura. O adolescente informa que nada ali pertenceu, de fato, a Maria Bonita — com exceção de um banco de madeira, onde ela teria passado tardes românticas namorando Virgulino Ferreira da Silva, vulgo Lampião, o lendário Rei do Cangaço. Enfeitam as paredes imagens de Maria Bonita e de outros cangaceiros — todas elas do fotógrafo sírio-libanês Benjamin Abraão, autor da façanha de filmar o grupo na intimidade, em 1936. Sem o crédito de Abraão, as fotografias são identificadas em tiras de folha de caderno pautado, coladas com fita adesiva, onde se lê, em caligrafia sem capricho, os nomes dos integrantes da imagem.

A despeito da precariedade, o Museu Casa de Maria Bonita é um dos pontos altos de quem visita a cidade de Paulo Afonso, município ao qual hoje pertence Malhada da Caiçara, em busca de informações sobre a cangaceira mais ilustre da história do Brasil. Outro destino obrigatório é a estátua em pedra talhada de Maria, na praça das Mangueiras, no centro da cidade, do escultor José Faustino. No largo, transeuntes interrompem a caminhada para tirar selfies ao lado da figura idealizada da personagem: cenho fechado, com ares de valentia, a despeito de Maria ter sido uma mulher risonha; rifle posicionado na vertical, diante do corpo, embora Maria só portasse armas de pequeno porte — e, ao que conste, nunca tenha dado um tiro.

A forma como Paulo Afonso homenageia Maria Gomes de Oliveira, a Maria Bonita, é uma metáfora da maneira dúbia como ela entraria para a história: por um lado, como se vivesse permanentemente à sombra do marido, despertou pouco interesse por parte de contadores da história do cangaço, fenômeno do banditismo rural que teve na figura de Lampião a sua mais famosa expressão. Os jornais dos anos 1930, apressados em narrar as crueldades e ações espetaculares do Jaguar do Nordeste, não consideravam a existência de sua esposa digna de pauta. A memória da Rainha do Cangaço na imprensa da época é imprecisa, precária e fantasiosa.

Esse obscurecimento não impediu que, por outro lado, Maria Bonita fosse ganhando ares de mito depois de sua morte. A lacuna de informações sobre a vida não apenas dela, mas também dos outros cerca de quarenta jovens do bando — bem como as entrevistas em que repórteres ávidos por boas manchetes estimulavam o espírito inventivo de suas fontes, notadamente ex-cangaceiros —, contribuiu para que se criasse a fantasia de uma impetuosa guerreira, hábil amazona do sertão, uma Joana d'Arc da caatinga. Perpetuou-se a falsa ideia de que, no cangaço, homens e mulheres tinham direitos iguais. Produziu-se um sem-número de versões sobre sua existência bravia, disseminadas pela literatura de cordel, pelos livros e pela televisão. Essa versão romântica e justiceira de Maria Bonita, rapidamente apropriada pela indústria cultural, tornou-se um produto de forte apelo comercial — e expandiu seus limites para muito além das fronteiras do sertão.

O cruzamento do número 754 da Quinta Avenida com a 58th Street, em Nova York, é tido pelos amantes da moda como uma das mais icônicas esquinas fashion do mundo. Trata-se da localização da Bergdorf Goodman, loja de artigos de luxo que comercializa peças de designers badalados como Manolo Blahnik, Giorgio Armani e Karl Lagerfeld. Foi nessa loja que, no início dos anos 1970, a atriz Elizabeth Taylor comprou duzentos casacos de vison brancos para os agraciados de sua lista de Natal. No mesmo local, pouco tempo depois, o beatle John Lennon e sua esposa, a artista plástica Yoko Ono, gastariam 400 mil dólares em peles de uma só vez.[1]

Na tarde de 18 de novembro de 1970, nesse endereço de ostentações, Maria Bonita e suas companheiras de cangaço foram representadas por esbeltas modelos em trajes de verão. No quinto andar do prédio, a estilista mineira Zuzu Angel apresentava as peças de sua International Dateline Collection I, com referências a Lampião e a Maria Bonita. Acomodadas em um salão acarpetado, com cortinas e espelhos, as mais elegantes senhoras de Manhattan acompanhavam, com curiosidade, o exotismo daqueles trajes compostos por chapéus de feltro, cartucheiras de tiras de couro cruzadas na altura do peito e vestidos acinturados com mangas bufantes.

"São vestidos com impressões extravagantes que [Zuzu Angel] dedica a Lampião e sua namorada, Maria Bonita, bandidos lendários dos anos 1920, espécie de Bonnie e Clyde brasileiros", escreveu Bernardine Morris, uma das mais conceituadas críticas de moda da história do *New York Times*. Bonnie e Clyde, renomado casal fora da lei que comandou uma quadrilha de assaltantes nos Estados Unidos nos anos 1930 (década em que as mulheres entrariam no cangaço, ao contrário do que informou a jornalista americana), seriam, nos anos seguintes, frequentemente comparados aos bandoleiros brasileiros.[2]

Na minissérie da TV Globo *Lampião e Maria Bonita*, de 1982, Nelson Xavier e Tânia Alves viveram o casal de cangaceiros e transformaram sua vida de crimes em uma bela história de amor ao estilo dos salteadores americanos. Com essa interpretação romanceada, a história foi vendida para Guatemala, Itália, Irlanda, Peru, Portugal e Uruguai. Em uma das cenas, passada em uma aconchegante tenda de onde se ouve delicado som de sanfona, o casal tergiversa enquanto se prepara para o amor — com pausas para longos beijos — sobre o sentido do enamoramento, a existência do céu e do inferno e o destino que os aguarda. "Quando a gente morrer, será que as pessoas vão se lembrar?", indaga a personagem de Tânia Alves.[3]

A partir da década de 1990, Maria Bonita passaria a ser lembrada, com frequência, todo 8 de março, quando se comemora o Dia Internacional da Mulher. Em mais uma das inúmeras lendas que cercam sua figura, poetas populares e memorialistas estabeleceram que aquela seria a data de nascimento da cangaceira. Em *O espinho do quipá: Lampião, a história*, livro publicado em 1997 em coautoria com o pesquisador Antônio Amaury Corrêa de Araújo, a neta de Lampião e Maria Bonita, Vera Ferreira — ela é filha de Expedita Ferreira, única filha do casal —, cravou a data de 8 de março de 1911. Desse modo, o aniversário da cangaceira soaria como uma predestinação.

Em 2011, ano em que se registraram diversas comemorações pelo suposto centenário de Maria Bonita, um pesquisador de Paulo Afonso, o sociólogo Voldi Ribeiro, localizou o assentamento do batismo de Maria Gomes de Oliveira na paróquia de São João Batista de Jeremoabo. No documento, consta a data de nascimento da criança: 17 de janeiro de 1910. A Rainha do Cangaço, portanto, nasceu no mesmo dia em que, 54 anos depois, viria ao mundo Michelle Obama, futura primeira-dama dos Estados Unidos.

Múltiplas narrativas à parte, Maria Bonita é, sem dúvidas, a mulher mais importante do cangaço. Ao contrário de Dadá, esposa do cangaceiro Corisco, que morreria em 1994 e deixaria sua vida registrada em livros, filmes e centenas de entrevistas para rádios, jornais e televisão, a história de Maria Gomes de Oliveira é contada apenas por terceiros. As lacunas em torno de sua trajetória, embora dificultem a reconstituição dos fatos, não diminuem sua influência. A coragem de desfazer um casamento falido para acompanhar o homem que desejava e a disposição para enfrentar fome, sede e perseguição policial em nome de um grande amor inspiraram gerações de mulheres por décadas. Apesar de esconder o fato de que as cangaceiras eram submetidas a violências constantes na esfera doméstica e privada — embora vivessem ao ar livre do sertão —, essa mitificação não diminui o caráter transgressor da figura de Maria Bonita. Aqueles eram os anos 1930, e mulher decente não abandonava marido, quanto mais para fugir com cangaceiro.

Maria Bonita virou nome de grife de moda, música, centenas de pousadas e restaurantes espalhados pelo Nordeste, salões de beleza, academias de ginástica, cerveja, pizza, assentamento rural, bandas de forró e coletivos feministas. Transformou-se em uma marca poderosa.

No entanto, enquanto a mulher de Lampião viveu, a personagem nunca existiu. A cangaceira que teve a cabeça decepada em 28 de julho de 1938 era simplesmente Maria de Déa: uma jovem de 28 anos que morreu sem jamais saber que, um dia, seria conhecida como Maria Bonita.

1

Meu Padim Pade Ciço
Me clareie a inspiração
Pra falar de uma mulé
Arretada feito o cão

Na pequena casa de reboco de Malhada da Caiçara, onde moravam os pais de Maria Gomes de Oliveira, o enfadonho das tardes do sertão da Bahia era quebrado, pelo menos uma vez por mês, pela visita enfurecida da filha de dezoito anos.

Casada desde os quinze com um primo seis anos mais velho, o sapateiro José Miguel da Silva, a jovem Maria enfrentava uma incontornável crise conjugal. O casal vivia em Santa Brígida, um distrito da próspera cidade de Jeremoabo, perto de Santo Antônio da Glória, município ao qual pertencia Malhada da Caiçara. Ali, o marido se dedicava a remendar bicos finos, tiras de alpercatas e saltos altos. Consta que, depois de largar o serviço, Zé de Neném, como era conhecido, raramente ia ao encontro da mulher. Preferia se entregar aos prazeres da noite, especialmente aqueles ofertados nos disputados arrasta-pés santa-brigidenses. Exímio dançarino, encontrava facilidade para arregimentar parceiras para o forró. Tinha especial dom para conduzir uma dama, tomando-a pela cintura e gingando com desenvoltura ímpar.

Neném podia não ser um homem afamado pela beleza, mas tinha distinção, a julgar pela única fotografia sua que chegaria à posteridade. Em ocasiões especiais, como um ensaio fotográfico, vestia-se com galhardia: camisa com colarinho inglês, blazer de abotoamento duplo — com o último botão aberto, conforme as regras de elegância — e chapéu-panamá com a aba ligeiramente caída sobre o rosto. Neném também não era famoso por ser um galanteador discreto, fazia pouca ou nenhuma questão de esconder suas aventuras extraconjugais. Em certa ocasião, a esposa teria feito um escândalo ao encontrar, no bolso do marido, um pente feminino, cuja proprietária seria uma formosa garota de Santa Brígida, na flor de seus treze anos. Quando o caso era assim mais grave, Maria podia passar incontáveis noites longe de casa — muitas vezes depois de enfrentar a fúria do marido que, aborrecido com os protestos da esposa, tentava lhe calar com tapas e socos.[1]

O pai de Maria, o agricultor José Gomes de Oliveira — conhecido como Zé de Felipe —, não negava teto à filha, mas evitava dar muito cartaz a seus queixumes. Naquele crepúsculo da década de 1920, sobretudo no sertão, ciscar fora do terreiro era algo não apenas aceito, como praticamente esperado de um homem. Seu Zé de Felipe sempre fizera gosto naquele relacionamento. Considerava Neném um genro promissor, homem com profissão definida, capacitado para dar segurança e sustento à família.

Já a mãe, Maria Joaquina Conceição de Oliveira — ou dona Déa, como todos na vizinhança a chamavam —, tinha lá suas reservas a Zé de Neném. Aos olhos da sogra, além de assanhado, o rapaz era um frouxo, a ponto de certa vez ter pulado longe quando Maria, só de traquinagem, jogou uma cobra morta a seus pés.[2] Também não o considerava varão o bastante, uma vez que ainda não engravidara a esposa. Naqueles tempos, a virilidade masculina estava fortemente associada ao tamanho da prole. Por não ter filhos, Zé de Neném era um homem fraco para muitos de seus contemporâneos, incapaz de satisfazer a mulher. Ainda mais uma mulher como Maria.

Morena clara, cabelo e olhos castanhos, nariz afilado, lábios finos e 1,56 metro de altura, a esposa de Neném possuía um atributo em alta conta nas veredas nordestinas: um par de coxas grossas, cuja robustez se podia antever pelos tornozelos rotundos que os vestidos cortados abaixo dos joelhos deixavam à mostra.[3] Embora, na época, o arquétipo urbano de elegância contemplasse corpos esguios como o da canadense Mary Pickford — que ganharia, em 1930, seu segundo Oscar de melhor atriz pela atuação no filme mudo *Coquete* —, as garotas mais cobiçadas do sertão eram as bem fornidas. As pernas fortes de Maria compensavam alguns de seus predicados pouco favoráveis, como certo achatamento da região glútea e os pés grandes e esparramados.[4]

Segundo o livro 1909/15 da paróquia de São João Batista de Jeremoabo, Maria Gomes de Oliveira nasceu no dia 17 de janeiro de 1910 e foi batizada faltando poucos dias para completar oito meses de idade, no feriado de 7 de setembro do mesmo ano.[5] Um hábito da região estabelecia que, ao primeiro nome de uma criança, acrescentava-se, informalmente, o do pai ou da mãe. A menina logo se tornou Maria de Déa, em referência à mãe. Pelo mesmo motivo, Zé de Neném e Zé de Felipe eram chamados dessa maneira.

Sertanejos simples, com pouca instrução e recursos modestos, seu Zé de Felipe e dona Déa tiravam o sustento da família do plantio de milho, feijão e mandioca, além da criação de poucos e esquálidos bodes, cabras e vacas. Ao longo da vida, precisariam dar duro na roça para alimentar outras doze bocas, além das próprias. Maria foi a segunda filha do casal. Eles também eram pais de Benedita, Antônia, Amália, Joana, Olindina, Francisca, José, Ozéas, Arlindo, Ananias e Paulo.

A quinhentos quilômetros da capital Salvador, Malhada da Caiçara era, nas primeiras décadas do século XX, um lugarejo escondido no meio do nada. Não havia saneamento básico, energia elétrica ou qualquer item de conforto urbano. Na casa dos Oliveira não havia camas — para dormir, crianças e adultos se amontoavam em redes, sobre a mesa da cozinha ou em esteiras no piso de areia solta. A monotonia dos dias sem fim do sertão acompanhava a da paisagem: longas extensões de catingueiras por onde só de vez em quando se avistava vivalma.

No exílio voluntário na casa dos pais, sempre que brigava com o marido, Maria mergulhava na rotina de seus tempos de solteira: passava horas a bordar lenços com as irmãs e a prosear à sombra do umbuzeiro. Da janela do quarto, podia avistar o cume da serra Peito de Moça, formação geológica assim denominada devido à semelhança com seios femininos. Alguns de seus passatempos, entretanto, não eram tão singelos. Embora os dias fossem maçantes, um ar festivo tomava conta da caatinga quando o cenário era iluminado pelo luar do sertão. Nessas ocasiões, Maria se emperiquitava com seus melhores vestidos e ia bater suas coxas maciças nas de algum pé de valsa nas fazendas da região.

Em uma dessas festas, a jovem conheceu José da Costa Dórea, secretário do coronel João Sá, de Jeremoabo, então deputado estadual. Dórea, que repetiria a história inúmeras vezes para escritores e jornalistas, estava em Santo Antônio da Glória para participar da festa de casamento da filha do chefe político da cidade, Petronilo de Alcântara Reis — ou coronel Petro, para os mais chegados.

Dono de um vistoso bigode e de uma ostentosa protuberância abdominal, Petro se gabava de ser o fazendeiro mais rico do nordeste da Bahia. Proprietário de 33 fazendas espalhadas em seis municípios, gozava da amizade do futuro interventor do estado, Juracy Magalhães. Quando o visitava em Salvador, aproveitava para cumprimentar as messalinas das melhores casas de tolerância da cidade.[6] E, embora houvesse estudado apenas o suficiente para aprender a ler, escrever e somar seus contos de réis, Petro tinha veleidades intelectuais. Gostava de salpicar, em suas falas, eruditas citações em latim, que aprendia com um de seus melhores amigos, o monsenhor Emílio de Moura Ferreira Santos. Conhecido como "Padre Santo", o religioso teve mais de um filho com a governanta da casa paroquial.[7]

Coronel Petro, naturalmente, não economizou recursos para garantir um casório inesquecível à filha. Contratara uma banda de músicos de Jeremoabo e espalhara convites para os amigos de Pernambuco, Alagoas e Sergipe — a cidade de Santo Antônio da Glória ficava estrategicamente situada próximo à fronteira entre os três estados. Como os convidados eram muitos, o coronel hospedou parte dos visitantes em fazendas vizinhas. Depois do festão de arromba, Petro decidiu acompanhar o secretário Dórea, o deputado João Sá, a banda de músicos e uma dezena de outros homens proeminentes da cena pública local — dentre eles, um tenente, um juiz de direito e um promotor — até Jeremoabo.

No meio do caminho, já alta madrugada, resolveram pernoitar na casa de um conhecido de João Sá. Ao ver aquele mundaréu de gente diante de si, o anfitrião considerou que, para um novo baile, só faltavam mais mulheres (havia apenas quatro moças no local). Pediu licença, deixou a fazenda e voltou, poucos minutos depois, com cinco damas — dentre elas, Maria de Déa.

Na primeira oportunidade, Dórea levou a esposa de Neném para o salão improvisado. Levantaram poeira madrugada adentro e, ao amanhecer, todos sentaram à mesa para um faustoso café da manhã custeado pelo coronel Petro. Antes de voltar para a estrada com a comitiva, João Sá sacou do bolso uma pequena quantia em dinheiro e, a título de agradecimento pela diversão, dividiu-a entre as dançarinas.[8]

A impetuosidade de Maria de Déa dava margem a comentários maliciosos nos arredores de Malhada da Caiçara. Dizia-se à boca miúda que, embora indignada com as puladas de cerca de Zé de Neném, Maria não era a mais devotada das esposas. Segundo um dos boatos que corriam em Santa Brígida, na ausência de uma atuação mais vigorosa de Zé de Neném, cabia ao comerciante João Maria de Carvalho a tarefa de tentar apagar o fogo da mulher. Carvalho era filho do poderoso coronel Pedro Alexandre — anos depois, o velho Pedro daria nome a um município da Bahia.[9]

No começo dos anos 1920, os ventos da chamada primeira onda feminista começavam a soprar nos grandes centros urbanos do Brasil, mas demorariam a chegar ao sertão nordestino. Maria de Déa era, portanto, em quaisquer circunstâncias, uma mulher de comportamento transgressor. De uma senhora casada, ainda que insatisfeita com o relacionamento, esperava-se nada além de cega obediência ao marido.

Mesmo no Rio de Janeiro — onde fora fundada, em 1922, a Federação Brasileira pelo Progresso Feminino — a subserviência, a ausência de ambição e a dedicação à vida doméstica eram valores abertamente associados às mulheres.

"Toda a construção social gira em torno da mulher nas suas máximas expressões — esposa e mãe. Se o lar representa para o homem o remanso de repouso e de prazer na vida, é para a mulher a própria vida", dizia um anúncio da Associação de Crédito Hipotecário Lar Brasileiro, publicado nos jornais cariocas de 1926. A peça da Associação procurava se valer de um recurso comum na publicidade — conquistar a mulher para influenciar as escolhas do homem. "Confiai na iniciativa de vossa esposa. Limitai vossos gastos e entrega o fruto de vossas economias à companheira com quem compartilhais a vida",[10] conclamava a propaganda.

Nas páginas dos jornais, as discussões sobre as reivindicações do incipiente movimento feminista suscitavam análises de articulistas e leitores. "O feminismo está se tornando uma praga terrível, penetrando [...] em searas onde jamais devia penetrar", escreveu Claudia, assim simplesmente apresentada, na seção intitulada "Assuntos femininos", publicada aos domingos no *Correio da Manhã*, do Rio de Janeiro.

"Deixa ao homem a política; nela é preciso mentir, trair, enganar e muitas outras coisas mais onde não poderás rivalizar com o sexo forte. Votar? Queres fazer o destino do país? Ilusão! Se nem o nosso próprio destino nós pudemos fazer!", esbravejava Claudia, concluindo, com doçura, sua colaboração na edição de 16 de setembro de 1928: "Não preciso dizer-te qual é tua arma mais poderosa, mulher: é o beijo!".

No ano anterior, 1927, a professora Celina Guimarães Viana havia se tornado a primeira mulher brasileira a se alistar para uma votação. O fato ocorrera na cidade potiguar de Mossoró, localizada a 280 quilômetros de Natal. Uma lei do estado do Rio Grande do Norte determinara que "poderão votar e ser votados, sem distinção de sexos, todos os cidadãos que reunirem as condições exigidas por esta lei". Viana e mais catorze eleitoras mossoroenses escolheram seus candidatos a senador — mas, ao chegar ao Senado, os votos seriam descartados, sob a justificativa de que a legislação federal ainda não previa a participação feminina em eleições.

O pioneirismo legal permitiria ao Rio Grande do Norte eleger, em 1928, a primeira prefeita da América Latina. Luíza Alzira Soriano, de 32 anos, ganhou a disputa para a prefeitura da cidade de Lajes, a 125 quilômetros da capital. O feito, à época, foi notícia no jornal americano *The New York Times*, que o atribuía à influência dos Estados Unidos. Em 1920, as americanas haviam conquistado o pleno direito de ir às urnas.[11]

Além do exercício do voto, as reivindicações dos movimentos feministas incluíam melhores ofertas de educação para as mulheres e o direito de trabalhar sem precisar, para isso, de autorização do marido, como estabelecia o Código Civil em vigor, de 1916.[12] "O marido é o chefe da sociedade conjugal, função que exerce com a colaboração da mulher, no interesse comum do casal e dos filhos", determinava o artigo 233 da legislação. No artigo 178, o Código ainda garantia ao homem o direito de "anular o matrimônio contraído com mulher já deflorada". Às esposas, contudo, resguardava-se o direito de reivindicar os "bens comuns, móveis ou imóveis, doados ou transferidos pelo marido à concubina".

Na mesma época, as reivindicações por equidade salarial começavam a esboçar seus primeiros e encabuladíssimos rascunhos. Em 1927, a psiquiatra Nise da Silveira, em artigo intitulado "O trabalho feminino", escreveu no *Correio da Manhã*:

> Examinem-se os salários femininos e ver-se-á que, de ordinário, são eles ínfimos, absolutamente insuficientes para a mais modesta criatura conseguir manter-se. [...] Está por demais arraigada a suposição de representar o salário da mulher apenas um auxílio, alguma coisa vinda da inhapa, estando já sua subsistência assegurada pelo pai ou marido.

Não era o caso de sair nas carreiras atrás de Maria de Déa. Zé de Neném sabia esperar, com paciência, a moça deixar de soltar fogo pelas ventas. Dando tempo suficiente para a raiva arrefecer, o sapateiro selava seu cavalo e ia até Malhada da Caiçara resgatar a esposa. Alguns dias se passavam entre compras de tecidos no comércio, confecção de vestidos à máquina de costura e participação em missas e novenas até que Neném voltasse a aprontar e Maria regressasse à casa dos pais.

No fim do ano de 1928, além das tarefas convencionais a que se dedicava nas temporadas em Malhada da Caiçara, Maria de Déa incluíra nova atividade em sua rotina: conversar com a mãe sobre a perspectiva de cruzar a qualquer momento com aquele que era, na época, o bandido mais procurado do Brasil, o autoproclamado Governador do Sertão, o Monarca Selvagem da Caatinga, o terrível Virgulino Ferreira da Silva, vulgo Lampião, o Rei do Cangaço.

Raros eram os dias em que Lampião não aparecia nos principais jornais do Brasil, do Rio de Janeiro a Fortaleza. Para ilustrar as reportagens, artigos e notas, os jornalistas escolhiam quase sempre a mesma imagem: uma foto de 1926 que, não fosse o detalhe do rifle apontado para a câmera, faria Virgulino passar por um estudante aplicado. No rosto fino, de lábios delgados e nariz longo e reto, repousava um par de óculos de aros delicados, com lentes formando círculos perfeitos. Embora já contasse ali com 27 anos muito bem vividos, Virgulino guardava certo ar pubescente.

O registro fora feito pelo fotógrafo Lauro Cabral de Oliveira no município cearense de Juazeiro do Norte. Lampião estava na cidade a convite do prefeito — ninguém menos do que o maior líder espiritual do Nordeste, padre Cícero Romão Batista, de quem ele era ardoroso devoto. Padim Ciço rogara ao bandoleiro mais temido dos sertões que tomasse assento nos Batalhões Patrióticos, milícia composta por jagunços e cangaceiros com o objetivo de combater a Coluna Prestes. Desde o ano anterior, o governo do presidente Artur Bernardes vinha sendo driblado pelo grupo de tenentes que subiam o país, desde o Rio Grande do Sul, protestando contra as deformidades da Primeira República e seu poder concentrado nas mãos das elites agrárias.

Lampião também se safava da perseguição oficial, e desde muito antes, mas aquele não era o momento para coerência. Como recompensa pela perseguição à força militar revolucionária liderada por Luís Carlos Prestes, o bandoleiro receberia armamentos e uniformes exclusivos do Exército. Também seria nomeado capitão. Com o título, teria um salvo-conduto para continuar a exercer seu domínio pelos sertões, sem ser importunado pelas forças volantes, como eram chamados os pelotões mistos de caça aos cangaceiros formados por policiais militares e sertanejos. Quando Lampião chegou a Juazeiro, porém, nem precisou se dar ao trabalho de engatilhar o rifle: a Coluna Prestes já havia deixado o Ceará.

Mesmo assim, Lampião exigiu o cumprimento das promessas feitas pelo Padim — afinal, ele não tinha culpa se o serviço havia gorado. Ele fizera sua parte e agora queria o pagamento conforme combinado. Lampião, aliás, granjeara fama de homem de palavra, ferrenho observador do código de ética do sertão, segundo o qual palavra dada é palavra cumprida. Melhor não prometer do que fazer um voto e descumprir o empenhado, estava escrito na Bíblia. Portanto, só sairia dali vestido com o uniforme de mescla azul-acinzentada do Exército e armado e municiado até os dentes. E, claro, promovido a capitão.

Contrariar o Rei do Cangaço não era recomendável nem mesmo a quem supostamente tinha canal direto com o Todo-Poderoso, de modo que padre Cícero deu um jeito de fazer a vontade do homem. Para redigir o suspeito título de capitão, convocou o único funcionário público federal da cidade, o inspetor agrícola Pedro de Albuquerque Uchôa, que lavrou fictício documento atestando que Virgulino Ferreira da Silva era portador da patente de capitão honorário dos Batalhões Patrióticos.[13]

Como não precisara ir para o front, Lampião se dedicara, em Juazeiro, à faina mais intelectual: divulgar suas ações e, com isso, reforçar a construção de uma imagem pública associada à coragem, à valentia e ao acerto de contas. Embora fosse homem de poucas letras, Lampião se revelava um exímio estrategista de relações públicas. Sabia, por exemplo, da conveniência de tratar bem os jornalistas — embora, em sua opinião, estes fossem dados a mentir. Na ocasião, foi educado, solícito e didático com o médico e repórter Otacílio Macedo, que publicaria uma entrevista sua na edição de 17 de março de 1926 do jornal O Ceará:

— Não pretende abandonar a profissão? — perguntou o repórter.

— Se o senhor estiver em um negócio, e for se dando bem com ele, pensará porventura em abandoná-lo? [...] Pois é exatamente o meu caso. Porque vou me dando bem com este negócio ainda não pensei em abandoná-lo.

— Em todo o caso, espera passar a vida toda nesse "negócio"?

— Não sei... talvez... preciso, porém, trabalhar ainda uns três anos. Tenho alguns amigos que visitar, o que ainda não fiz, esperando uma oportunidade.

— Não se comove em extorquir dinheiro e "avariar" propriedades alheias?

— Mas nunca fiz isso. Quando preciso de algum dinheiro, mando pedir amigavelmente a alguns camaradas.

Foi nessa mesma entrevista que Lampião deu a versão para seu ingresso no cangaço — versão que sustentaria até o fim de seus dias. De acordo com Virgulino, entrara naquela vida em 1917 para vingar o pai, José Ferreira, assassinado na cidade de Água Branca, em Alagoas. O crime tinha sido encomendado pelas famílias Nogueira e Saturnino, do município pernambucano de Vila Bela, atual Serra Talhada, sua terra natal. A origem da inimizade entre as famílias seria uma disputa de animais e chocalhos — o acessório, na zona rural empobrecida, tinha valor elevado e conferia ao proprietário certo status de riqueza.[14]

No entanto, a narrativa de Lampião para dar um sentido justiceiro à sua trajetória não obedecia às leis da lógica. O pai de Virgulino morrera em 1921 em decorrência da atividade criminosa a que os filhos, àquela altura, já se dedicavam. Além de Virgulino, seus irmãos Antônio e Levino não eram flor que se cheirasse. Já tinham, nas costas, larga e comprovada experiência em pancadarias, roubos e arruaças.

No dia 9 de maio daquele ano, os irmãos haviam saqueado a cidade alagoana de Pariconhas, perto de Água Branca, onde moravam seus pais, José Ferreira dos Santos e Maria Lopes. Com medo da perseguição policial, o casal se escondeu na fazenda de um conhecido. Lá, dona Maria, que já vinha sofrendo de desmaios, viria a falecer, vítima de infarto. Seu José ainda chorava a morte da esposa quando, dias depois, foi atingido por uma saraivada de balas. A polícia, que tinha descoberto o paradeiro da família, chegou à casa atirando. Seu José estava debulhando uma espiga de milho. Só teve tempo de correr para dentro da casa. Foi perseguido por soldados, imobilizado e fuzilado à queima-roupa.[15]

A favor da versão de Virgulino reside o fato de que foi somente após a tragédia que ele se tornou cangaceiro profissional. A única diferença era que, em vez de agir como autônomo, ele prestava obediência a Sebastião Pereira, vulgo sinhô Pereira, até então o cangaceiro mais temido do sertão. Em 1922, segundo consta aconselhado por padre Cícero, sinhô se aposentaria, não sem antes passar o bastão para seu discípulo mais talentoso, Virgulino Ferreira da Silva, "o homem mais valente que já conheci", como reconheceria no futuro.[16]

* * *

A entrevista de Otacílio Macedo e as fotos de Lauro Oliveira transformariam Lampião em celebridade nacional, figura com ares de mito que logo seria explorada pela indústria do entretenimento. No Rio de Janeiro, a opereta regional *O manda-chuva de Lampeão* levava interessados em conhecer os "tipos curiosos do *hinterland*", como anunciava o *Jornal do Brasil*, ao tradicional Teatro Carlos Gomes, localizado na praça Tiradentes.[17] Em Recife, os publicitários apelavam à aura de invicto do bandido para chamar a atenção para seus clientes: "Lampião tem dúvidas de ser preso. Nunca duvidou e nem duvidará que a Casa das Fazendas Bonitas sempre foi, é e será a mais barateira do Recife".[18]

Na imprensa, de forma geral, observava-se um misto de revolta e admiração envolvendo a figura de Lampião. Ao mesmo tempo que narravam, nas reportagens, as "proezas" do bando, os jornais cobravam, nos editoriais, uma postura mais severa das autoridades para combater o banditismo rural. Afinal, Lampião tocava o terror havia uma década, sem jamais ter sofrido uma derrota. No sertão, atribuía-se a invencibilidade do homem ao sobrenatural. O bandoleiro só podia ter "corpo fechado" ou "sociedade com Satanás", dizia-se nas mercearias, feiras e inferninhos do interior. A verdade, porém, era um tanto mais terrena: Lampião fazia e acontecia porque contava com a proteção de políticos, grandes coronéis e modestos fazendeiros de boa parte do Nordeste brasileiro.

Em 1927, entretanto, Lampião sofreria o primeiro revés de sua brilhante carreira. Ao tentar invadir Mossoró, foi recebido a tiros por um exército formado pelos moradores da cidade, sob o comando do então prefeito Rodolfo Fernandes. Colocado para correr sob uma chuva de balas, sofreu com duas grandes baixas: os cangaceiros Colchete e Jararaca.

A derrota mossoroense abalou de tal maneira o ânimo de Virgulino que, no período de um ano, reduziu o bando de 75 para apenas cinco homens. Além de deserções, enfrentou perdas definitivas, como a do cangaceiro Sabino, um dos membros do estado-maior do seu exército, morto no Ceará. Alquebrado, sem forças e desguarnecido, Lampião tinha contra si, pela primeira vez, o conjunto das polícias do Ceará, Rio Grande do Norte, Paraíba, Pernambuco e Alagoas, que experimentavam um sentimento inédito de júbilo. Na imprensa, o tom era de otimismo. Em questão de dias, diziam os oficiais, o Jaguar Bravio do Nordeste seria abatido.

Foi nesse contexto que Lampião decidiu tentar vida nova na Bahia. O bandido tinha indicações de homens poderosos a quem procurar e pedir apoio. Estaria mais protegido da persiga braba naquela região. A última cidade pernambucana na qual deixaria seu rastro seria Itacuruba, nas margens do São Francisco, próximo à foz do rio Pajeú. De lá, seguiu na direção da serra do Papagaio e, na altura da cachoeira de Paulo Afonso, tomou uma canoa rumo a Passador, lugarejo de Santo Antônio da Glória. Lampião desembarcou na margem baiana do Velho Chico na companhia de cinco cabras remanescentes: Ezequiel Ferreira, seu irmão, vulgo Ponto Fino; Virgínio Fortunato da Silva, o Moderno; Antônio Juvenal da Silva, ou Mergulhão; Luís Pedro Cordeiro e Mariano Laurindo Granja, estes conhecidos apenas pelo prenome. Àquela altura, seus irmãos Levino e Antônio já estavam mortos. O primeiro, em confronto com a polícia; o segundo, supostamente, vítima de um tiro acidental disparado por Luís Pedro.

Os forasteiros estavam "sujos, magros, exaustos, com grandes olheiras, parecendo mais mortos do que vivos", segundo a descrição de uma mulher que presenciou o momento em que o grupo pôs os pés em terra firme.[19] Apesar disso, entre os moradores das cidades ribeirinhas, a notícia da presença dos cangaceiros provocou um verdadeiro Deus nos acuda. Era como se Lúcifer em pessoa tivesse resolvido fazer daquele pedaço distante da Bahia uma sucursal do inferno. Quem tivesse suas filhas que as trancasse em casa, porque aqueles demônios, tidos em todo o sertão como violadores de donzelas, estavam à solta.

Já Maria de Déa podia até ter medo de Lampião. Mas tinha medo maior ainda da mesmice.

2

Maria Gomes de Oliveira
Amou muito a Lampião
Decidiu ser a primeira
Cangaceira do sertão

— Não tenho moça em casa. Isso que tenho é uma menina.

— Pois é isso mesmo que eu quero, uma menina.

Escondida nos fundos de casa no povoado de Macureré, em Santo Antônio da Glória, Sérgia Ribeiro da Silva ouvia, apavorada, a conversa entre o pai, Vicente Ribeiro da Silva, e aquele cangaceiro arrogante que falava aos gritos. Aos doze anos, Sérgia agia em tudo feito criança: brincava de bonecas e gostava de receber chamegos de seu Vicente, a quem era muito apegada.

A figura do homenzarrão, embora sinistra, não era estranha para Sérgia. Dias antes, topara com ele na residência da madrinha, a poucas léguas dali, no sertão da Bahia. Ombros largos, cabelo amarelo, olhos castanho-azulados, pele sardenta, bochechas coradas, lábios finos e queixo proeminente, repousava em uma rede, com ar de gabolice.

— Venha cá, gordinha! — chamou o louro, em tom de ordem.

— Não vou. Não tenho o que conversar. Vou embora.

— Venha! Tá com medo? Quem morre de medo se enterra vivo.[1]

A garota ignorou a provocação e deixou a casa da madrinha. Mas, naquela nova oportunidade, em casa, a história terminaria de um jeito diferente. Acompanhado de dois cabras, o galego gritava com o pai da menina por causa de um rapaz, seu amigo, que fora preso e espancado pela polícia sob a justificativa de que estragara a criação de um fazendeiro. Segundo alegava, o culpado pela prisão era seu Vicente, que o denunciara às forças policiais.

Dar com a língua nos dentes era crime grave, que merecia o pior dos castigos, dizia o visitante. E a vingança ele já tinha toda planejada: ficar com o que o dono da casa tinha de mais precioso.

— Mas é só uma menina — insistia o velho.

Ato contínuo, o rapaz deu ordem para os dois homens invadirem a casa e arrastarem Sérgia. Ao perceber o que estava acontecendo, a menina entrou em desespero. Gritou pelos pais e, em vão, tentou se desvencilhar dos braços dos capangas. À força, foi imobilizada na garupa de um burro. A mãe, Maria Santana Ribeiro da Silva, ainda preparou, às pressas, uma trouxa com algumas peças de vestuário da filha. Mas o malfeitor a queria apenas com a roupa do corpo e dispensou a bagagem.

A fera que se vingara de seu Vicente de maneira tão implacável se chamava Cristino Gomes da Silva. Mas, nas sendas da caatinga, atendia pelo codinome de Corisco, o Diabo Louro. Contava, na ocasião, com 20 anos. Sérgia, a menina, tinha por apelido Sussuarana. A partir daquele dia, seria conhecida como Dadá.

A viagem no lombo do burro começou nas primeiras horas da tarde e terminou às três da madrugada na casa de dona Vitalina, tia de Corisco, na localidade de Juá, região de Santo Antônio da Glória.

Embora Dadá estivesse cansada e confusa, o Diabo Louro, alimentado pelo desejo, ainda tinha energia suficiente para atravessar a largura de um rio. Conduziu a menina mata adentro e, quando chegaram à roça da Baixa Grande, jogou-a ao chão. Imobilizou-a, levantou-lhe o vestido, abriu-lhe as pernas e se debruçou sobre seu corpo. "Feito um animal", como ela viria a descrever no futuro, penetrou-a com força, repetidas vezes. Aos doze anos, Dadá perderia a virgindade naquele estupro.

Quando Corisco finalmente se saciou, a garota estava inerte, quase desfalecida, com a região genital em carne viva, esvaindo-se em sangue. Delirando de tanta dor, pensara que suas pernas haviam virado escamas de peixe e, na sua alucinação, "nadava feito uma sereia numa correnteza vermelha com pedras de diamante".

Corisco a arrastou de volta para a casa da tia e pediu à senhora que cuidasse da garota. Quando estivesse recomposta, voltaria para pegá-la.

Nos dias que se seguiram, Dadá enfrentou febres altas, que lhe provocavam novos delírios. Cessada a hemorragia, começou a sentir escorrer, pela vagina, um líquido esverdeado. Para tratar os ferimentos e a inflamação, submetia-se a banhos de assento com ervas locais, preparados por dona Vitalina.[2]

A ausência de Dadá — e a certeza de que, nas mãos de Corisco, ela seria violentada — era um dos motivos de sofrimento na residência dos Ribeiro da Silva. Mas estava longe de ser o único. Para as forças volantes, Dadá não tinha sido raptada, e sim fugira com o cangaceiro. Seu Vicente passou a ser tido, a partir de então, como coiteiro, como se chamavam os sertanejos, fazendeiros e coronéis que davam aos bandidos um lugar para se refugiar, o coito — daí a origem do nome.

Como não podiam bulir com os homens de posse, restava aos soldados tentar conseguir informações sobre o destino dos bandoleiros com os agricultores mais simples do sertão. Pressionado a dar alguma informação sobre Corisco, seu Vicente nada disse, pois nada sabia, e por isso teve parte da orelha decepada. Dona Maria Santana e suas filhas menores foram trancadas em um cômodo da casa, sem água ou comida, onde permaneceram até o limite de suas resistências. Dois irmãozinhos de Dadá, de seis e sete anos, tiveram as unhas arrancadas a ponta de faca.[3]

Para o sertanejo pobre, não havia escapatória. Era uma questão de escolher entre dois tipos de violência não muito diferentes. De um lado, a das forças policiais, cujos métodos de tortura em nada deixavam a dever aos dos bandidos. Do outro, dos cangaceiros, homens embrutecidos, vingativos e perversos.

Viver entre o diabo e o demônio era algo a que os sertanejos estavam acostumados desde, pelo menos, o fim do século XVIII. Muito antes de sinhô Pereira, com quem Lampião iniciou sua carreira profissional de cangaceiro, outros fora da lei apavoraram a caatinga.

O pernambucano José Gomes, o Cabeleira — cujo apelido serviria de título para o romance do escritor cearense Franklin Távora —, liderou um grupo de assassinos até ser condenado à forca. Lucas Evangelista dos Santos, o Lucas da Feira, que atuou na cidade baiana de Feira de Santana, teve o mesmo destino, em 1849.

No fim do século XIX, o potiguar Jesuíno Alves de Melo Calado — Jesuíno Brilhante — espalhou sangue pelos rincões do Rio Grande do Norte, Paraíba e Pernambuco. Três décadas depois, o pernambucano Antônio Silvino, o Rifle de Ouro, cometeu diversas atrocidades no seu estado, além de Paraíba e Ceará. Certa vez, permitiu que seus cabras matassem, a troco de nada e sem nenhum motivo aparente, uma sinhazinha de treze anos.[4]

No crepúsculo do ano de 1928, no entanto, a situação parecia mais complicada que nunca para a população empobrecida do nordeste da Bahia. Quando atravessou o Velho Chico, Lampião trouxe, no seu encalço, as sanguinárias volantes pernambucanas. As polícias dos demais estados podiam ter desistido da perseguição ao Governador do Sertão assim que ele cruzou o rio, mas a força repressora de seu estado natal se recusava a sair de cena.

Paramentados de modo semelhante ao dos cangaceiros — calça e paletó de mescla azul-acinzentada, cartucheiras cruzadas no peito, punhal, chapéu de couro em formato de meia-lua —, os soldados de Pernambuco promoviam saques, incêndios e depredações e costumavam ser tão ou mais temidos do que os próprios bandoleiros. Quase todos os dias, os jornais baianos denunciavam os excessos da "polícia cangaceira", como se referiam às volantes pernambucanas.

Em 28 de outubro, o *Diário de Notícias* narrou a história de um jovem sertanejo que, convocado para servir de guia aos policiais, precisou antes se submeter a uma prova de fogo: lutou sozinho contra um time de soldados fortes, saltou sobre punhais e correu o quanto pôde para escapar da mira dos tiros. Segundo o periódico, a esposa do rapaz, mãe de um bebê de três dias, "ao saber o que se passava com o infeliz marido foi tomada de crise tamanha que veio a falecer".

"Não é possível que os sertanejos continuem a sofrer a sanha da polícia pernambucana! O mau exemplo já se reflete nos jornais baianos", protestava, em editorial, o *Diário de Notícias* de 28 de outubro de 1928. "Infelizmente, a moda está pegando. Já os soldados baianos usam alpercatas, grande punhal, chapéu de couro, lenço vermelho e uma infinidade de coisas que não se justificam em um policial", ironizava o jornal.[5] Para levar uma surra, ter sua criação dizimada e a casa posta abaixo bastava um morador dizer que não tinha medo de Virgulino Ferreira da Silva.

Ciente ou não da violência praticada pelos macacos — maneira como os cangaceiros se referiam aos soldados —, Lampião, como contraponto, espalhava alguma dose de ternura pelos povoados por onde passava desde que chegou à Bahia. Nas feiras onde comprava aguardente, batatas e carne-seca, pagava o preço praticado pelo comerciante, sem pechinchar. "São unânimes os informes que declaram não ter o perigoso bandoleiro praticado nenhuma arbitrariedade, mostrando-se, antes, muito cordato e respeitador", noticiou o *Diário*.[6]

Depois do terrível erro estratégico no ataque a Mossoró, tudo indicava que Virgulino tomara a decisão certa ao se mudar para a Bahia. Ali, estava prestes a inaugurar uma nova fase em sua vida. "O bandido mantém-se em território baiano à vontade, fazendo daqui uma estação de repouso, conforme tem declarado em alguns lugares por onde passa, distribuindo dinheiro ao povo, bebendo e completamente despreocupado das perseguições da soldadesca da polícia", informou o jornal *Diário da Bahia* em outubro de 1928.[7]

As informações sobre as façanhas — e as gentilezas — de Lampião e seus asseclas chegavam de maneiras variadas a Santo Antônio da Glória, onde vivia Maria de Déa. Havia o disse me disse, histórias contadas e recontadas nos roçados, forrós e mercearias, em que cada narrador podia acrescentar um dado novo à história. Também eram apresentadas nos folhetos de cordéis, comercializados nas feiras — e nos quais os autores, sabendo que o Rei do Cangaço era leitor voraz de tudo o que se escrevia a seu respeito, tomavam o cuidado de retratá-lo de forma heroica. Outra fonte de informação eram os próprios jornais editados em Salvador, que chegavam com outras mercadorias pelo Porto de Piranhas, cidade alagoana localizada às margens do São Francisco. De lá, seguiam a vapor pela estrada de ferro de Paulo Afonso até as cidades mais distantes da zona ribeirinha.

Pelos jornais, sobretudo, os leitores tinham conhecimento das boas relações que Lampião travava no território baiano com os homens mais poderosos da região. Tão logo cruzou a fronteira, hospedou-se na casa de coronel Petronilo Reis (aquele que dera um festão no casamento da filha), fato amplamente divulgado na imprensa. Preocupado com a repercussão da notícia, Petro viajou até Salvador para dar sua versão dos fatos. Como reconheceu durante visita à redação do jornal *A Tarde*, recebera Virgulino em uma de suas propriedades, era verdade, mas por pura inocência. Segundo ele, o bandido tinha se apresentado como Afonso, sargento da polícia pernambucana. Depois de uma hora de conversa, sem que o anfitrião de nada desconfiasse, o visitante finalmente revelou sua verdadeira identidade: "Não sou da força pernambucana, e sim Lampião".

"Fiquei surpreso. Ainda não voltara a mim e o facínora me intimidava a entregar sete montadas, antes que a lua se recolhesse", prosseguiu Petro. "Por que o coronel não prendeu o bandido?", perguntou o repórter. "Era impossível, meu amigo. Não dispunha no momento de munição e o famigerado pegou-nos de surpresa. Dei-lhe quatro montadas, não tinha outro jeito", defendeu-se.[8]

Nos dias seguintes, a imprensa noticiaria ainda, com detalhes, um encontro entre Lampião e o deputado estadual João Sá, um almoço com um delegado, passeios de Ford T guiados por um padre, flertes com a filha de um fazendeiro e farras regadas a cachaça e cerveja. Em Pombal, em cuja intendência o cangaceiro bateu à porta para pedir um café, ao saber da presença de um fotógrafo na cidade, ordenou que o convocassem imediatamente para tirar uma chapa de seu bando.

Alcides Fraga, que além de bater retratos também exercia a função de alfaiate e mestre da Filarmônica XV de Outubro, não hesitou em fazer a vontade do "Homem", como o cangaceiro vinha sendo chamado na região. Em plena praça pública, à luz do dia, rifles e punhais com as pontas encostadas no chão, Lampião e mais sete cangaceiros se perfilaram diante das lentes de Alcides: Ezequiel, Virgínio, Luiz Pedro, Mariano, Arvoredo, Mergulhão e Corisco, o terrível Diabo Louro. Ao fundo, moradores locais conversavam tranquilamente, sentados na calçada e à sombra das árvores, de costas para o grupo, como se mal nenhum os espreitasse.[9] Como definiria o jornal *A Tarde* dias depois, o Homem passeava pela Bahia como se estivesse "na casa da sogra".[10]

Dona Déa e seu Zé Felipe, pais de Maria, haviam decidido que se fosse para prestar obediência a alguém que pelo menos fosse a um cabra influente e poderoso. Não podiam esperar nada das volantes, a não ser prejuízo e brutalidade. De Lampião, por sua proximidade com os donos dos bois, era mais fácil conseguir alguma vantagem. Além disso, pelo que se comentava de leste a oeste, o diabo não era tão feio quanto se pintava.

"É um negro, tipo cabo verde, com cabeleira de cavaleiro medieval. Tem um defeito no olho direito e uma expressão comum", caracterizou-o o tenente Virgílio Rodrigues Mello, da cidade de Cumbe — cujo delegado havia convidado o Rei do Cangaço para almoçar —, em entrevista ao jornal *Era Nova*, de Salvador. Na ocasião, a despeito da impressão do juiz, Lampião quisera parecer tudo, menos um sujeito ordinário. Calça cáqui e blusa mescla azul, empunhava um enorme punhal com cabo de prata, adornado por anéis de ouro. Sobre o solado das alpercatas, pés protegidos por delicadas meias de seda.[11]

O estilo do líder e de seu bando despertava um misto de medo e fascínio nas populações do sertão do Nordeste. Era comum ver mulheres venerando o capitão Virgulino — como gostava de ser tratado desde que recebera a falsa patente na visita a padre Cícero. O cangaceiro chegava a distribuir autógrafos entre elas, qual artista de cinema.

Maria de Déa era uma das muitas sertanejas que nutriam admiração pelo capitão Virgulino. Há diferentes relatos sobre a maneira como ele obteve tal informação. Segundo um deles, um cangaceiro do bando fez questão de levar aos ouvidos do chefe que a bela moça andara espalhando pela vizinhança a bravata de que largaria tudo para seguir com Lampião. Conforme essa variante, Maria vai mesmo ao encontro de Virgulino e pede para acompanhá-lo. A versão mais recorrente, entretanto, dá à dona Déa o papel de alcoviteira. Em uma de suas primeiras visitas a Malhada da Caiçara, no início de 1929, Lampião teria escutado da mulher que uma de suas filhas, infeliz no casamento, sonhava em se unir a um autêntico cabra da peste. A indiscrição da mulher teria estimulado Virgulino a voltar mais vezes ao coito dos Oliveira, na esperança de, um dia, cruzar com a jovem.

Conforme essa versão, certo dia, depois de mais uma de suas recorrentes brigas com o marido, Maria de Déa fugiu para a casa dos pais na companhia de uma amiga, Soledade. Ao chegar à Malhada, as duas teriam encontrado a casa cheia, com homens armados, chapéu de abas quebradas à cabeça e lenços coloridos presos ao pescoço por um anel. "É gente de Lampião", dissera dona Déa, diante do ar de espanto das moças.

Ao perceber a aproximação das garotas — Maria usava um vestido da cor turquesa —, Lampião quis saber de Zé de Felipe quem eram as duas. Ao que consta, o agricultor, até aquele instante, estaria inocente quanto ao trabalho de cupido da esposa.

— A de azul é a minha filha. É casada e mora em Santa Brígida. A outra eu não conheço. Deve ser amiga dela...

Maria e Soledade teriam se juntado a dona Déa na cozinha, ajudando a temperar e cozinhar a galinha que os próprios cangaceiros haviam matado e depenado. Finda a refeição, Lampião se aproximara da esposa de Zé de Neném.

— Você sabe bordar?
— Sei.
— Então vou trazer uns lenços de seda para você bordar e volto daqui a duas semanas para buscar.

Dias depois, Virgulino voltaria para pegar os panos e iniciar o namoro com Maria.[12]

Seja qual for a verdadeira história acerca do primeiro encontro entre os dois, o fato é que, ao longo daquele ano, a filha de seu Zé de Felipe largaria de vez o marido e engataria um romance com o Rei do Cangaço. Durante todo o ano de 1929, Virgulino interromperia suas incursões sertão adentro para visitar, com regularidade, a namoradinha de Malhada da Caiçara — o que não o impediria de, durante os trabalhos de campo, procurar o amor em outras paragens.

Desde o final do ano anterior, 1928, Virgulino Ferreira da Silva já vinha mostrando, finalmente, a que viera quando cruzara o São Francisco. A trégua a que se permitira em seus primeiros dias na Bahia chegara ao fim depois de um combate contra a força repressora do estado, com saldo de dois soldados mortos.

Depois desse entrevero na cidade de Curralinho, os cangaceiros passaram a enfrentar perseguição um pouco menos frouxa da polícia. Mergulhão, um dos cinco cabras que acompanharam Lampião na travessia do Velho Chico, morrera em combate na cidade de Abóbora.[13] Em março, com sete mortes de policiais nas costas, os bandidos fizeram a primeira de muitas incursões que aconteceriam, ao longo daquele ano, a Sergipe.

— É Lampião que vai entrando, amando, gozando e querendo bem.[14]

Foi em Capela, a 67 quilômetros da capital Aracaju, que, em novembro de 1929, Lampião teria chegado anunciando o prazer. Depois de interromper uma sessão de cinema para, com seus asseclas, assistir ao filme mudo norte-americano *O anjo das ruas* na companhia de uma plateia petrificada, fez questão de conhecer a zona de meretrício da região. Encantou-se, na ocasião, pela jovem Enedina. Enquanto se regalava com o corpo moreno da moça, permaneceu em camisa de meia e não tirou as alpercatas. Depois de pagar uma generosa quantia à dama pelos serviços prestados, não se furtou a lhe satisfazer uma curiosidade: o motivo pelo qual um moço tão bem-apessoado não tinha uma mulher só sua.

— Homem que vive nessa vida não pode ter pensão — teria respondido o rei dos cangaceiros.[15]

Se for verdadeira a frase que Enedina reproduziria para a posteridade, pode-se dizer que Lampião não era um homem de convicções arraigadas. Um mês depois do passeio por Capela, já de volta à Bahia, o cangaceiro parecia, de fato, disposto a ter pensão. Aquele era o fim do dia 22 de dezembro de 1929, data que entraria para a história da pequena Queimadas, localizada a trezentos quilômetros de Salvador, como uma das mais cruéis de sua existência. Lampião e parte do bando chegaram à cidade depois do almoço, por canoa, pela margem esquerda do rio Itapicuru. Como de praxe, cortou o fio do telégrafo, fechou a estação de trem e se dirigiu ao quartel. Lá, prendeu sete soldados e tomou como refém o sargento Evaristo Carlos da Costa. Na companhia dele, dirigiu-se à casa do juiz Manoel Hilário do Nascimento.

Na residência do meritíssimo, Lampião se indignou ao constatar que o homem era negro. "Eita terrinha desgraçada essa Bahia, só dá preto", reclamara. Pediu para ver-lhe as mãos. "É, não tem calo. Que nego bom pra pegar uma enxada!", provocara. Depois do insulto, guardou as armas e os setecentos cartuchos que havia trazido do quartel, pediu ao juiz que relacionasse os nomes dos homens de posse da cidade e providenciou que fosse feita, de casa em casa, uma arrecadação para a caixinha do bando. Ao fim, o apurado ultrapassou a quantia de 22 contos de réis. Com esse valor, os cangaceiros poderiam, se quisessem, mudar-se para o Rio de Janeiro e adquirir uma casa de onze por 56 metros com quatro quartos, duas grandes salas, despensa e banheiro em rua calçada, com bonde à porta, próximo à estação do Meyer, na Zona Norte da cidade.[16]

Por volta das cinco da tarde, Lampião e seu bando voltaram ao quartel, onde deram ordens ao carcereiro Elesbão para que liberasse o primeiro soldado. Tão logo o homem deixou a cadeia, recebeu dois tiros na cabeça. O responsável pelos disparos era Antônio dos Santos, recém-integrado ao grupo, apesar da pouca idade: tinha, na ocasião, apenas onze anos. Volta Seca, como fora apelidado, considerou que o macaco não estava suficientemente morto e decidiu sangrá-lo.

Na sequência, Lampião ordenou a Elesbão que liberasse mais um. O horror se repetiria até que o último soldado tivesse os miolos estourados. Como, da cela, podiam ouvir os disparos, os macacos sabiam que era o descanso eterno que os aguardava. Houve quem já saísse do xadrez ajoelhado, pedindo clemência e citando os nomes dos filhos que deixaria órfãos. Antes do fim da chacina, Elesbão, paralisado pelo terror, alegou falta de forças para continuar no trabalho de abrir as portas da morte para seus colegas de quartel.

Mariano, um dos asseclas, considerou que era o caso de liquidar também aquele cabra frouxo, ao que Lampião intercedeu, alegando ser o homem em questão um mero civil, não um policial — aquela matança, afinal de contas, era para vingar a morte do cangaceiro Mergulhão por um soldado de Abóbora.[17] O próprio Virgulino passou a desempenhar a macabra função de levantar a lingueta da porta do xadrez para encaminhar os condenados para o triste fim.

O sargento Evaristo da Costa, milagrosamente, escapou da chacina. Segundo a versão mais conhecida, fora salvo por um pingente de ouro: ao invadir a casa de um coronel da região, horas antes, Lampião teria ficado encantado com uma joia que sua esposa, dona Santinha, trazia pendurada ao pescoço. Ao perceber o olhar de admiração do cangaceiro, retirou a correntinha e, com um sorriso, ofereceu-a ao capitão. Agradecido, o bandido teria concedido à simpática senhora o direito de lhe pedir qualquer coisa em troca. Chorando, dona Santinha implorara pela vida do sargento, a quem descreveria como um homem religioso, correto e bondoso pai de família. Lampião, que se orgulhava de ser bandido de palavra, concordou com a negociação.

Em outra versão, o pedido teria sido feito pelo próprio coronel ao cangaceiro Mariano que, persuadido após uma conversa misteriosa, convenceu o chefe a deixar o comandante dos macacos vivo.

O cenário que se montou em frente ao quartel de polícia de Queimadas era nauseante: sete corpos com as respectivas cabeças estouradas, uns sobre os outros, manchando de vermelho-escuro a calçada de cimento da pequena cidade baiana a apenas dois dias da véspera de Natal. O cheiro de sangue e a visão dos pedaços de massa encefálica, entretanto, não fez o grupo perder o apetite. Como o sol já se punha, saíram dali direto para a pensão de dona Júlia, vistosa quarentona cujos quadris largos e cintura fina atraíam mais hóspedes do que o conforto de suas instalações. Lá, forraram os estômagos para enfrentar o arrasta-pé marcado para logo mais na sede da Sociedade Filarmônica Recreio Queimadense, clube musical onde, uma vez por semana, o salão principal se transformava em sala de projeção de cinema.

Antes da dança, talvez para esperar a comida assentar, ainda assistiram ao início do filme americano *Ninho de amor*, de 1923, do diretor Buster Keaton. A projeção foi interrompida porque Lampião não viu a menor graça naquela comédia do cinema mudo passada em um barco.

Antes de partir para o baile, escreveu a lápis, em um quadro na parede, um recado bem-humorado — e eivado de erros de ortografia — para o então governador da Bahia, Vital Soares:

> Peço desculpa ao Governador em Eu Cap. Lampeão dar Este Paceio aqui em Queimadas e assesti em Um Senema. Lhe digo deveira não Endoide Seu Governador Vitá Suor apois com Sua Perceguição Estou Engordando Até penço que vou E me cazar. Seu Superiô Capt. Virgulino Ferreira Lampeão.[18]

Meses depois, a filha de Zé de Felipe passaria a viver maritalmente com Lampião. Assim, nos primeiros meses de 1930, Maria Gomes de Oliveira se tornaria a primeira cangaceira da história do Brasil. Antes dela, nunca, em momento algum, uma mulher acompanhara o grupo de bandoleiros. Muitos tinham suas companheiras, mas não permitiam que os seguissem.

Era o caso de Corisco. Quando Maria de Déa entrou no bando, fazia três anos que ele mantinha Dadá escondida na casa de dona Vitalina, escoltada por capangas para evitar que fugisse ou fosse atacada pelas volantes. Depois que a menina se recuperou do estupro, Diabo Louro voltou à propriedade da tia para visitá-

-la. Ao ver seu agressor, foi tomada pelo horror. Encolheu-se a um canto e se sentiu a um só tempo diminuída e dominada pelo ódio. O sentimento duplo seria renovado nos meses seguintes, período em que vivia na terrível expectativa de, a qualquer instante, receber a visita do homem cheio de desejo.

Por decisão do pai, seu Vicente, Dadá não havia frequentado a escola. Quando ela tinha sete anos, os pais consideraram a possibilidade de matriculá-la em um educandário da vizinhança. Depois de alguma conversa, seu Vicente deu a palavra final: em vez de estudar, a filha ficaria em casa, ajudando a mãe nas tarefas domésticas e cuidando dos irmãos menores. Dadá ficou arrasada. Mais ainda porque uma de suas primas, Cota, pudera fazer a matrícula. Quando as duas se encontravam para brincar e Cota contava as novidades das aulas, Dadá mentia, corroída pela inveja: "Eu também vou à escola".[19]

Corisco decidiu, então, alfabetizá-la. Quando visitava a menina, levava-lhe cartilhas para treinar o contorno das letras e aprender o bê-á-bá. Impaciente, Dadá jogava-as longe, quando não as rasgava. "Não adianta. Eu mando comprar outras", dizia ele.[20]

Assim como aconteceu com os pais e irmãos de Dadá, os Oliveira passaram a ser assediados pelas forças repressoras tão logo Maria de Déa partiu com Lampião. Assustado, seu Zé de Felipe viajou com a família para a casa de parentes em Alagoas. Durante a ausência, tiveram a casa destelhada, alguns animais mortos e as cercas dos currais quebradas.[21]

O inferno que se instalara na vida de seu Zé de Felipe, esposa e filhos, entretanto, era um paraíso se comparado ao pesadelo constante da vida das jovens mulheres que cruzavam o caminho com os cangaceiros — ou com os soldados que os perseguiam.

3

**Todos os cabras ficaram
Um a um mais alarmado
Vendo que o chefe estava
Por Maria apaixonado**

Com a chegada de Maria de Déa, outros cangaceiros foram autorizados a levar suas mulheres para o bando. Mais do que isso, incentivados a tal. Lampião achava que a nova esposa precisava de companhia feminina. Nos primeiros meses de casamento, como Maria era a única cangaceira do bando, costumava deixá-la na casa de coiteiros durante as viagens com seus rapazes. Afinal, para ele, não parecia uma boa ideia carregar fêmea sozinha no meio de tantos machos.

O problema foi sendo resolvido pouco a pouco, com a chegada de outras mulheres. Sua primeira colega, ironicamente, foi alguém que já conhecia de longa data: Maria Miguel dos Santos, a Mariquinha, sua ex-cunhada. Como se não bastasse perder a mulher para Lampião, Zé de Neném ainda teve que lidar com a notícia de que a irmã também partira com um cangaceiro.[1]

Franzina e baixinha, Mariquinha vivera, por algum tempo, na cidade cearense de Juazeiro do Norte, onde, a despeito do jeitão fechado, teria ganhado a vida como rameira.[2] Voltara para a casa da família, na Bahia, para se tratar de doença pulmonar. Teria conhecido o impetuoso Angelo Roque durante a convalescência. Embora recém-ingresso, o homem já pertencia ao primeiro escalão do bando.

Em abril de 1929, Roque conseguiu uma vaga no cangaço graças à boa ficha corrida (e ao talento excepcional como atirador). Havia matado um policial, Horácio Caboclo — ou Horácio Couro Seco —, e o pai dele, André Caboclo.

Casado e mulherengo, Couro Seco vinha enviando bilhetes amorosos para Sabina, de quinze anos, irmã de Roque. Certa ocasião, avisou que compareceria à casa da menina no dia seguinte, para raptá-la. Ao saber do combinado, Roque ficou de tocaia — e recebeu o Casanova da caatinga com um tiro certeiro. "Ele ficou espichado no chão", relembraria, anos depois.

Quando soube do ocorrido, Sabina teve uma crise de choro — mais de tristeza pela morte de Horácio do que pela implicação do crime na vida do irmão. Roque ficou estupefato diante daquela reação. "Ele comeu a menina", intuiu, revoltado, mas aliviado por ter dado um fim no cabra safado.

Enlutado e cheio de ódio, André, pai de Horácio, resolveu vingar a morte do filho. No dia 5 de janeiro de 1928, em Santo Antônio da Glória, véspera do Dia de Reis — data em que se comemora a visita dos três reis magos ao menino Jesus —, enfiou uma faca nas costas de Roque. Depois, temendo represálias, o velho se escondeu na casa de uma viúva endinheirada da região, dona Rita Campo.

Se não foi forte o suficiente para matar o irmão de Sabina, o golpe conseguiu aumentar ainda mais seu ódio pelos Couro Seco. Enquanto se recuperava do ferimento, bolou um plano: inventou para a família — incluindo a esposa, Ozana, e o filhinho, José — que, por segurança, passaria um tempo em São Paulo. Marcou data e hora para a mudança de cidade e fez o boato chegar aos ouvidos de André.

No dia seguinte à suposta viagem, o pai do soldado morto voltou para casa, tranquilo, certo de que seu inimigo estava a caminho do Sul Maravilha. De imediato, recebeu um balaço preciso de Roque. Tombou morto com a mesma rapidez do filho. "Ele merecia. Era ordinário e ruim", recordaria o assassino.

Dois dias depois da morte do caboclo velho, Roque foi procurado pelas forças policiais. Os homens já chegaram atirando. As balas mataram Ozana, sua mulher, e João, seu irmão. O pequeno José escapou com vida. Dias depois, o pai de Roque foi preso, depois de ter a casa incendiada.

Roque se refugiou na casa do coronel João Sá — aquele cujo funcionário, Dórea, havia dançado com Maria de Déa na festa seguinte ao casamento da filha do coronel Petro — e decidiu ingressar no grupo de Lampião. O Rei do Cangaço já sabia dos feitos notáveis de Roque e admitiu o homem na equipe com glórias. A coragem e a astúcia do cabra fariam dele um dos líderes do time. Deixaria de ser Ângelo Roque para se transformar no lendário cabra Labareda. Como gerente, tinha direito a ser um dos primeiros a levar mulher para o bando. Escolheu Mariquinha.[3]

Por mais mulheres que entrassem no grupo, nenhuma superava em importância a presença de Maria de Déa. Lampião se considerava o Rei do Cangaço e Maria, sua esposa, arvorava-se Rainha. O posto de primeira-dama, entretanto, embora lhe desse prestígio e respeitabilidade, não lhe tirava o gosto para a galhofa. Dona Maria ou Maria do capitão, como era chamada pelos cabras, tinha uma gargalhada alta e gozada. Lampião, por vezes, se aborrecia com aquela risadagem — não apenas pelo temor de ser ouvido pelas volantes, mas pela má impressão que poderia passar. Para ele, somente "sendeiras", como se chamam, no sertão, as mulheres que, dado seu comportamento errante, não conseguem pegar marido, se abriam daquele jeito.⁴

"De mulheres vulgares como Maria de Déa, está cheio este sertãozão de meu Deus", diria o então soldado das forças sergipanas Joaquim Góis, que a teria conhecido quando ainda estava casada com Zé de Neném. Ele assim a definiria, em uma estranha manifestação de repulsa e cobiça:

> Cabocla apagada, rosto de linhas inseguras, olhar vago e fugidio, corpo solto no desalinho e no mau gosto de um vestido barato, de chita ordinária, marcado de cores berrantes, costurado à moda de como costuram as mulheres de fins de rua das cidades pequenas. [...] Mãos de unhas sujas, mãos pequenas, descuidadas; [...] cabelos de um castanho fosco, penteados em um volumoso cocó, bem aprumado, um pouco acima da nuca; pescoço curto, queixo atrevido, boca carnuda escondendo desejos; lábios corados como uma fruta entreaberta, pedindo carícias; [...] semblante sem a beleza de um sorriso meigo, quase duro na sua expressão. Mulher só para ser desejada pela sensualidade pacata do remendão de Santa Brígida ou pelo amor distorcido e violento de Lampião.⁵

Se Lampião tinha reservas quanto a alguns traços de comportamento da esposa, ela também não estava totalmente satisfeita com o marido, principalmente com sua aparência. A forma como o descrevera, na época, o médico e escritor sergipano Ranulfo Prata podia explicar parte do desconforto de Maria de Déa:

> Pés secos, descarnados, entremostrando os tendões, enfiam-se em alpercatas chuviscadas de ilhoses multicores. [...] O que mais impressiona no seu físico chocante são as mãos: são terríficas, expressivas, revelando um temperamento, uma vida. Extraordinariamente

longas, no dorso, sobre um leque de tendões enrijados, dançam-lhe arabescos escuros de veias túrgidas; recobre-lhe as palmas uma crosta áspera e acinzentada como pele de batráquio; os dedos finos, ósseos, compridos, terminados em unhas córneas e pontiagudas, enegrecidas como equimoses, ostentam inúmeros anéis, falsos e verdadeiros. Mãos ferozes, convulsivas, astuciosas, brutais e ávidas. Parecem sempre febris, frementes, animadas de estranha vida como se cada músculo e cada nervo estivessem a receber continuamente a excitação de uma agulha elétrica. Mãos que possuem hábitos horrendos, paixões furiosas.[6]

Embora tenham causado verdadeira aversão em Ranulfo Prata, não eram as mãos a maior fonte de desgosto da Rainha do Cangaço. Com 1,74 metro de altura, Lampião era um homem grande e vistoso para os padrões sertanejos, mas algumas de suas características eram bem pouco másculas. Vivia curvado e tinha pernas finas como as de um passarinho, apesar dos músculos da panturrilha bem definidos graças às constantes caminhadas pela caatinga.

Maria também caçoava de seu olho direito, mais baixo do que o esquerdo e por meio do qual pouco enxergava, provavelmente devido a um glaucoma congênito.[7] Também o chamava, quando estava irritada, de "nego véio", o que, para ele, deveria representar ofensa suprema — não pelo "véio", uma referência à diferença de idade de quase doze anos entre os dois, mas pelo "nego".[8] Lampião, embora tivesse a pele escura, considerava os negros a "imagem do cão".[9] Costumava dizer que, se não fossem os pretos na polícia, não teria entrado para o cangaço. Em vez disso, seria um homem da lei.[10]

O capitão ouvia as troças estoicamente, por vezes achando graça da brabeza da patroa, principalmente quando eram pura manifestação de ciúmes. Embora preferisse que o marido fosse mais jovem e atraente, Maria se sentia insegura em relação ao companheiro. Assim como se deixara seduzir pela sua imagem de força, poder e riqueza muito antes de conhecê-lo, outras moças poderiam sentir o mesmo. E, de todo modo, Lampião não precisava de reciprocidade para pular a cerca. Aliás, quanto mais resistência por parte das jovens, mais ele se sentia sexualmente atiçado. Virgulino tinha prazer intenso em "cobrir uma fêmea", como se referia ao ato de estuprar uma mulher, enquanto ela chorava.

No final de 1929, na cidade baiana de Mirandela, Lampião ficara indignado ao saber que um homem de oitenta anos estava casado com uma mocinha. Depois de dar uma surra no marido, voltou-se para a jovem e convocou seus homens a aplicar-lhe um gera — nome que se dava, no sertão, ao estupro coletivo. Por ser o chefe, não pegava fila. Era sempre o primeiro a penetrar a vítima, sem precisar enfrentar o desconforto de entrar em contato com os fluidos dos outros cabras. "A mulher foi comida pro velho deixar de ser sem-vergonha. Ela tava chorando, mas Lampião gostava", contaria, anos depois, o cangaceiro Labareda, que também participou da curra.[11] Naquela época, o capitão já estava de romance com Maria de Déa.

Quando estavam acompanhados de suas mulheres, os cangaceiros evitavam as aventuras extraconjugais, o que contribuía para diminuir a ocorrência de estupros. Entretanto, se as esposas permaneciam nos acampamentos ou hospedadas na casa de coiteiros, os cabras não se furtavam às "brincadeiras" — como, por vezes, denominavam o sexo, forçado ou não.

Na avaliação deles, o estupro ocorria porque "as mulheres queriam". A terceira esposa do velho Piroca, tio de Labareda, por não oferecer resistência ao gera, foi tida por sem-vergonha. "A mulher era moderna e apetitosa. Fizeram muita perversidade com ela, que teve que se sujeitar. Porém, a bicha era das que gosta de homem por sem-vergonhice e não precisou forçar", relembraria Labareda, que, em consideração ao tio, não teria participado da "brincadeira".[12]

Havia entre os cangaceiros certa ética do gera. Mulheres e filhas de coiteiros não podiam ser estupradas. Em junho de 1930, após a comemoração de uma festa de São João na fazenda Várzea, na região de Santo Antônio da Glória, uma menina de quinze anos, filha de um protetor do capitão, foi deflorada pelo cangaceiro Sabiá. Naquela mesma noite, ao saber do ocorrido, Lampião determinou que o cabra fosse liquidado e enterrado. Dias depois, em outra fazenda, os asseclas Mourão e Mormaço estupraram duas meninas de uma família aliada. O desejo falou mais forte do que a razão: os dois haviam presenciado a morte de Sabiá e sabiam que fim os esperava. Depois do crime, prevendo o pior, fugiram. Dias mais tarde, entretanto, foram cercados pelos antigos companheiros Gato, Gavião e Mané Revoltoso e sumariamente fuzilados.[13]

Para uma jovem estuprada por cangaceiro nos anos 1930 no sertão do Nordeste não havia muito a fazer além de maldizer a própria sorte. Denunciar o crime às forças volantes seria duplamente temerário. Coiteiro que entregasse cangaceiro à polícia, por maior que tivesse sido sua folha de serviços prestada ao bando, assinava a própria sentença de morte. Ademais, a queixa seria compreendida como uma confissão de culpa de acoitamento. E muitos soldados tinham por hábito punir crimes como aquele com as próprias mãos — ou com o próprio pênis.

Foi o que fizeram, por exemplo, com a filha de dona Elvira, viúva que dava asilo aos cangaceiros no interior de Pernambuco.

Ao visitar a fazenda da mulher em busca de informações sobre o bando, encontraram a menina sozinha em casa. O cabo Roseno, que comandava a busca, decidiu estuprar a garota e oferecê-la, na sequência, aos colegas de trabalho. Depois da violência, ela ficou desfalecida. Em vez de deixá-la em tal estado, o policial achou por bem matá-la. A menina tinha treze anos.[14]

A perda da virgindade também condenava a jovem sertaneja ao preconceito. Deflorada, tinha mais dificuldades para conseguir casamento. De uma futura esposa, esperava-se pureza absoluta. Um livro popular entre as nubentes da época, *O que uma jovem esposa deve saber*, da escritora norte-americana Emma F. A. Drake, publicado no Brasil em 1932, definia a mulher recém-casada como "assustada, tímida, cheia de um vago temor para o que se refere aos mistérios do matrimônio". Recomendava ao esposo, ávido pela lua de mel, alguma serenidade com sua imaculada senhora: "Muitos homens [...] têm a ideia absurda de que podem exercitar todos os seus direitos desde o primeiro momento e com paixão violenta e desconsiderada, com a apressada consumação do matrimônio físico, custe o que custar". Além de fleumático, o homem ainda deveria ser generoso, conforme escrevia madame Drake.[15]

No que se refere à vida pregressa de suas mulheres, os meninos de Lampião — como o capitão gostava de chamar seus subordinados — não eram dados a grandes exigências. Além de Maria de Déa e Mariquinha, outras companheiras dos cabras também já estavam iniciadas na arte do amor quando passaram a viver com eles. Antônia Pereira da Silva era viúva ao se juntar a Santílio Barros, o cangaceiro Gato — aquele mesmo que participara do assassinato de Mourão e Mormaço. Pouco tempo depois de carregar Antônia para o bando, porém, Gato gostou de outra mulher: Inacinha, prima de Antônia.

Inacinha, por sua vez, não gostou nada de Gato. Estava apaixonada por João, trabalhador da lavoura, com quem pretendia se casar em breve. Como despertara amor de cangaceiro, entretanto, perdera o querer. Ou o acompanhava ou morria. O jeito foi seguir com o bandoleiro. Gato, por sua vez, tratou de comunicar à esposa que, a partir de então, teria duas mulheres. Antônia protestou, mas levou uma surra do marido. Na sequência, comunicou o caso ao capitão. Como era recém-ingressa e mal participara das viagens com o grupo, Lampião a autorizou voltar para a casa dos parentes.[16]

Inacinha, apelido de Inácia Maria das Dores, era uma jovem baixinha e, assim como a prima Antônia, descendia do povo indígena pankararé.[17] Tida por seus pares como antipática, exibia um ar altivo. O cabelo negro e ondulado, penteado de lado, deixava à mostra seu belo rosto e seus olhos vivos.

Por mais formosa que Inacinha fosse, entretanto, não despertava a mesma admiração que Lídia Vieira de Barros Figueiredo, mulher do cangaceiro José Aleixo Ribeiro da Silva, o Zé Baiano, também conhecido como a Pantera Negra dos Sertões. Dona de um corpo cheio de curvas, Lídia tinha a tez morena, longo cabelo castanho, dentadura branca e alinhada e lábios carnudos. Infelizmente, não deixaria nenhuma imagem de sua afamada beleza. Quando ingressou no grupo, com cerca de dezoito anos, chamou a atenção por acompanhar justamente o cangaceiro de pele negra, face encovada e lábios grossos, tido e havido como o mais feio do bando. Ou, na análise do médico Estácio de Lima, então diretor do Instituto Nina Rodrigues, da tradicional faculdade de medicina da Bahia, um homem com "traços morfológicos que se ajustariam à clássica descrição de Lombroso".[18]

No começo do século XX, no Brasil, um grupo de médicos se debruçava sobre os estudos da criminalidade na esteira das teorias positivistas do psiquiatra italiano Cesare Lombroso, autor de *O homem delinquente*, de 1876, que estabelecia a relação entre características físicas e predisposição à criminalidade. A principal tese de Lombroso era a de que alguns homens, por não terem evoluído por completo, constituíam-se criminosos natos.

Um dos principais divulgadores das ideias do italiano nos trópicos foi o médico e antropólogo maranhense Nina Rodrigues, autor de *Os africanos no Brasil*, obra definitivamente racista publicada em 1933, 27 anos depois de sua morte. Para Rodrigues, que fora professor da faculdade de medicina da Bahia, os brancos eram superiores aos negros. Já os mestiços, dada a mistura de raças, constituíam degenerados, portanto naturalmente propensos à loucura e ao crime. O médico chegara ao ponto de propor, em 1894, a existência de dois códigos penais distintos: um para brancos, outro para negros.

Em suas pesquisas na faculdade de medicina, Nina Rodrigues utilizara a frenologia, método de estudo do caráter e personalidade de um indivíduo a partir da forma de sua cabeça, na tentativa de identificação dos delinquentes. Ao longo da vida, por causa de suas investigações, Rodrigues examinaria inúmeros crânios de anônimos e famosos, como o do líder de Canudos, Antônio Conselheiro, e dos cangaceiros Jesuíno Brilhante e Lucas da Feira.

Em 1921, ano em que o jovem Estácio de Lima se formou em medicina, os estudos frenológicos e a ideia de aperfeiçoamento racial estavam em alta no meio acadêmico. Oito anos depois, quando Lima já havia sido aprovado no concurso para professor da cátedra de Medicina Legal da faculdade de medicina da Bahia, o Brasil sediaria o I Congresso Brasileiro de Eugenia. Na ocasião, o antropólogo Roquette Pinto, presidente do evento, previu a extinção de negros e índios da população brasileira. Em 83 anos, pelos seus cálculos, o Brasil seria formado por 80% de brancos e 20% de mestiços.[19]

Natural da cidade alagoana de Marechal Deodoro, Estácio de Lima acompanhava com interesse as notícias sobre o bando de Lampião. Entre uma aula e outra na faculdade, fazia pesquisas sobre o banditismo rural. Por intermédio de um amigo, fazendeiro no sertão de Alagoas, tentou um encontro com o Rei do Cangaço. Como não conseguiu um tête-à-tête com o bandoleiro, prosseguiu suas investigações à distância, especulando qual seria a razão para o comportamento sanguinário daqueles homens.

Embora admirasse Nina Rodrigues, Lima tinha ressalvas a seu trabalho. Não concordava com a ideia de que a miscigenação levasse ao banditismo. Mais do que Lombroso, era influenciado pelos estudos do alemão Ernst Kretschmer — que, em 1929, publicaria um trabalho no qual apontaria justamente a mistura étnica como importante para a evolução humana. Kretschmer contrariava, portanto, a ideia da raça pura ariana que sustentaria o regime da Alemanha nazista. Com a chegada de Adolf Hitler ao poder, em 1933, foi forçado a pedir demissão do cargo de presidente da Sociedade Alemã de Psicoterapia, sendo substituído por Carl Jung.

Leitor de Sigmund Freud, o criador da psicanálise, Kretschmer dividia os humanos por grupos, de acordo com suas características físicas. Estas, por sua vez, determinariam os tipos de personalidade: leptossomáticos, ou grandes magros, categorizados como esquizofrênicos; e pícnicos, ou pequenos gordos, passíveis de transtorno bipolar. Desde as primeiras análises das imagens dos cangaceiros, o médico Estácio de Lima concluiu que eles eram leptossomáticos típicos.[20]

Não se sabe o motivo pelo qual o doutor Estácio de Lima foi frustrado em seu plano de encontrar Lampião. Mas o fato é que, naquele período, o capitão tinha bons motivos para pensar duas vezes antes de aceitar se encontrar com um desconhecido. Em agosto de 1930, cartazes espalhados por todo o sertão anunciavam o gordo prêmio de cinquenta contos de réis para quem capturasse o líder dos cangaceiros, vivo ou morto. Tratava-se do mesmo valor relativo ao primeiro prêmio da loteria estadual do Rio de Janeiro da época, e com o qual o caçador poderia comprar um bucólico sítio de 145 mil metros quadrados, repleto de árvores frutíferas, nas proximidades do Rio de Janeiro, bem afastado de possíveis vingadores no sertão.[21]

Desenhado à moda dos panfletos de filmes de faroeste, o anúncio trazia a famosa foto do capitão tirada em Juazeiro do Norte, em 1926, e o apresentava como "famigerado bandido Virgulino Ferreira, vulgo Lampião".

Os jornais tratavam da oferta com estardalhaço. Em manchete de 27 de agosto de 1930, o *Diário de Notícias* de Salvador conclamava seus leitores a pegarem em armas e capturarem o bandoleiro, de maneira a livrar a região do "flagelo do banditismo".[22] Em 31 de agosto daquele 1930, o *Jornal do Brasil* noticiava que os sertanejos haviam se entusiasmado com a possibilidade de pôr a mão na fortuna:

> Velhos trabucos, que jaziam inertes há longos anos, foram cuidadosamente desenferrujados e azeitados; punhais afiadíssimos aguardam, com desassossego, o momento oportuno de ferir. Todo o estoque de munições existente nos armazéns em poucos dias foi esgotado, pois é enorme o número de concorrentes ao cobiçado prêmio.

Comedido, porém, o jornal procurava chamar a atenção do leitor para o risco daquela empreitada, além de aproveitar a oportunidade para ajudar o departamento comercial da empresa:

Não há dúvida de que este é tentador, mas a aventura é um tanto arriscada. Por isso, aconselhamos o leitor a não se meter nessa empresa, mas sim a concorrer a um dos prêmios (total oitenta contos de réis) distribuídos pela Fábrica de Cigarros Sudan no concurso a se encerrar em dezembro.

Com o dinheiro do concurso era possível comprar tranquilamente um terreno de bom tamanho na Praia de Copacabana, numa época em que o Rio de Janeiro começava a crescer em direção à Zona Sul.[23]

Além do prêmio do governo da Bahia pela cabeça de Lampião, havia outros em vigor naquele começo da década de 1930, instituídos por empresas. A Perfumaria Lopes, do Rio de Janeiro, também prometia entregar cinquenta contos de réis para quem matasse o bandido. No ano anterior, o *Diário da Noite*, do Rio de Janeiro, oferecera quantia em dinheiro por um plano que resultasse na captura do Rei do Cangaço. Em troca, recebeu toda sorte de planos mirabolantes. Com frequência, aliás, os jornais publicavam ideias de leitores para prender o bandido. Ao *Diário de Pernambuco*, um leitor anônimo sugeriu a soltura do ex-cangaceiro Antônio Silvino, recolhido na Casa de Detenção de Recife, e sua imediata contratação como diretor de operações de caça ao bandido. Como ele conhecia o modus operandi dos cangaceiros, não teria dificuldades em cumprir a missão.[24]

Encarcerado desde 1914, Antônio Silvino, o Rifle de Ouro, teria sido capturado por culpa da "indiscrição duma mulher", segundo escrevera o jornalista cearense Leonardo Mota em seu livro *No tempo de Lampião*, cuja primeira edição saiu em 1930 e na qual descrevia o capitão como "ágil como um felino, mas aparentando constante estropiamento e exaustão".[25] Conforme narrou Mota, fora a esposa de um coiteiro quem denunciara o local onde Silvino estava para o sargento que lhe ferira com um tiro. Abatido, o bandoleiro acabaria por se entregar à polícia.

"Acontecerá o mesmo algum dia a Lampião? Até na ruína dos cangaceiros terá aplicabilidade o *cherchez la femme?*", perguntava-se Leonardo Mota, fazendo referência à expressão em voga na época (e retirada da peça teatral *Os moicanos de Paris*, de 1854, de Alexandre Dumas, pai), segundo a qual na origem de qualquer problema está sempre uma mulher.[26]

Para muitos cangaceiros de Lampião, mulher era mesmo sinônimo de encrenca. Embora a maioria dos cabras tivesse aproveitado as novas regras estabelecidas depois do ingresso de Maria de Déa para contrair núpcias, havia quem considerasse aquela atitude temerária. Balão, por exemplo, concordava com sinhô Pereira, ex-chefe de Lampião, para quem as fêmeas significariam, sem sombra de dúvidas, a perdição para o cangaço. Com elas, o grupo de homens seria inevitavelmente contaminado pela intriga e ciumeira. Para bandoleiros como Balão, por melhor que fosse ter uma cabrita do lado para servir de amante, ficaria difícil brigar até enjoar. Ao primeiro sinal de perigo, uma delas gritaria: "Ai, corre, corre!".[27]

Como cuidara de Dadá após o primeiro estupro — e passara três anos com ela escondida em sua casa —, dona Vitalina, tia de Corisco, desenvolvera certo afeto pela menina.

— Ela vai ficar sozinha no meio da mata com os cabras? — preocupou-se.

— Não vai ficar só, tia. Lampião trouxe uma mulher pra companheira. É Maria. E tem outras moças com nós.[28]

A menina deixou a casa de dona Vitalina da mesma maneira como fora raptada da casa dos pais: no lombo de um cavalo. Não pôde levar as bonecas para o primeiro acampamento onde foi morar na caatinga. Na sacola, recebeu autorização do marido para carregar poucas roupas, pente, sabonete e perfume.

Um tempo depois, devidamente instalada no Raso da Catarina, na Bahia, Dadá seria apresentada a Maria de Déa. Ao primeiro olhar, a mulher do capitão despertaria na menina uma profunda e irreversível repugnância. "Ô mulher chata", diria Dadá posteriormente sobre a Rainha do Cangaço.

4

Apesar de ser valente
Maria era afeiçoada
Às coisas bem femininas
Só andava perfumada

Envolvidos por uma nuvem de poeira dourada que ajudaram a levantar, cerca de dezenove cavalos encerraram o galope em frente à tenda onde Dadá via os dias morrerem, jogada em uma rede, no Caldeirão de Marcionílio, no Raso da Catarina.

Mundão com mais de cem mil hectares de solo arenoso onde a temperatura facilmente ultrapassa os quarenta graus, o Raso é o pedaço mais seco e inóspito do semiárido brasileiro. A paisagem formada por pedras e arbustos se repete ao longo das veredas daquela espécie de deserto, engendrando um labirinto fatal para desavisados que tentem passear por ali. Desde tempos antigos existem histórias sobre sertanejos que penetraram no Raso e, sem conseguir achar caminho de volta, morreram de sede sobre o chão esturricado. A água, escassa, só poderia ser encontrada em depressões próximas às rochas por almas sortudas ou habitantes locais — caso dos indígenas pankararés.

Foi com eles que Dadá passou longos meses depois de deixar a casa de dona Vitalina. Atuando como guias para cangaceiros que identificaram no Raso o mais perfeito esconderijo (poucos eram os soldados com bravura suficiente para empreender uma caçada no local), os pankararés cuidaram da esposa de Corisco quando ela teve seu primeiro filho. Lourinho como o pai, o menino ganhou o nome de Josafá. Contava alguns dias de nascido quando foi retirado dos braços da mãe e entregue a um fazendeiro especializado na engorda de gado. No instante em que deu adeus ao bebê, Dadá sentiu, conforme definiria um dia, a maior dor do mundo.

Como não utilizavam métodos contraceptivos e precisavam estar disponíveis para seus homens, as cangaceiras podiam pegar barriga a qualquer momento. Uma vez que os filhos nascessem, deveriam passá-los adiante, na primeira oportunidade. Frágeis recém-nascidos não combinavam com a bruta rotina do cangaço, entre espetadas de sol e chuvas de tiro. Ademais, o choro denunciaria a presença dos bandoleiros para as forças oficiais.

Após desapear da montaria, o comandante da tropa, Lampião, adentrou a barraca a convite de Corisco.

— Essa é a minha menina, compadre — apresentou o Diabo Louro.

O capitão caiu na gargalhada.

— Desmamou essa, hein?

O gracejo deixou Dadá ainda mais possessa. Ela já estava enfurecida com Corisco por ele não ter permitido que ela levasse para o novo coito do Raso as bonecas que costurara durante a gravidez, quando morava com os indígenas. Produzidas com tecidos que deveriam ser utilizados para a confecção de roupas, haviam sido confiscadas pelo marido e distribuídas entre as filhas dos coiteiros. "Pensei que tinha uma mulher e o que tenho é uma menina brincando de boneca", ralhara Corisco.[1]

Como se não bastasse a imensa infelicidade que cercava sua vida, ainda precisava lidar com a galhofa do capitão e, para tornar tudo mais terrível, seria obrigada, nos dias seguintes, a suportar a companhia de Maria de Déa. Não tolerara a Rainha do Cangaço desde que a vira, toda cheia de si, ao lado do marido. Considerava-a abusada, razinza, orgulhosa, metida a besta e barulhenta.[2] Detestava sua risada quebrada, suas constantes tentativas de puxar conversa e implicava com sua forma de se vestir, "arrumadinha como uma boneca".[3]

Maria de Déa, de fato, estava sempre nos trinques, ornada com algumas das melhores joias que já tinham circulado pelo sertão nordestino. Em volta do pescoço, exibia sete correntes de ouro que pertenceram a Joana Vieira de Siqueira Torres, a baronesa de Água Branca, da cidade alagoana de mesmo nome, cujo casarão fora assaltado por Lampião quando ainda integrava o bando de sinhô Pereira, em 1922.[4] As mãos de unhas curtas traziam anéis em quase todos os dedos. Reluzentes brincos de ouro faziam conjunto com um broche do mesmo material, fixado ao tecido da vestimenta — ou à jabiraca, o lenço de seda pura usado junto aos colares.

Penteados de lado, os fios de Maria eram moldados em ondulações, rente à cabeça, com o auxílio de fivelas. Amiúde, as madeixas ficavam protegidas por chapéu em feltro com aba média, em torno de sete centímetros. A despeito do tecido pouco nobre, em todo o resto o acessório era pura ostentação, com moedas, botões e medalhas de ouro presos na testeira e na passadeira.

Nos apetrechos de guerra, também gostava de luxar. O punhal de 32 centímetros que trazia junto à roupa era confeccionado em prata, marfim e ônix. O cabo do facão, com lâmina protegida por rústica capinha de couro, era de ouro e marfim. O binóculo com que poderia avistar as volantes à distância era de fabricação alemã e se assemelhava aos utilizados pelas madames das grandes cidades enquanto assistiam a partidas de turfe. Conduzia-o a tiracolo, cuidadosamente guardado em delicado estojo azul-acinzentado.[5]

Maria também recendia a aroma adocicado. Se a ocasião não permitisse um banho com sabonete Dorly, salpicava generosas quantias de água de colônia na pele. Nisso, assemelhava-se ao marido, Lampião, que não dispensava o toque floral do Fleurs d'Amour, da *maison* parisiense Roger & Gallet — que, com os estoques de uísque White Horse, chegava-lhe pelas mãos dos amigos coronéis que adquiriam tais hábitos burgueses em temporadas de lazer na Europa.[6]

Por aqueles tempos, a fama de Lampião já ultrapassava as fronteiras nacionais. No dia 28 de novembro de 1930, o *New York Times* noticiaria, pela primeira vez, as façanhas do companheiro de Maria de Déa. "Bandido brasileiro ataca cidade", informaria o jornal, acerca das investidas do bandoleiro no estado de Pernambuco. Um dia depois de ter seu nome publicado na imprensa dos Estados Unidos, Virgulino tomaria como refém um cidadão norte-americano. Virgil Frank Smith, missionário que pregava na cidade de Mata Grande, em Alagoas, foi capturado pelo bando quando passeava a cavalo com a esposa e um amigo. Os três seriam soltos horas depois, sãos e salvos, mas sem dinheiro e com duas montarias a menos.[7]

Apesar da reputação internacional — em 1931 seria classificado pelo mesmo *The New York Times* como o bandido mais notório da América do Sul —,[8] Lampião não vivia seus melhores dias. A amizade com o coronel Petro, o rico e mulherengo latifundiário que o acolhera em seus primeiros dias na Bahia, chegara ao fim. Segundo rumores, Petro passara a perna em Lampião em alguns negócios nos quais tinham se associado. Havia fortes boatos de que o Rei do Cangaço entregara generosa quantia em dinheiro para que Petro lhe comprasse terras e gado. Traiçoeiramente, depois de embolsar os contos de réis do capitão, o fazendeiro teria denunciado seu paradeiro ao tenente Manoel Neto, um dos mais ferozes e obstinados perseguidores de cangaceiros da polícia pernambucana.

Para azar do coronel, seu plano foi descoberto. Lampião não só conseguiu se livrar da caça de Manoel Neto como jurou se vingar do novo inimigo. Assim, sempre que possível, saqueava e incendiava as fazendas do traíra. Em abril de 1931, depois de roubar e tocar fogo em uma dessas fazendas, na região da Várzea da Ema, comandou 21 asseclas em aterrorizante turnê pelas cidades da região. A viagem durou até o mês de maio. Com as companheiras protegidas em coitos, o bando de Lampião explorou o interior baiano, assaltando propriedades e matando eventuais aliados do coronel Petro. Mais do que isso: segundo a imprensa, açoitavam, marcavam com ferro quente seus inimigos e estupravam as mulheres que encontravam pelo caminho.

"Lampião, o famigerado 'capitão' Virgulino, continua a espalhar pelos sertões o luto, a miséria e a desonra", informou a edição de 24 de abril de 1931 do jornal *A Noite*, do Rio de Janeiro. Para ilustrar a matéria, o editor do vespertino escolheu a foto de um chicote e uma palmatória, acessórios que teriam sido usados pelo bando para violentar mulheres na cidade de Itiúba e proximidades. Segundo informara o serviço telegráfico especial do jornal, jovens que seguiam as tendências da moda e cortavam o cabelo à *la garçonne* — curtinho, como o da atriz Louise Brooks, musa do cinema mudo — eram submetidas a uma excruciante sessão de chicotadas. Reforçado na ponta com sola dupla e crivado de tachas, o chicote provocava mais estragos do que a palmatória "talhada em madeira tosca, sendo grande e grossa", conforme escrevera o repórter de *A Noite*. O chicote pertencia ao cabra Nevoeiro. A palmatória, aplicada nas mãos de velhas senhoras, era do menino Volta Seca.

"Lampião continua depredando o Nordeste baiano, saqueando, tendo desvirginado dezessete moças, ferrando faces diversas. [...] [Essas] moças foram brutalizadas por vinte bandidos, estando algumas em estado gravíssimo", registrou, em 3 de maio, o *Jornal do Brasil*, do Rio de Janeiro.

Dentre os meninos de Lampião, o mais afeito à ferrada era Zé Baiano. No bornal, a bolsa típica dos cangaceiros, carregava dois ferros de marcar boi com a inscrição JB, iniciais de José Baiano. Depois de esquentar o objeto no fogo em brasa, pressionava-o contra a face, a genitália, a nádega ou a panturrilha de suas vítimas, todas do sexo feminino. O ferro incandescente fazia liberar forte cheiro de carne queimada e marcava as mulheres em definitivo, como ocorrera, segundo a edição de 11 de junho do jornal *A Noite*, com a jovem Maria Felismina, da localidade de Várzea da Ema, na região de Santo Antônio da Glória. Uma foto de perfil de Maria, morena de cabelo curto, nariz empinado e sobrancelha grossa, ilustrava a matéria: logo abaixo da orelha, a marca com as iniciais JB.

Naquela excursão macabra, Lampião causaria um enorme prejuízo a Petrolino. Por outro lado, Virgulino enfrentaria uma perda de valor incalculável: a morte de Ezequiel, seu irmão, durante combate contra as forças do tenente Arsênio Alves de Souza, de cuja força volante participavam ex-jagunços do coronel inimigo. A essa única baixa entre os cangaceiros se somaram outras catorze do lado da lei. Ao fim do tiroteio, além do corpo de Ezequiel, os rapazes carregaram os despojos dos soldados mortos e o arsenal deixado pelos macacos, incluindo a metralhadora que o tenente Arsênio abandonara durante a fuga — mas não sem antes tirar-lhe o carregador, de forma que se tornaria uma arma sem qualquer utilidade nas mãos dos salteadores.

Depois do combate contra o tenente Arsênio, Corisco decidiu viajar sozinho e aceitou a proposta do capitão de deixar sua menina com ele e Maria de Déa. Nem sempre seria daquele jeito. Corisco não era um cabra ordinário, um simples cangaceiro. Inclusive, quando raptou Dadá, nem andava com Lampião — que, àquela altura, ainda não atravessara o São Francisco e tampouco tinha mulher fixa.

Desertor do Exército, Corisco virara bandoleiro depois de fugir da cadeia, em 1926.[9] Tinha sido condenado a quinze anos de prisão pela morte de um jovem que defendera a namorada, constrangida pelo ex-soldado ao recusar-se a acompanhá-lo numa dança durante festa na cidade de Lagoa do Monteiro, na Paraíba, onde Corisco trabalhava como faz-tudo na fazenda de um coronel.

Depois de discutir com o jovem e levar um forte tapa no rosto, o Diabo Louro foi até a casa do patrão, pegou um rifle, voltou ao forró e esvaziou a cartucheira no corpo do rapaz. Um cabra macho como ele não poderia deixar uma agressão como aquela impune. Se não revidasse, estaria desmoralizado para sempre diante dos moradores da cidade.[10]

Meses depois de ser aceito por Lampião, Corisco decidiu largar o grupo e tentar a vida na Bahia. Viveu escapando das persigas e se envolveu com toda sorte de confusão — por conta própria e com a ajuda dos amigos coronéis — até novembro de 1928, quando reencontrou o mentor.[11] Retornou ao bando com seu primo Hortêncio Gomes da Silva, o Arvoredo, notório por sua força acima da média. Dias depois, fortaleceria o time com outros três parentes: Beija-Flor, Jurema e Ferrugem.

Embora fosse reverente ao capitão, Corisco tinha seu próprio subgrupo, como viria a acontecer com outros cabras com espírito de liderança. Dividir os rapazes em diferentes equipes e promover os funcionários mais leais à chefia, além de medida administrativa ao espírito das grandes firmas, era uma estratégia do Rei do Cangaço para despistar e desmobilizar a polícia. Ao receber informações sobre a presença de bandoleiros em diferentes localidades, as volantes ficavam baratinadas, com poder de mobilização comprometido.

No subgrupo de Corisco, Dadá era a rainha, apesar do cenho fechado e da mínima disposição para representar um império. O posto não a impedia de receber, de vez em quando, insulto de cabras menos poderosos do que seu consorte. De certa feita, escutou de Pancada: "No meio de tanta moça bonita que viu, Corisco acha de casar com uma negona dessa". Ficou feliz ao ver o marido reagir à ofensa: não matou Pancada, como fizera com o namorado da moça da Paraíba, mas virou uma fera, destinando-lhe toda sorte de impropérios.[12]

Acima de qualquer outra mulher, contudo, quem dava as cartas era a esposa de Lampião. Maria de Déa, a Maria do capitão, reinava soberana entre as cangaceiras, para desgosto de Dadá. "Bacana que só ela, só quer ser mais", definiria Dadá a respeito da Rainha do Cangaço.

Se Dadá não ia com a cara de Maria, a recíproca, ao menos, parecia ser verdadeira. Dadá logo caiu nas graças do capitão. Durante a gravidez, quando viveu com os índios, havia costurado não apenas bonecas, como também testara novas estampas para os bornais. Inventara um bordado diferente, com motivos florais e geométricos multicoloridos, e aplicara-os sobre o bornal de Corisco. De tão exuberante, a peça logo se transformou em motivo de cobiça. "Pode fazer um bordado desses pra mim?", pediu o capitão.[13] Dadá, toda prosa, respondeu que sim. Nos dias seguintes, dedicou-se a confeccionar o mais lindo dos relevos para o comandante. Conquistar a simpatia e a confiança do chefe, quanto mais um chefe como Lampião, não era oportunidade para ser desperdiçada.

Maria de Déa também sabia costurar, mas não brilhava à frente da máquina Singer. Embora utilizasse o equipamento nos coitos mais sossegados, limitava-se ao convencional: roupas para si, para o marido e, eventualmente, para outros cangaceiros, mais para passar o tempo enquanto os homens combatiam do que por necessidade.[14]

No sertão do começo do século XX, o manejo de linhas e agulhas não era uma atividade exclusivamente feminina. Os vaqueiros produziam os próprios gibões e chapéus e primavam pela beleza, além do aspecto utilitário da indumentária. Cangaceiros também se dedicavam à produção de seus trajes — mais do que simples vestimentas, verdadeiros uniformes de guerra. Se Lampião apreciara o bordado de Dadá era porque dominava o assunto e sabia reconhecer a sofisticação de uma trama. Entre os sertanejos, costurar e bordar não era ocupação que denunciasse pouca macheza.

Nos grandes centros urbanos, contudo, homem interessado em pontos e fios seria, com grandes chances, tido por afeminado. Já das mulheres que almejassem o título de boas esposas se esperava, no mínimo, talento para pilotar uma Singer. Em 1918, a *Revista Feminina*, que circulava em São Paulo e tinha por intrigante missão promover "a emancipação das mulheres", conclamava:

> Nada mais lastimável que o fato, quase geral, das senhoras não saberem talhar e confeccionar a roupa branca de seu uso e de sua casa. Quantas economias gastas por essa ignorância? Quantas horas de ócio esterilizador poderiam ser empregadas agradavelmente, até moralmente, se a mulher quisesse se consagrar algumas horas do dia a confeccionar a roupa necessária a seu lar?

Tanto na cidade quanto no sertão, porém, a costura findava por ser uma das raras atividades nas quais as mulheres podiam dar vazão à criatividade. Também proporcionava alguma possibilidade de vida social. Era comum que as senhoras se reunissem para cerzir, alinhavar e tricotar, ocasiões aproveitadas para bater papo e descansar da exaustiva e solitária vida doméstica.

Todavia, era prudente alguma moderação: segundo tese de doutorado do médico Antônio dos Santos Coragem, formado pela faculdade de medicina do Rio de Janeiro em 1919, pedalar as máquinas produzia excitação vaginal. Para evitar uma epidemia de luxúria entre as donas de casa, recomendava-se o uso das possantes apenas uma vez por semana.[15]

Maria costumava se deslocar pelo Raso da Catarina no lombo de Velocípede, um burro selado do qual sentia imenso orgulho. Doida por bichos, ficava uma fera quando alguém zombava de seu animal de estimação. Tratado com ternurinhas, Velocípede era, contudo, uma criatura mimada e ingrata. Se estivesse num mau dia, galopava a ponto de deixar sua amazona botando os bofes para fora. Certo dia, durante uma travessia pela caatinga, Maria se impacientou com o burrico. Ao ver que Dadá seguia tranquilamente no lombo de um cavalo muito raquítico mas seguro em seu passo lento, determinou que trocassem as montarias:

— Vá no Velocípede que eu vou no cavalo.

A contragosto, Dadá seguiu no lombo do burro nervoso até a próxima parada. Naquela mesma noite, daria o troco, selando de vez a amizade com o marido da rival. O sol já havia se recolhido quando, devidamente instalada na barraca, a esposa de Corisco recebeu a visita de Lampião. Nas mãos de veias saltadas, o homem trazia uma melancia grande, com listras grossas.

— Toma lá e vamos ser compadres. Agora a senhora vai me dar também um presente que é pra gente selar o compromisso.

Dadá respondeu que não tinha nada para dar em troca e os dois ficaram ali, numa "risadaria dos pecados", sob o céu estrelado do Raso. Na sequência, ao som do crepitar da lenha, deram o primeiro salto na fogueira: era noite de São João. Foram imitados por outros cangaceiros, que saltavam e se compadreavam. A partir de tal instante, Dadá começaria finalmente a se sentir à vontade no cangaço.[16]

Maria, embora tivesse entrado naquela vida por querer, também precisou se acostumar a alguns incômodos. Assim como ocorrera com Zé de Neném, sua vida íntima com Virgulino não era uma constante lua de mel. Nos coitos, o sexo era raro. O código de conduta sexual, elaborado a partir de crendices e superstições, desestimulava relações às sextas e em vésperas de mudanças. O melhor seria esperar três dias depois do sexo para pegar a estrada.[17] Tirando essas situações, os casais se dedicavam à volúpia apenas quando sabiam estar plenamente a salvo de um ataque repentino dos macacos.[18] Só assim os cabras se sentiam seguros o bastante para abrir mão da proteção divina — antes da relação sexual, em respeito ao Pai Eterno, tiravam do pescoço os colares com saquinhos nos quais traziam orações para os mais diferentes santos. Lampião carregava oito delas, além de um crucifixo em ouro maciço — assim como os colares de Maria, a peça também pertencera à baronesa de Água Branca.

Outro item raro nos ranchos era a privacidade. Como as toldas ficavam próximas umas às outras, podia-se ouvir facilmente os sons do casal vizinho. Às vezes, acontecia de alguém acordar no meio da madrugada tomando por rugido de onça o que era gemido de acasalamento. Os cangaceiros solteiros, talvez para não se sentirem provocados por algo de que não poderiam dispor no momento, dormiam em barracas mais distantes, com as cabeças acomodadas sobre os bornais.

Apesar de a água ser escassa no sertão, sobretudo no Raso da Catarina, uma pequena quantidade costumava ser reservada para a higiene íntima das mulheres, de maneira que estivessem constantemente asseadas para seus homens. Estes, por sua vez, não se prestavam ao mesmo cuidado. Submetiam suas mulheres ao risco de contrair toda sorte de doenças venéreas adquiridas em saídas para combate.[19] Depois de uma troca de tiros ou uma matança, como ocorrera na cidade sergipana de Capela no final de 1929, os cangaceiros costumavam visitar a zona de meretrício da região.

Quando regressaram a seus esconderijos, os salteadores se submetiam a desconfortáveis tratamentos para as doenças — o que não diminuía o orgulho que sentiam diante da situação, visto que tais males eram tidos como manifestação de virilidade. Para combater a gonorreia, bebiam um preparado de ovo com sumo de doze limões, deixado ao sereno durante toda a madrugada. A gororoba só fazia efeito se fosse ingerida antes de o sol nascer. Os abcessos intumescidos que se formavam na virilha em decorrência do linfogranuloma, popularmente conhecido como "mula", eram abertos a canivete e espremidos até que a última gota de pus fosse drenada. De todos os cangaceiros, Zé Baiano era o mais habilidoso na tarefa. Se a região genital estivesse infeccionada a ponto de deixar o camarada correr doido, providenciava-se um fogaréu, sobre o qual o doente deveria ficar de cócoras.

Outras condutas se impunham ao convalescente: evitar banhos, não vislumbrar mato verde, dispensar comidas carregadas — café, carne de porco e de animais que beliscam, como pato — e, acima de tudo, jamais pisar em rastro de corno. Se o sujeito tivesse a infelicidade de botar os pés no mesmo lugar onde um cabra com chifre houvesse pisado, todo o tratamento seria posto a perder.[20]

Por razões óbvias, nenhum cangaceiro jogava charme para Maria de Déa, muito embora suas pernas grossas e cintura fina pudessem inspirar pensamentos impuros em muitos dos rapazes. Certa vez, um deles, ao perceber que era a esposa do patrão quem se banhava no riacho, apressou o passo em sentido contrário, com o chapéu ao lado do rosto, tapando-lhe parte da visão.[21] Apesar de o regulamento do bando não permitir puladas de cerca, nem tudo ocorria conforme as regras. O cangaceiro Balão, embora fosse radicalmente contra a presença de mulheres no bando, acabaria envolvido em um triângulo amoroso com Pancada (o que recriminara Corisco por escolher uma "negona" como esposa) e sua companheira, Maria Jovina — ou Maria de Pancada, como se tornaria conhecida.

Baixinha e de pele clara, com rosto redondo e farto cabelo encaracolado, Maria de Pancada entrara no grupo recém-saída da infância. O marido não fazia o tipo carinhoso. Certa vez, irritado, obrigou a mulher a acompanhá-lo, a pé, enquanto viajava a cavalo. Para aumentar o sofrimento da moça, arrastava-a pelo cabelo quando o bicho corria a galope. A tortura durou o dia inteiro.

Conforme relataria anos depois, Balão se envolveu com Maria por iniciativa da própria. Inocente quanto aos intentos libidinosos da esposa, Pancada teria pedido ao amigo para acompanhá-la em uma caminhada. O destino seria um ponto da caatinga em que ela pegaria alguns objetos pessoais. Tão logo deram os primeiros passos, a moça teria partido para cima do cangaceiro:

— Dizem que você é muito macho nas brigadas, mas queria ver se você é homem mesmo — provocara.

— Não diga isso, Maria, que depois você se arrepende — respondera Balão.

Minutos depois, como a moça não cessava a investida e o acusava de ter medo de Pancada, fora imobilizada por Balão, que a possuíra entre mandacarus e xiquexiques. Antes de voltarem para as tendas onde estavam os demais cangaceiros, fizeram sexo uma segunda vez.[22] Curiosamente, Balão gostava de defender o celibato cangaceiro. Segundo dizia, homem que tivesse relação sexual deixava o corpo igual melancia: qualquer bala poderia atravessá-lo.[23]

Não há relatos de que, em algum momento, Maria de Déa tenha sofrido violência física de Lampião. Tudo indica que, no trato cotidiano, o cangaceiro-mor tratava sua esposa de forma paciente e carinhosa, respondendo com bom humor a suas constantes crises de ciúmes. Zé Baiano, o entusiasmado ferrador de mulheres e espremedor de abcessos, igualmente dispensava requintes de ternura à companheira, a bela Lídia. Chegava ao ponto de lhe dar comida na boca, oferecendo-lhe os melhores pedaços de carne e limpando delicadamente seus lábios, ao fim da refeição, com um singelo paninho.[24]

Na intimidade dos coitos, Lídia gostava de usar vestidos folgados, de forma que, ao se debruçar, muitas vezes acabava por proporcionar a visão de seus seios. Como ria muito, dava-se com todos e parecia não se importar com o prazer visual que pudesse vir a provocar nos companheiros, era tida por mulher vulgar. "Cabelo bom, moderninha, toda jeitosa. Mais do que isso. Atraente. Encanto de pequena! [...] Sapeca. Uma perdição", diria, a respeito da jovem, o médico Estácio de Lima — o mesmo que definiria Zé Baiano como "lombrosiano".[25]

É possível que a Pantera Negra dos Sertões tratasse bem sua mulher por saber o quanto, em segredo, era invejado por outros rapazes. Afinal, a mulher mais desejada entre as cangaceiras pertencia a ele. E pertencia mesmo. No bando, quer tratassem suas mulheres com mesuras, quer as agredissem fisicamente, os cangaceiros as consideravam suas propriedades. O código do cangaço previa que as mulheres deviam fidelidade e submissão a seus companheiros, sendo permitido a eles, quando se sentissem contrariados, penalizá-las da forma que melhor lhes aprouvesse. Com a morte, inclusive.

5

Da história do cangaço
Muito tem pra se saber
Enfeite e bala de aço
Conhaque para beber

A história começava a se espalhar. E com uma grande dose de exagero, como todo bom boato. "Um harém com dezessete jovens das melhores famílias sertanejas, raptadas pelo bandido e feitas suas favoritas", registrou o jornal carioca *A Noite* no dia 3 de agosto de 1931. Segundo a publicação, que creditava a informação ao negociante de peles e miudezas Acelino Barbosa, da Bahia, o Rei do Cangaço havia decidido se transformar em um sultão da caatinga. A matéria prosseguia com a informação de que as integrantes do tal harém eram "mulheres casadas roubadas aos maridos e moças solteiras raptadas e transformadas em amantes do grande bandoleiro". Todas elas, sem exceção, viveriam "em inacreditáveis condições de luxo, todas ornadas de joias e vestidos de tecidos preciosos". As moças que deixavam suas residências "em pranto, na companhia da horda sinistra", seriam "jovens graciosas e bem-educadas".

É certo que Lampião pudesse andar entusiasmado com a ideia de bacanais e outras libertinagens. Por aqueles tempos, estava encantado com a música "Gosto que me enrosco", de autoria do compositor carioca Sinhô, na voz suave de Mário Reis, cujos versos cantarolava com alegria: "Deus nos livre das mulheres de hoje em dia/ Desprezam o homem só por causa da orgia". Entretanto, suas possíveis experiências de amor coletivo não se davam com as cangaceiras. Para o capitão, os cabras podiam até ser seus homens, mas as mulheres eram deles. Além disso, já adquirira sua Maria de Déa. Portanto, a informação de que todas as mulheres pertenciam a Lampião servia apenas para reforçar sua imagem de maioral.

Também não era verdade que as meninas eram "das melhores famílias" — forma de se referir às filhas de fazendeiros abastados. Mas com segurança havia entre elas, sim, quem proviesse de lares confortáveis. Era o caso da menina Durvalina Gomes de Sá, a Durvinha, de quinze anos, filha de Pedro Gomes de Sousa Sá. Além de ser um dos mais importantes criadores de bode da região de Santo Antônio da Glória, Gomes de Sá também era conhecido por suas relações de amizade com os cangaceiros, que costumavam visitá-lo na fazenda Arrasta-pé.

Numa dessas passadas pela propriedade do coiteiro, Luís Pedro, um dos rapazes de maior confiança de Lampião, enfeitiçou-se por aquela sinhazinha de testa larga, olhos fundos e maçãs do rosto salientes. Embora já fosse amigado com Neném — e estivesse na presença dela —, Pedro dirigiu um gracejo a Durvinha ao mesmo tempo que lhe serviu uma taça de vinho, sugerindo que brindassem como noivos, com os braços entrecruzados. Mais do que o teor da lábia, a menina gravaria na memória a inhaca e o bafo de onça do galanteador. "Tinha a boca fedida e o cheiro muito ruim", diria, décadas depois.[1]

Se Luís Pedro havia lhe causado asco, o cangaceiro Virgínio, o Moderno, chamara-lhe a atenção pelo porte másculo, com seu rosto quadrado, sobrancelhas fartas e olhar desafiador, embora risonho. Ex-cunhado do capitão — era viúvo da primogênita dos

Ferreira da Silva, Angélica —, Moderno era um cabra de extrema confiança do chefe, e fora designado tesoureiro do grupo. Durvinha responderia com cortesia às investidas do rapaz, mais elegantes do que as do marido de Neném. Logo, ela e Virgínio (o apelido de Moderno jamais colaria na intimidade do bando) começariam um namoro discreto. Não tardaria para que as forças volantes elegessem a fazenda Arrasta-pé como ponto de parada obrigatória de suas diligências.

De certa feita, na ausência do proprietário, o tenente Francisco Moutinho Dourado, conhecido como Douradinho, ordenou que se descesse o cacete em quem estivesse presente na fazenda: no caso, Santa de Pedro Gomes, mãe de Durvinha, e seus filhos menores — incluindo o caçula, Patrício, de apenas seis meses.

Depois da surra, Douradinho ordenou a queima da casa e dos currais. Na sequência, Pedro Gomes de Sá seria preso por acoitar cangaceiros. E a menina Durvinha, entre o perigo da vida sedentária à mercê da polícia e o da trajetória nômade como mulher de bandoleiro, escolheu a segunda opção.[2]

Em muitos aspectos, Neném era o oposto de Maria de Déa. Acomodada, discreta, magra e caladona, chamava a atenção pela boca rasgada e as pernas muito finas. Em comum com a Rainha do Cangaço tinha apenas a ausência de um atributo, a julgar por seu apelido antes de entrar para o bando: Bundinha.[3]

Apesar da diferença de temperamento, Neném e Maria logo se tornariam grandes amigas. Durvinha, por outro lado, não caía de amores pela esposa do chefe. Assim como Dadá, implicava com seus modos expansivos. Tão logo a conheceu, tomou-a por pessoa debochada, dona de "risada de rapariga", ou seja, de mulher da vida.

Embora o relacionamento fosse morno, sem "lambido de língua",[4] como viria a descrever, Durvinha estava apaixonada por aquele que considerava o mais bonito de todos os cangaceiros. O que possivelmente ela não sabia era que, por trás da bela estampa do homenzarrão, se escondia um voraz capador. De todos os castigos infringidos aos inimigos dos sequazes, a castração era o preferido de seu novo marido. Quando não era ele próprio o responsável pela operação, dava ordens para que outros meninos o fizessem.

Foi devido a uma determinação de Virgínio que o jovem Pedro José dos Santos, de 22 anos, tornou-se eunuco às vésperas de subir ao altar. Uma noite, durante uma festa na pequena Nossa Senhora das Dores, no estado de Sergipe, Batatinha, como era famoso na região, desentendera-se com dois cangaceiros, Fortaleza e Cajueiro.

Por um azar do cão, dias depois, a caminho do dentista, esbarrou com os dois na estrada, na companhia de outros bandoleiros — Virgínio entre eles. Ao saber do ocorrido na festa, o ex-cunhado do capitão determinou que o noivo baixasse as calças e desse adeus à virilidade. Coube ao assecla Cordão de Ouro a missão de segurar os testículos de Batatinha com força, puxá-los para baixo e arrancá-los a um só golpe de faca. "Exemplo pra cabra ruim é esse mesmo", teria comemorado Virgínio, ao fim da extração.[5] Tempos depois, o escritor Ranulfo Prata receberia notícias do desgraçado. Gordinho e sem bigode, parecia um bacuri. A despeito do infortúnio, continuava casado, embora, segundo fofocara seu irmão, fossem "duas mulheres" na cama.[6]

Nos primeiros anos no cangaço, Maria de Déa e suas colegas viveram tempos sossegados. Com a chamada Revolução de 1930, que depôs o presidente Washington Luís e instituiu um governo provisório chefiado por Getúlio Vargas, a rotina dos bandoleiros se tornou mais tranquila. O presidente da nova República tinha coisas mais urgentes com as quais se preocupar do que com cangaceiro nos confins do sertão nordestino — por exemplo, censurar a imprensa, dissolver o Congresso Nacional e as assembleias estaduais e municipais e, ainda por cima, combater a "ameaça comunista" que pairava sobre o país.

Vargas delegou a tarefa de cuidar daquele tipo exótico que inspirava as fantasias de Carnaval dos bailes cariocas ao major cearense Juarez Távora, designado delegado militar do governo provisório. Como uma das primeiras medidas no novo cargo, Távora, que passaria a ser chamado pela imprensa de vice-rei do Norte, adotou o emprego de tropa do Exército no combate ao Rei do Cangaço.

Dentre as ações promovidas pelos novos combatentes, a mais polêmica dizia respeito ao desarmamento da população. Em suas diligências, volantes tomavam armas e munição de cidadãos e coronéis sob a justificativa de que, assim, prejudicariam o fornecimento do material aos cangaceiros. Os soldados chegaram a encontrar metralhadoras em poder de um fazendeiro, segundo informariam as fontes oficiais. Na edição de 10 de fevereiro de 1931 do *Diário de Notícias*, do Rio de Janeiro, o repórter Garcia de Rezende, enviado especial à Bahia, tecia críticas à decisão: "Essa medida tem provocado uma grande celeuma, porque atenta somente contra a segurança pessoal do sertanejo, a quem arrecadam, até num desmuniciamento geral, armas de cano curto, entregando-o, portanto, a Lampião".

O que os jornalistas não escreviam nem se comentava em público era que coronéis e agricultores modestos não representavam os únicos fornecedores dos salteadores. Além das armas do Exército doadas a Lampião por ocasião de sua convocação para combater a Coluna Prestes, em 1926, ele negociava rifles, revólveres e munição com os próprios soldados. Os vencimentos dos macacos eram inferiores ao salário que Lampião pagava aos seus subordinados. Além disso, recebiam o dinheiro do governo por intermédio de um oficial de polícia que, não raro, pegava uma parte do valor destinado aos combatentes para si. Vender bala e pistola para cangaceiro era uma maneira de complementar a renda.[7]

Isso ocorria, entretanto, apenas em situações emergenciais — para os cangaceiros. De forma geral, as armas e balas dos bandoleiros eram mais modernas e potentes do que as das volantes. Certa vez, depois de um combate, o então soldado Joaquim Góis encontrou um pente de balas deixado pelos inimigos e fez questão de examinar a data de fabricação dos projéteis: 1929. "Feito o confronto entre as balas do meu caduco 95 (fuzil Mauser modelo 1895) e o cartucho encontrado, a diferença era chocante. Nossa munição, quase imprestável, era do ano de 1913."[8]

O arsenal de guerra dos cangaceiros incluía mosquetões Mauser belgas e alemães, fuzis Winchester fabricados nos Estados Unidos, além de pistolas Browning e Parabellum. O peso do equipamento e da munição que os cangaceiros precisavam carregar em suas incursões catingueiras ultrapassava os trinta quilos.[9]

Outra medida tomada em paralelo ao desarmamento foi a nomeação do capitão-aviador Carlos Chevalier como comandante de uma expedição ao Nordeste para capturar o bandoleiro. Anunciada pela imprensa com estardalhaço, a ação previa o destacamento de 917 homens para caçar os bandidos. O grupo teria a seu favor grande quantidade de explosivos, farta munição, metralhadoras, aparelhos radiotelegráficos e aviões.[10]

Aos 33 anos, muito magro, com rosto chupado e pescoço comprido, Chevalier tinha em disposição para o estrelato o que lhe faltava em agilidade. O envio da expedição para a Bahia, inicialmente marcado para o começo de fevereiro de 1931, foi sendo adiado à medida que correções aos planos iniciais eram feitas. Em vez de 917 homens, a maioria nordestinos e conhecedores do semiárido, a expedição teria apenas duzentos, todos recrutados entre os praças da polícia carioca. No lugar de aviões, Chevalier levaria consigo um engenheiro para realizar estudos topográficos no solo pisado pelos salteadores.

Em março, ainda no Rio de Janeiro dando entrevistas sobre seus planos certeiros para dar fim ao sinistro sequaz, escreveu um relatório para o ministro da Justiça, Oswaldo Aranha, no qual tecia considerações acerca do bando. Boa parte delas havia sido extraída da biografia de Leonardo Mota sobre Virgulino Ferreira da Silva – este, para entrar no clima do governo provisório (que havia substituído os governadores estaduais por interventores), passara a se intitular interventor do sertão.

"Lampião é bastante protegido por grande número de coronelões políticos, [...] que por este meio amedrontam os seus adversários, ao mesmo tempo que evitam as depredações e assaltos em suas propriedades", escreveu Chevalier a respeito de algo que já se sabia havia quase uma década.[11]

Em maio, com o aviador ainda planejando a viagem, o jornal *A Noite* estampou em manchete: "Lampião é invencível".[12] Pela reportagem, o leitor tomava ciência de episódio em que, durante encontro com policiais alagoanos, o cangaceiro não apenas matara um oficial e onze soldados como tomara toda a munição do destacamento. Em junho, quando os jornais nem mais tocavam no nome de Chevalier, o governo provisório nomearia o interventor da Bahia, Juracy Magalhães, novo comandante da campanha contra Lampião. Sem entrar em detalhes sobre a caçada, o *Jornal do Brasil* informava, em 14 de junho de 1931, que a ação envolveria mais astúcia do que força.

Quanto ao capitão Chevalier, o máximo que chegaria perto de cangaceiro seria no espetáculo *Óia o Lampeão*, estrondoso sucesso de revista de Luiz Iglesias, em cartaz no Theatro Rialto, cujo quadro de número seis tinha como título "Vou deitar falação".

Pelo que sugeriam as notícias dos jornais, Lampião se divertira com a fanfarronice do capitão-aviador carioca, a quem chamava de "macaco Chevalier" — e fizera troça de mais um prêmio oferecido em troca de sua captura, daquela vez de cem contos de réis, instituído pelo governo federal para a tropa que o detivesse.[13] Não era o único a se divertir com a situação. Em julho, a gravadora Victor lançaria um disco de 78 rotações com o samba amaxixado "Vou pegá Lampião", de autoria de J. Thomaz, interpretado pelo cantor e humorista mineiro Castro Barbosa, cujos versos zombavam dos planos mirabolantes e dos prêmios para quem capturasse o bandoleiro.

> Adeus, Amélia
> Vou decidir minha sorte
> Eu vou pro Norte
> Vou pegar o Lampião
>
> Cinquenta contos
> Não fazem mal a ninguém
> Vamos ver se este malandro
> Desta vez vem ou não vem
>
> Não quero nada
> Nem revólver nem canhão
> Vou pegá-lo a cabeçada
> Pontapé e bofetão

Não sou criança
Ele vai virar estopa
Vou acabar com esta lambança
Lampião pra mim é sopa

Nas feiras, quermesses e forrós do sertão, comentava-se que Lampião estava tão contente com a atuação de Juarez Távora que chegou a se aproximar de um homem, fisicamente parecido com o major, tomando-o pelo próprio. O intuito seria agradecer o incentivo que o delegado militar vinha oferecendo a suas razias. De outra feita, conforme reportaria o enviado especial do jornal *A Noite* para a Bahia, o capitão espancou uma família inteira dando vivas a Juarez Távora.[14]

Fato ou pilhéria, a verdade é que o cangaceiro andava tão à vontade que decidira apresentar oficialmente sua senhora à fina flor da sociedade sertaneja. Em setembro de 1931, Virgulino viajou com Maria de Déa pela caatinga, em tardia lua de mel, hospedando-se em fazendas de amigos. Entre baforadas de charuto, partidas de baralho — Maria era um ás no vinte e um e ficava uma fera quando perdia uma rodada[15] — e brindes de White Horse e conhaque Macieira cinco estrelas, passavam agradáveis noites na companhia de algumas das famílias mais endinheiradas da região.[16]

Se entre as colegas a Rainha do Cangaço despertava antipatias, no meio das sinhás sua presença era festejada. Se havia reservas, as esposas de coronéis, por amor à vida, disfarçavam bem. Ao deixar a fazenda Barra Formosa, em Pernambuco, de propriedade do coronel Audálio Tenório, a bandoleira foi presenteada pela dona da casa com duas garrafas de manteiga.[17]

Nas jornadas pelo sertão, os cangaceiros demonstravam certa leveza de espírito no alvorecer da nova República. "Vivem sempre satisfeitos. Nos lugares em que chegam, nunca perdem uma oportunidade de sambar, formando rumorosas rodas de batuque", noticiaria o jornal *A Noite*.[18]

Embora não tivesse o vozeirão dos cantores de rádio — seu timbre, tido como afeminado, estava mais para Mário Reis do que para o tenor Vicente Celestino —, Virgulino se arriscava na cantoria, enquanto fazia gemer uma sanfona, acompanhado por Maria de Déa ao bandolim.[19] Ao fim de um show mais entusiasmado, caso o chefão sentisse arranhar a garganta, recorria a uma das muitas pastilhas Valda que carregava no bornal.[20] Se o cangaceiro Gitirana estava presente, cabia a ele comandar a balada. Considerado o cantor mais afinado do bando, interrompia o show e guardava a viola no saco quando via a estrela d'alva — o planeta Vênus. Acreditava na história segundo a qual Dalva, que dava nome ao que julgava ser uma estrela, era uma moça perdida e não deveria ouvir música.[21] Caso estivesse com o gogó em ação perto de meio-dia, Gitirana também se calava. Nessa hora, todos os cangaceiros, em silêncio, afastavam-se alguns metros de Lampião. Precisavam deixar o capitão em paz em sua rotina diária de orações.[22]

A candura das horas vagas não ultrapassava as fronteiras da privacidade. No trabalho, os rapazes permaneciam os mesmos durões e galhofeiros de sempre. Na cidade de Uauá, na Bahia, mataram o agricultor José Félix com um disparo no peito e ordenaram à sua esposa que tirasse toda a roupa e subisse em um dos cavalos do bando. Assim, nua em pelo, a viúva Epiphania percorreu duas léguas, até ser abandonada no meio da caatinga, tendo que voltar para casa em tal estado constrangedor.[23]

Os cangaceiros pareciam ter algum fascínio em submeter suas vítimas à humilhação de expor as partes íntimas. Ganharam fama no sertão os chamados "bailes nus", ocasiões em que, durante uma festa, os bandoleiros ordenavam aos participantes que tirassem toda a roupa, sob pena de serem assassinados. Isso teria acontecido, dentre outras oportunidades, na cidade baiana de Abóbora, segundo narrou o escritor Ranulfo Prata. Durante um forró improvisado pelo cangaceiro Mariano — que, sentado em um banquinho de três pernas, dedilhava uma sanfona —, o chefão ordenara que todos ficassem pelados e dançassem aos pares. A um canto, observando a cena, Lampião rosnava se algum casal, por vergonha ou cansaço, se separasse.

— A dança moderna é ligada — ralhava.[24]

Em outra ocasião, no vilarejo baiano de Pedra Branca, obrigara o subdelegado da localidade a também permanecer despido durante uma tertúlia. Ao fim da noite, depois de os presentes dançarem como vieram ao mundo, o subdelegado teria sido forçado a pôr-se de quatro, sendo penetrado por uma vela posteriormente acesa e queimada até o fim. Sobre o episódio, o escritor Leonardo Mota jurara ter ouvido de um sertanejo:

— Patrão, veja só a que é que nossos governos deixam sujeito o pobre sertanejo: veja só de que é que Lampião anda fazendo castiçal...[25]

Se as circunstâncias dos bailes nus tinham certo ar de tragicomédia, outras ações se enquadravam rigorosamente na categoria de terror. Em setembro, Corisco cometeria um crime que ganharia fama pela crueldade, até para os padrões cangaceiros. A vítima seria o delegado Herculano Borges, com quem se desentendera no período em que estava afastado do bando de Lampião. Em 1928, enquanto negociava miudezas em uma feira na cidade de Jaguarari, Corisco teria sido alvo de uma tentativa de suborno de Borges, que lhe exigira o pagamento de impostos pelas mercadorias à venda — ante a decisão do Diabo Louro de não pagar o cafezinho da autoridade, tivera seus produtos recolhidos, levara pontapés na bunda e passara uma noite no xilindró. Injuriado, o cangaceiro jurara vingança.

Naquele mês de setembro de 1931, Corisco já descobrira que Herculano Borges abandonara o posto de delegado para se tornar comerciante no povoado Santa Rosa de Lima. No dia 21, encontrou-o na fazenda Bom Despacho, no meio do caminho entre Abóbora e Santa Rosa.[26] Após tê-lo tomado como refém por algumas horas, teria decidido matá-lo a golpes de punhal. Na sequência, segundo narraria a imprensa, Corisco arrancara a cabeça do homem, bem como seus braços e pernas, e cortara o tronco em postas, posteriormente distribuídas em uma cerca para deleite dos urubus.[27] Dessa forma, seguira à risca uma recomendação do chefe Lampião: macaco não se enterra, deixa para urubu comer.[28]

De tão bárbara, a narrativa do crime despertaria a desconfiança dos mais incrédulos. Havia quem afirmasse que Corisco matara Herculano Borges de forma mais delicada, com um tiro no coração. Segundo essa versão, a descrição nauseante do assassinato seria fruto da imaginação do interventor Juracy Magalhães. Cansado do desinteresse de Getúlio Vargas pelas bestas-feras do Nordeste, o homem carregara nas tintas para pressionar o governo provisório a liberar mais verbas para o combate aos bandoleiros.

A estratégia teria dado certo: no mesmo mês, o presidente liberaria quatrocentos contos de réis para a missão de caça aos cangaceiros — mesmo orçamento que o governo do Rio de Janeiro destinara para a secretaria de obras públicas em 1931.[29]

Quando assassinara Herculano Borges, Corisco estava sem Dadá. Maria de Déa também não acompanhava o marido por ocasião do erótico baile de Abóbora. Na maioria das vezes, as mulheres ficavam guardadas em coitos enquanto os maridos saíam em busca de combates e outras aventuras. Embora não participassem, de modo geral, da linha de frente dos tiroteios, as jovens costumavam andar armadas — ainda que, em alguns casos, com pistolinhas de brinquedo.[30]

Maria de Déa portava, em conjunto com o punhal e o facão, um revólver Colt calibre 38, de procedência norte-americana, popularmente conhecido como Colt Cavalinho. Dadá, além do mesmo 38, carregava um pequeno punhal de cabo de prata, enfeitado com cinco anéis, que tratava como se fosse um brinquedo. Outras jovens, além de facas, andavam com revólveres calibre 32. Os coldres onde as armas de fogo eram guardadas ficavam presos às correias dispostas em xis sobre os seios e enfeitadas com ilhoses vazadas. Além de conferir beleza ao conjunto, os pequenos aros de metal tinham ainda a função de dissipar o calor durante as longas caminhadas pelo sertão. A munição podia ser transportada tanto nos bornais quanto nas cartucheiras presas à cintura.[31]

À exceção de Dadá, que desenvolveria o gosto pelos revólveres e chegaria a manusear fuzis, as mulheres não atiravam. Durvinha tinha verdadeiro pavor de pistolas, rifles e mosquetões.[32] Maria de Déa, embora se orgulhasse de seu arsenal, também preferia outros prazeres a enfiar bala em barriga de macaco.

No fim de 1931, talvez porque o sossego propiciado pela ineficácia das missões contra o cangaço tenha lhe permitido noites de amor mais frequentes, Maria de Déa ficou grávida.

6

Dezenove trinta e dois
A brisa soprou rasteira
Dia treze de setembro
Nasceu Expedita Ferreira

— Como e durmo tranquilamente. [...] É melhor do que a gente andar no mato, entrando em fogo, levando bala. Só tenho saudade é da minha companheira, a Maria Honorina, que ficou escondida na caatinga e não sabe nem se estou vivo ou morto.[1]

Recolhido à Casa de Detenção de Salvador, o cangaceiro Volta Seca bem que queria falar sobre a namorada que ficara para trás, mas se alguma mulher interessava a policiais e jornalistas, essa era a esposa do capitão.

Com calça e camisa de mangas compridas e sem o típico chapéu em formato de meia-lua, o detento depôs para um grupo de autoridades, incluindo o capitão João Facó, chefe de polícia da Bahia, e o diretor da cadeia, Octávio Barreto. Em pé diante de mais de uma dezena de homens engravatados, o humilde Volta Seca mal lembrava o impetuoso menino que, dois anos antes, sangrara um grupo de soldados na cidade baiana de Queimadas. Com os ombros caídos, mãos entrecruzadas diante da região pélvica e o queixo baixo, o cangaceiro respondia, com solicitude, às indagações dos presentes. E iniciaria ali uma carreira promissora: a de loroteiro profissional. Volta

Seca ganharia fama como um dos maiores mentirosos da história do cangaço.

Diante dos olhares gulosos dos repórteres, que mal podiam esperar para publicar aquelas histórias fantásticas em seus jornais, Volta Seca contara que Maria de Déa era uma fera. "Cabocla bonita, [...] valente e decidida como um homem", participava ativamente dos combates e atirava de carabina a sangue-frio. Lampião, deveras apaixonado, mordia-se de ciúmes da morena. "Ai de quem dirigir um gracejo a Maria Déa! Está com os dias contados, porque o capitão não perdoa os que se atrevem a disputar-lhe os carinhos da companheira", informaria, com base nas declarações do preso, a revista *A Noite Ilustrada*.[2]

Indagado sobre os crimes cometidos por seu ex-chefe, o cangaceiro mirim diria que perdera a conta de quantos foram. "Lampião tem matado gente que não é caçoada! [...] Já mandou para o outro mundo mais de 150 pessoas", assegurou. Segundo o cabra, o capitão mandava homens correrem e, na sequência, liquidava-os com traiçoeiros tiros nas costas, "como quem mata perdiz no voo". Durante a palestra, o rapaz diria duvidar do sucesso da empreitada de caça ao Rei do Cangaço. "Esse a polícia não pega como me pegou. O capitão anda com dois frascos. Um tem gasolina para incendiar o dinheiro que carrega no bornal. O outro tem veneno para ele acabar com a vida quando se vir perdido", narrou. As dificuldades, entretanto, seriam suavizadas caso a polícia o contratasse como soldado. Dada sua experiência, levaria vantagens na captura do antigo chefe. Jogou verde, mas não colheu maduro.

A carreira de Volta Seca no cangaço acabou no dia 21 de fevereiro de 1932. Tinha sido capturado faltando menos de um mês para seu aniversário de catorze anos. No entanto, começara a entrar em declínio no final do ano anterior, quando a verba enviada pelo governo federal para a campanha comandada pelo interventor baiano Juracy Magalhães deu novo gás às forças volantes. O garoto, acostumado com a boa vida de fora da lei invencível, começou a achar aquela brincadeira meio assustadora.

Os últimos dias de 1931, de fato, não corresponderiam em calmaria aos outros onze meses do ano. No dia 7 de dezembro, a polícia finalmente conseguiu macular o principal abrigo dos cangaceiros. "Quebrara-se o encanto do Raso da Catarina!",[3] como escreveria na revista O Cruzeiro, de maneira hiperbólica, o repórter Victor do Espírito Santo, enviado especial dos Diários Associados ao sertão nordestino.

Tipo topetudo, cuja barriga saliente parecia provir mais da má postura do que da alimentação desregrada, Espírito Santo era uma estrela do jornalismo brasileiro dos anos 1930. Viajou para o sertão "armado de todos os elementos modernos, [...] desde a máquina de escrever até o aparelho de rádio, sem esquecer a câmara fotográfica, com a qual registrará os lances mais interessantes da caçada a Lampião", como alardeou o Diário da Noite.[4]

Antes de se abalar para a caatinga, Espírito Santo chegou a duvidar da existência do Jaguar Bravo do Nordeste. "Ia certamente [...] obter a prova de que o famoso cangaceiro nunca existira. [...] Enganei-me inteiramente. As barbaridades praticadas por Lampião são incontáveis, inenarráveis. Tudo o que se tem dito a seu respeito não dá uma ideia do que realmente são suas façanhas", registraria em um de seus textos, concluindo desconhecer "como um ente humano pode ser tão perverso".[5]

Victor do Espírito Santo tinha trânsito livre entre os comandantes da força-tarefa de caça aos cangaceiros. Nas fotografias para as publicações dos Diários Associados, posava ao lado de tenentes e capitães de terno e gravata, apesar do calor do sertão.

Retratados como valentes e determinados, os comandantes eram descritos como homens talhados para a iminente vitória contra o companheiro de Maria de Déa. Espírito Santo se dizia "convencido de que muito dificilmente poderá o perverso bandoleiro escapar com vida da campanha".[6]

O acesso facilitado às fontes policiais permitiu ao repórter narrar, com riqueza de detalhes, os acontecimentos daquele 7 de dezembro de 1931. Segundo informou, a ocupação do Raso foi comandada pelos sargentos Euclydes Flor e João Cavalcanti, que desde 1923 perseguiam Lampião. Na entrada do deserto, teriam sido advertidos por locais sobre os perigos da empreitada. "Mas nada os demoveu", escreveu Santos, prosseguindo seu texto em tom dramático:

> A marcha era árdua. Nenhuma vereda, nenhum caminho aberto. As picadas tinham de ser feitas com os três facões de mato de que dispunham. [...] Espinhos terríveis rasgavam-lhes as roupas, dilaceravam-lhes as carnes. Os alimentos escasseavam e água só encontravam nos gravatás, mas tão quente que não lhes mitigava a sede. Era, porém, necessário prosseguir. E prosseguiram.[7]

Na sequência, continuaria a registrar o repórter, os 32 soldados comandados por Flor e Cavalcanti encontraram panos com manchas de sangue. O frescor das pistas demonstrava que os asseclas tinham poucas horas de vantagem sobre as tropas. Aquele era o dia 6 de dezembro. Quando os raios solares deixaram de iluminar o Raso da Catarina, os homens da lei decidiram descansar em leitos improvisados com poucas folhas. Apesar da fome e da sede, cochilaram por algumas horas e, às três da manhã, já estavam de pé. Voltaram a explorar o Raso e, às dez horas, ouviram vozes finas. Eram risos de mulheres. De imediato, como continuaria a contar

Victor do Espírito Santo, os soldados abasteceram as agulhas dos fuzis com cartuchos e continuaram a marchar, cautelosamente, até avistarem as coberturas de palhas das cabanas onde estavam acoitados os cangaceiros.

"Bandidos deitados descansam, enquanto outros tiram água dos gravatás para a cozinha e lavagem de roupa. Muitas mulheres. Reina alegria entre os cabras, alegria manifestada pelas gargalhadas que se ouvem", escreveu o repórter. Os soldados e sargentos já comemoravam a vitória. Em posição de vantagem, só restaria a eles mirar o horizonte e descarregar os fuzis sobre aquele monte de facínoras rurais.

"Mas parece que uma sorte favorável protege os bandidos", lamentaria o jornalista. Segundo Espírito Santo, tudo teria sido posto a perder por um recruta desastrado que, ao preparar o rifle, deixou escapar um tiro. Ao barulho do estampido, os cangaceiros, em permanente estado de alerta, teriam sacado suas armas. Um deles ficara encarregado de proteger as mulheres, tangidas para longe da escaramuça. O que era para ser uma execução se transformou em tiroteio. Um soldado chegaria a ser atingido e, aproveitando a trégua imposta pelas volantes, os cangaceiros conseguiram fugir em diferentes direções, deixando para trás todos os pertences.

"Destacava-se o que pertencia ao mulherio", observou o repórter. "Vestidos de seda, lenços, xales, meias de seda, pó de arroz, pentes, tesouras, [...] linhas, agulhas." Todo o material apreendido foi queimado em uma grande fogueira.

A versão heroica e trapalhona apresentada nas páginas da revista *O Cruzeiro* seria desmentida por Volta Seca, que diria não ter havido tiroteio nenhum no Raso da Catarina.[8]

Ao perceber a aproximação das volantes, os cangaceiros teriam, como de hábito, fugido e deixado boa parte de seus pertences para trás. Mais do que o já corriqueiro prejuízo de munições, alguns cavalos e objetos pessoais, atormentava a gente de Lampião a impressão de que os macacos resfolegavam cada vez mais perto de seus cangotes.

Naquela vida de forasteiro, era preciso praticar o desapego a todo instante — e estar com a mala sempre preparada para uma viagem repentina. Os objetos mais caros aos bandoleiros eram carregados no bornal, que, para suportar o peso e não machucar o ombro de quem o portava, tinha alças largas: dinheiro, munição, medicamento e comida, como farinha e rapadura. As mulheres ainda levavam consigo maquiagem, sabonete e perfume.

Em cabaças de alumínio transportava-se água e outras bebidas. As de alguns cangaceiros, como Maria de Déa e Lampião, eram caprichosamente revestidas por paninho enfeitado, cujos motivos ornavam com os do bornal. As valiosas joias apuradas pelos bandoleiros em suas excursões se espalhavam por orelhas, braços, pescoços e mãos — não à toa, muitos tinham mais de um anel em cada dedo. As cobertas com que se agasalhavam durante o sono permaneciam dobradas e cruzadas sobre o tórax. De tão montados e carregados, mal conseguiam permanecer com os braços esticados junto ao corpo, de modo que, ao longe, assemelhavam-se aos bonecos deixados próximos às plantações para afugentar predadores. Não era à toa que, entre sertanejos, policiais e jornalistas, Lampião também fosse conhecido pela alcunha de Espantalho.

Mudas de roupas ficavam socadas nos bornais ou no próprio corpo, umas sobre as outras. Mas as peças, por mais bonitas que fossem, frequentemente precisavam ser abandonadas, para tristeza de quem as personalizara com esmero. Tão forte era a identidade visual dos cangaceiros como grupo que eventuais estilos individuais podiam passar despercebidos. Embora todos os homens usassem chapéus enfeitados com moedas de ouro e outros apetrechos, havia diferenças entre eles. Quanto mais poderoso fosse o cabra, maior o tamanho do acessório — e mais reluzentes os seus adereços. O de Lampião, por exemplo, feito de couro de veado, tinha abas ornamentadas em alto-relevo com estrelas de oito pontas, bem como cerca de setenta peças de ouro incrustradas por toda a sua extensão.

No caso das mulheres, todas usavam o mesmo tipo de chapéu de feltro, embora a riqueza dos enfeites informasse a importância de seu companheiro. O de Maria de Déa era embelezado por uma faixa de camurça tomada por libras de ouro. A testeira e a passadeira abrigavam pequenas peças de alto quilate.

Dadas as condições errantes de suas vidas, cangaceiros não podiam ter exatamente um guarda-roupa variado. Os rapazes, em geral, usavam camisa de pano cáqui ou azul, com calças de cós alto, de pernas curtas, de maneira que os tornozelos precisavam ser cobertos por perneiras de couro — entre cobrir a pele para evitar contato com os espinhos da caatinga ou deixá-la à mostra de forma a amenizar o calor, os bandoleiros escolhiam a proteção. Virgulino se permitia vestir camisas listradas ou de outras cores e apreciava botões de ouro.

As mulheres tinham basicamente dois tipos de roupa. O vestido de batalha, para as incursões pelo mato, era costurado em pano resistente, com mangas compridas e na altura do joelho. Meias grossas e perneiras de couro de bode ou veado protegiam as pernas de espinhos e possíveis inspirações libidinosas. Quando estavam nos coitos, as moças trajavam comportados vestidos de seda. Nas mãos, homens e mulheres usavam luvas, quase sempre enfeitadas com motivos florais. Nos pés, meias e sandálias de couro — as alpercatas. As moças eventualmente escolhiam botas de cano curto para as jornadas pela caatinga.[9]

Quando havia água disponível, os integrantes do grupo lavavam suas roupas à noite. As peças passavam a noite ao relento. De manhã, já estavam secas.[10] Do ponto de vista das tarefas domésticas, o ingresso das cangaceiras não alterou muito a rotina dos cabras. Assim como a costura, lavar e cozinhar era tarefa de todos. Observava-se uma pequena divisão de trabalho por gênero em relação ao preparo dos alimentos. Os homens caçavam os bichos e as mulheres lavavam, temperavam e devolviam a carne para que eles a assassem. Isso não impedia que, em determinadas ocasiões, eles respondessem por todo o processo. Quando a refeição era passarinho ao vinho, era Lampião quem, sozinho, preparava a iguaria.[11]

Depois de assados, os alimentos eram novamente entregues às mulheres, que os dividiam entre os cangaceiros. Quando estava amuada, Maria de Déa não participava do serviço. "Era uma bacana, não fazia nada", reclamaria Dadá.[12] A Rainha do Cangaço, por sua vez, caçoaria da constante disposição da esposa de Corisco para a labuta. "A Nega Pau tá trabalhando", dizia, mordaz, do seu posto de descanso, alto o suficiente para que a rival pudesse ouvir.[13]

Nos lares convencionais do sertão nordestino, além da higiene e da arrumação da casa, cabia às mulheres o cuidado das crianças. As mais pobres ainda trabalhavam na roça com os maridos, e havia as que faziam bicos para aumentar a renda, como trabalhos de costura e preparo de doces que podiam ser vendidos nas feiras e pequenos comércios da região. Do ponto de vista restrito ao trabalho doméstico, pode-se dizer que as cangaceiras tinham uma vida mais privilegiada do que a média das sertanejas. A vantagem ainda permanecia quando a comparação era feita com as mulheres da zona urbana, cuja situação, naquele ano de 1932, soava exasperadora. A edição de 14 de janeiro do *Jornal das Moças*, revista semanal publicada no Rio de Janeiro e distribuída em outras capitais do país, tentava ajudar a dona de casa a gerenciar seu tempo — não sem antes deixar bem claro quais eram as suas tarefas.

Para assegurar a felicidade do marido, a esposa deveria cozinhar caprichosamente, mas com o cuidado de variar o cardápio. "Quantas desavenças [...] só porque os pratos são os mesmos todos os dias!", alertava a publicação. Teria ainda que passar e engomar as roupas, de maneira a não delegar a tarefa para "lavadeiras quase sempre sem capricho e inescrupulosas". Obviamente que as tais roupas ostentariam detalhes em crochê e bordados produzidos pela própria esposa nas horas de lazer, depois de "arrumar, em ordem, a sua casa, tudo em seu lugar, bem organizado, enfeitado, de modo que agrade ao marido". Claro, porque "um homem que chega do trabalho cansado, aborrecido e encontra seu lar em desordem sente o inferno dentro de si!".

Por melhor que fosse o ordenado do esposo, caberia à esposa produzir, na paz do lar, tudo o que fosse possível — "bicos para guarda-louças, cantoneiras para vaso, fios para pendentes e outros adornos para móveis, paredes e forros". Assim, o suado dinheiro do chefe da família não seria desperdiçado com tais itens. Com o intuito de entretê-lo, a mulher deveria aprender a pintar, tocar piano, violino, violão, bandolim ou guitarra. "Às vezes, ele está contrariado e ela, mostrando-lhe uma novidade, lhe dissipa a contrariedade", orientava a revista.

Em algum momento do dia, após brincar com os petizes, caberia à mulher se dedicar à leitura, mas apenas de periódicos sérios. "Desde que não se desviem das obrigações", advertia. Isso parecia mais adequado do que prosear com as amigas. "Na maior parte das vezes, as desinteligências conjugais nascem dos mexericos tecidos entre comadres", prevenia. E, se a leitora por acaso se sentisse incapaz de dar conta de uma rotina tão exaustiva e solitária, o *Jornal das Moças* passava um pito: "O tempo, no lar, é a dona da casa que o faz".

O aumento da repressão fez com que Maria de Déa e as demais cangaceiras permanecessem um tempo escondidas na fazenda Maranduba, em Sergipe, perto da fronteira com a Bahia.

Lampião e alguns de seus asseclas viajaram até a cidade de Canindé, no mesmo estado, às margens do rio São Francisco, onde Zé Baiano tinha contas a acertar: era lá que morava a família do soldado Vicente Marques, que havia batido em sua mãe em busca de informações sobre o bando. Baiano localizou a casa onde morava Maria Marques, irmã de Vicente, e aplicou-lhe o já clássico castigo: marcas de ferro quente com as iniciais JB no rosto, nádegas e virilha. Se o soldado bulira com mulher de sua família, nada mais natural do que se vingar com as moças ligadas a ele.

Como precisasse fazer a excursão render mais, Zé Baiano foi até a zona de prostituição onde, segundo ouvira falar, batia ponto uma jovem bastante requisitada pelos oficiais. Anísia, também conhecida como Zininha, foi queimada em ambas as faces e teve o cabelo retalhado a faca. Depois, a jovem Isaura, esposa de um policial, foi carimbada em cinco diferentes partes do corpo e rosto.[14]

Findo o serviço em Canindé, os sequazes pernoitaram na fazenda Queimadas, de propriedade do coiteiro Piduca Alexandre, irmão de dois baianos importantes. Um deles era João Maria de Carvalho, o comerciante de Serra Negra que, segundo se comentava, desfrutara de um romance com Maria de Déa — os dois, aliás, permaneciam íntimos. Quando precisava de algo, como alpercatas novas, a cangaceira mandava pedir ao comerciante.[15] O outro irmão era ninguém menos do que o tenente Liberato de Carvalho, um dos mais implacáveis chefes de volante da campanha de Juracy Magalhães contra o cangaço. Carvalho estava, naquele instante, no encalço de Virgulino e de sua horda: dias antes, espalhara-se a informação de que recebera ordens para matar o pai de Maria, seu Zé de Felipe. Ao chegar à Malhada da Caiçara, entretanto, encontrara a residência vazia. O sogro do capitão viajara para Alagoas, a fim de visitar parentes.[16]

Coincidência ou não, depois que os cangaceiros passaram por Queimadas, cerca de oitenta soldados de Carvalho e do tenente Manoel Neto — aquele para quem o coronel Petronilo Reis denunciara Lampião — localizaram o coito de Maranduba. Antes que os tenentes pudessem organizar o cerco, Maria de Déa percebeu a aproximação. Mesmo na iminência de um ataque, não perderia o tom zombeteiro.

— O Cachorro Azedo está chegando — teria dito a Rainha do Cangaço. Era nesses termos que ela se referia a Manoel Neto.[17]

Num átimo, Lampião distribuiu seus cerca de trinta homens em posições estratégicas, de modo a deixar parte dos soldados — no caso, os homens das forças pernambucanas — no meio do fogo cruzado. Como ocorrera no Raso, as mulheres foram prontamente afastadas do epicentro do confronto.

Quando os oficiais deram início aos disparos, receberam, em troca, uma chuva de balaços vinda de inúmeras direções. Confusos, exaustos e sedentos, os macacos começaram a descarregar suas munições aleatoriamente, alvejando os próprios aliados. O tiroteio estapafúrdio resultou na morte de sete homens do lado das forças oficiais, além de dez feridos — dentre eles, o tenente Liberato de Carvalho, baleado em um braço. Dois cangaceiros, Sabonete e Catingueira, morreram durante o combate. Quina-

-Quina, baleado na barriga, agonizaria até que Lampião lhe abreviasse o sofrimento com um tiro de misericórdia.

Gravemente ferido durante a peleja, o cangaceiro Bananeira se deixou transportar em uma maca improvisada até um abrigo próximo. Lá, foi colocado na sela de um cavalo que o levaria até um segundo coito, onde seria recebido pelo pai. Na ocasião, Lampião ordenou a Volta Seca que dividisse sua montaria com Bananeira. O menino, talvez por asco da aparência moribunda do colega, recusou-se a obedecer à determinação do superior. Alertado por outros cabras de que aquela insubordinação possivelmente lhe custaria a vida, o cangaceiro mirim aproveitou a travessia para se embrenhar no mato e deserdar do bando, junto com Maria Honorina.

Durante a fuga, a mocinha decidiu voltar para a casa da avó. Enquanto isso, Volta Seca procurou refúgio na casa de um coiteiro. Ao ver aquele cangaceirinho diante de si, o fazendeiro teve a ideia de fazer uma média com a polícia. Entregou-o às forças repressoras que, ávidas por exibir algum troféu depois da vergonhosa derrota em Maranduba, enviou o menino para Salvador.

Volta Seca, que não quisera acompanhar Bananeira no lombo do cavalo, viu-se obrigado a dividir a cabine do trem com o cangaceiro. Ferido e sem condições de acompanhar os colegas, Horácio Teixeira Júnior — nome de batismo de Bananeira — fora detido quando procurava ajuda médica em uma pequena cidade de Alagoas. Mourão, outro integrante do bando recentemente capturado, também seguiu para Salvador. Não se tratava, obviamente, da reencarnação do bandoleiro morto por Gato depois de estuprar a filha de um coiteiro em julho de 1930. Entre os cangaceiros, era comum que diferentes homens utilizassem o mesmo apelido, para confundir os perseguidores.[18]

Na estação de trem de Periperi, perto de Salvador, Volta Seca, Bananeira e Mourão seriam recebidos por uma multidão eufórica, como se fossem astros do cinema. Acerca da chegada dos bandoleiros à capital, O *Jornal do Brasil* noticiou:

> De Alagoinha para o sul, um grande número de curiosos se apinhava nas gares para conhecer os famigerados companheiros de Lampião. [...] Quando o comboio parou, uma onda popular calculada em mais de duas mil pessoas se precipitou sobre os carros da segunda classe, onde vinha a escolta com os bandidos.[19]

De lá, os rapazes foram conduzidos à casa de detenção onde Volta Seca, com sua aparência infantil e tendência à mitomania, logo se transformaria no centro das atenções.

A língua solta de Volta Seca deixou muita gente importante do interior em má situação. Um deles foi o coronel João Sá, chefe político de Jeremoabo cujo secretário, João Dórea, havia dançado com Maria de Déa antes de ela se juntar a Lampião.

Segundo o cangaceiro dissera aos policiais e jornalistas, o ex-deputado estadual era um dos mais leais protetores de bandoleiros.[20] O repórter dos Diários Associados Victor do Espírito Santo sabia que, pelo menos naquele caso, o cangaceiro mirim falava a verdade. Em suas andanças pelo sertão ao lado de soldados e tenentes, havia escutado de diferentes fontes acusações contra o coronel, a quem definiria como um "caboclo forte, com uma calvície bem acentuada, tez queimada, olhar vivo e inteligente, sagaz, com todas as manhas do sertanejo e os conhecimentos do homem da cidade".

Ao escrever sobre a acusação na revista *O Cruzeiro*, Espírito Santo fez questão de apresentar a versão do coronel. "Há duas categorias de coiteiros", disse João Sá, no começo de sua explicação:

A dos que recebem os bandidos, alimentam-nos e deixam de comunicar a presença dos mesmos à polícia; e a dos que tiram proveitos, transigem com eles, compram-lhes armas e munições, víveres e roupas, vão colher informações nas feiras e indicar-lhe as possíveis vítimas. Estes são criminosos tão repelentes como os bandidos.

João Sá se considerava pertencente a uma terceira categoria: a dos que, "em defesa dos seus bens, das suas propriedades, de sua família enviam aos bandoleiros quantias que lhes são exigidas". E finalizou, lamurioso: "Por três vezes já me vi nessa emergência".[21]

As notícias publicadas nos jornais sobre as mulheres do bando aumentaram não apenas a curiosidade dos leitores, como também o empenho da polícia em capturá-las. Em março, duas bandoleiras foram traídas por coiteiros, categoria cada vez mais colaborativa com a repressão: Joaquina Maria da Conceição, a Lica, esposa de Passarinho; e Sabina da Conceição, companheira de Mourão, o que fora preso junto com Volta Seca e Bananeira.[22] Em julho, seria a vez de Maria da Conceição, companheira de Ferrugem, "jovem, bonita e saudável", conforme elogiara o *Jornal do Brasil* no dia 7.
Em meio a tanta tensão, as cangaceiras procuravam, na medida do possível, seguir com suas rotinas. O começo da gravidez de Maria de Déa coincidira com o fim da segunda gestação de Dadá e da primeira de Durvinha, mulher de Virgínio, e de Otília, esposa de Mariano. Em maio, nasceu a primeira menina, filha de Dadá. A criança, assim como o primogênito Josafá, também não sobreviveria. Ela, contudo, morreria ali mesmo, no Raso, antes que pudesse ser enviada para algum lugar seguro.[23]
Pouco depois, os xiquexiques e mandacarus do sertão veriam nascer mais duas fêmeas, as de Durvinha e Otília. Como determi-

navam as leis do cangaço, foram rapidamente separadas das mães. Após banhadas e vestidas, foram enviadas, juntamente com uma carta escrita por Corisco, para um sargento da polícia baiana.[24]

Dali a alguns dias, mais uma sertaneja viria ao mundo. Expedita, filha de Maria de Déa e Lampião, nasceu no dia 13 de setembro pelas mãos de Rosinha de Vicentão, experiente parteira que atuava nas cidades próximas à fronteira entre Bahia e Sergipe. Segundo se contaria, o parto teria ocorrido sob a sombra de um umbuzeiro.

Caberia justamente a João Maria de Carvalho, irmão do tenente Liberato e ex-amante de Maria de Déa, a tarefa de encontrar pais adotivos para a menina. Teria sido ele o intermediário entre Lampião e o casal de vaqueiros Severo e Aurora, da fazenda Exu, na cidade de Porto da Folha, em Sergipe. Dona Aurora tinha dado à luz a pequena Maria das Dores havia pouco tempo e ainda a amamentava. Para espantar suspeitas, diria aos vizinhos que as garotinhas eram gêmeas.

Como fariam todas as mulheres depois de parir e se despedir de seus bebês, Maria de Déa amarrou um pano forte em volta dos seios, que ficaram imobilizados, apertados e espremidos. Era a maneira de evitar que, túrgidos de leite, manchassem seu vestido.[25]

7

Trate bem esse menino
Com amor e instrução
Não deixe que ele siga
O caminho de Lampião

Expedita só não morreu ainda bebê, sangrada pelo próprio pai, porque Maria de Déa não deixou. Segundo essa versão, disseminada pelos cantadores de cordel a partir de relatos de seu Zé de Felipe, avô da menina, Virgulino teria sugerido dar fim ao choro insistente da recém-nascida por meio de seu método ritualístico de assassinato.

Com a folha de 83 centímetros de seu punhal, o Rei do Cangaço furaria a filha a partir de sua fossa supraclavicular — a "saboneteira" —, com a lâmina traçando um caminho em linha diagonal pelo corpinho do bebê, passando pelo coração e proporcionando-lhe morte dolorosa e lenta, ao gosto dos cangaceiros.[1]

Conforme o relato de seu Zé de Felipe, tal fato ocorreu pouco antes do envio da criança para os vaqueiros da fazenda Exu. Numa travessia, o bando parou em uma fonte para se abastecer de água. Maria, com Expedita no colo, demorou mais para encher seu cantil. Os demais cangaceiros, indiferentes à sua dificuldade, aceleraram o passo, deixando a Rainha do Cangaço sozinha. Atrasada em relação ao grupo, ela sentiu a distância aumentar ainda mais devido às suas constantes paradas para tentar acalmar

Expedita, que não parava de chorar. Os berros do bebê, aliados ao cansaço da caminhada, ao calor do sertão e ao comportamento pouco solidário dos demais cangaceiros, levariam Maria de Déa a uma explosão de raiva.

— Cambada de filho da peste, mundiça, miseráveis! Tão vendo isso não? — teria dito Maria, ainda segundo seu Zé de Felipe, apontando para o bebê esperneando em seu colo.

Como ninguém deu ouvidos aos protestos, ela direcionaria os impropérios para um alvo mais específico.

— Moleque! Canela de veado! Também não tá vendo que a menina tá chorando e eu tenho que ir mais devagar, seu cego velho?

Lampião, diante da provocação, teria respondido, friamente: "Dê cá pra sangrar". Enfurecida com a proposta, Maria partiu para cima do marido, disposta a espancá-lo.

Os demais cabras, vendo a cena, teriam caído na gargalhada. "Tresloucada", "jararaca braba" e "serpente choca" seriam alguns dos adjetivos utilizados pelos bandoleiros, aos risos, para se referir à Rainha do Cangaço.[2]

Triste verdade ou mera fantasia do patriarca dos Gomes de Oliveira, o fato é que Expedita seria entregue, sã e salva, para seu Severo e dona Aurora. Nem todos os descendentes de cangaceiros nascidos em 1932 teriam a sorte da menina, ou mesmo das filhas de Durvinha e Otília, cujos novos pais seriam escolhidos previamente por alguém do grupo. Como regra geral, os bandoleiros tinham o cuidado de enviar as crianças para casais com filhos da mesma idade ou para gente de posse, a exemplo de padres e juízes, capazes de assegurar um mínimo de conforto e educação aos pequenos. Entretanto, havia quem, durante uma fuga, simplesmente deixasse seus bebês para trás.

No dia 15 de agosto de 1932, após um breve combate com cangaceiros na cidade sergipana de Carituba, soldados da volante de Manoel Neto, como de hábito, dedicaram-se a inspecionar o local onde o grupo estava acampado. Em meio aos pertences abandonados, encontraram uma garotinha.[3] A menina, levada para a cidade e batizada como Zuleide, seria criada por um comerciante local. O pequeno José Vicente, filho adotivo de um soldado, havia sido achado por este no meio do mato, durante uma perseguição a cangaceiros nas proximidades de Santo Antônio da Glória.[4]

Expedita teve a seu favor o fato de nascer durante uma nova temporada de sossego na vida dos cangaceiros. Em setembro de 1932, parte considerável dos soldados deslocados para caçar Lampião tinha sido remanejada para São Paulo com o intuito de ajudar na luta contra a Revolução Constitucionalista, movimento armado que pretendia derrubar o presidente Getúlio Vargas e exigia a formação de uma Assembleia Nacional Constituinte. O último trimestre da gestação de Maria de Déa, portanto, dera-se em relativa paz.

Em São Paulo, por outro lado, uma mulher não ficaria nada aliviada com a diminuição das refregas. Aos dezenove anos, a professora Leonor Prado Solange, natural de Jaú, no interior paulista, fizera parte do Batalhão Feminino João Pessoa, regimento criado pela advogada mineira Elvira Komel para atuar na retaguarda da chamada Revolução de 1930. Leonor Solange fora uma das 8 mil moças alistadas em 52 cidades para lutar em favor de Vargas — e, quase dois anos depois da vitória do golpe que levou o gaúcho ao poder, só fortalecera seu entusiasmo cívico. Tanto que, no primeiro semestre de 1932, decidiu viajar pelo Brasil para conhecer a realidade de seu povo de perto.

Ao voltar de uma viagem à região de Tocantins, Leonor Solange decidira contribuir para a campanha contra o cangaço. Em sua edição de 26 de junho de 1932, o jornal carioca *Correio da Manhã* informou que a jovem estava de malas prontas para a Bahia, onde pretendia se apresentar ao então comandante da missão, Juracy Magalhães, oferecendo-lhe seus préstimos de combatente. Leonor já dera provas de valentia e resistência física durante o movimento de 1930. Na ocasião, durante um confronto em Belo Horizonte, levou um tiro na perna e, logo depois, ao tentar saltar um barranco, caiu e fraturou o membro já baleado. Durante três longos dias, Leonor teria permanecido na trincheira, apesar dos ferimentos, concordando em ser transferida para tratamento no Rio de Janeiro depois de ser graduada como segunda-tenente do Exército, em reconhecimento a seu espírito bravio.[5]

No começo de julho de 1932, logo após a notícia de sua viagem iminente à Bahia, entretanto, Leonor se envolveu em uma briga de rua. A "esquisita viajante", como a definira o *Correio da Manhã*, andava tranquilamente pelo Recife quando um motorista achou uma boa ideia lhe dirigir gracejos. Talvez o dom-juan do volante agisse de outra maneira caso soubesse que aquela mulher não tinha medo nem de Lampião. Ao ouvir a picardia, a segunda-tenente o agarrou pelo pescoço e aplicou-lhe uma saraivada de socos.

A cena inusitada atraiu uma pequena multidão para a praça na qual se deu o "original *match* pugilístico", como registraria sarcasticamente o *Correio da Manhã*. O motorista ainda se defendia dos murros e bofetões de Leonor quando a polícia chegou ao local. O homem aceitou de bom grado ser levado à delegacia. A mulher, entretanto, recusou-se a obedecer à ordem. Como o oficial insistisse, aceitou acompanhá-lo no tintureiro, como eram chamados os carros da polícia na época. Mas exigiu viajar no banco da frente.

Lampião definitivamente era um homem de sorte. A despeito de sua experiência, disposição e coragem, Leonor Prado jamais seria levada a sério e nunca integraria as forças da caatinga. Ainda mais naquele período em que, em vez de fortalecer os contingentes repressivos no Nordeste, o governo tratava de esvaziá-los.

Todavia, embora contasse com a conjuntura política a seu favor, o bando precisaria lidar, naquele 1932, com um dos mais terríveis e incansáveis males que se pode abater sobre um sertanejo: a seca. Os bois estavam morrendo tão esquálidos e desidratados que os urubus só se serviam de seus intestinos. Nas estações ferroviárias, retirantes saqueavam trens que transportavam fardos de charque, numa tentativa desesperada de conseguir algum alimento. Pelas estradas, famílias que abandonavam suas pequenas propriedades de solo esturricado largavam corpos de familiares, sucumbidos à fome e à sede durante a travessia. Pequenas cidades eram tomadas por sertanejos com crianças de pernas tão finas e barrigas tão inchadas que mal conseguiam caminhar.[6]

Durante a seca de 1932, o desconforto da sede, uma constante na vida dos bandoleiros, chegaria ao extremo. Mulheres e homens do grupo chegavam a passar dias seguidos sem beber água. Moreno, um dos integrantes do bando, lembraria para sempre da angústia de sentir a língua seca. Lambia os beiços em uma tentativa em vão de se refrescar.[7] Lampião, apesar de sua resistência física fora do comum, por vezes se deitava no meio do Raso da Catarina, clamando aos céus por uma gota d'água. Era comum que cangaceiros dormissem sobre bornais estufados por cédulas de dinheiro, mas delirando de fome e sede.[8]

Depois de dias de desidratação intensa, a reação natural dos cangaceiros diante de uma fonte de água era beber todo o líquido avidamente. Quando agiam desse modo, vomitavam em seguida. Para segurar a água no estômago, alternavam os goles com mordidas em rapadura. Havia ocasiões em que a fonte disponível estava contaminada com besouros, larvas de insetos e fezes de cabras. O jeito era filtrar o lodo na jabiraca — o lenço que traziam ao pescoço — e beber a sobra. Outra forma de obter água na caatinga era por meio da extração dos tubérculos dos umbuzeiros e dos troncos dos gravatás, como igualmente faziam vaqueiros e volantes.

A seca de 1932 se tornaria ainda mais dramática para boa parte dos moradores do sertão por culpa de um mirabolante e desastrado plano de combate a Lampião, orquestrado pelo capitão João Miguel, ex-chefe do serviço de rádio da Bahia. Então no comando da campanha contra o banditismo, Miguel teve a ideia de evacuar a caatinga, de maneira a afastar cangaceiros de seus coiteiros. O interventor baiano Juracy Magalhães lamentou não ter tido tal lampejo quando estava na chefia da caça a Lampião. Eufórico, determinou a execução imediata do plano. As autoridades sergipanas, por sua vez, negaram-se a colaborar com a empreitada.

O resultado foi que as cidades baianas, além dos flagelados da seca, passaram a receber os sertanejos tangidos pelo plano de João Miguel. Cerca de 12 mil moradores da zona rural foram obrigados a deixar suas casas, vendo-se impossibilitados de cuidar das plantações e criações, acumulando prejuízos. Nos centros urbanos, sem ter como se sustentar, centenas de mulheres, homens e crianças do campo começaram a morar embaixo de árvores ou nos adros das igrejas, vivendo de pequenas esmolas.[9] A medida mal foi sentida pelos cangaceiros — afinal, eles passavam temporadas cada vez maiores em Sergipe, onde Lampião desfrutava de sua melhor rede de coiteiros, que incluía duas famílias ricas do estado, os Brito e os Carvalho.

Com os Brito, a relação de Virgulino remontava à infância, quando trabalhou como transportador de couro nos negócios da família. Entre os Carvalho, o mais chegado era Eronides, médico do Exército e filho do coronel Antônio Caixeiro, de quem os cangaceiros recebiam, com regularidade, mantimentos, munição e autorização para acampar na fazenda.

Em 1929, o capitão Eronides presenteara o capitão Lampião com uma sessão de fotografias, uma garrafa térmica e uma caixa de queijos importados. Comprara os mimos, segundo diria, pensando nele.[10]

Dentre os queijos rotineiramente dados de presente aos cangaceiros, um dos mais apreciados era o do reino, não apenas por seu sabor pronunciado, como também por causa da lata na qual era comercializado. Depois que a iguaria era consumida, a latinha ganhava nova vida como pote para consumir ou transportar alimentos. Foi com uma dessas latas que, em terras da fazenda Pedra d'Água, nas redondezas de Poço Redondo, em Sergipe, uma bela morena de tornozelos grossos se aproximou dos pequenos Leônidas, Umbelino e Juvenal, na ocasião regulando os oito anos.

Os garotinhos estavam no meio do mato a mando da tia de Leônidas, que padecia de problemas intestinais. À guisa de remédio, um vendedor de fumo da região recomendou à doente que bebesse o chá da raiz do pega-pinto, nome popular da erva *Boerhavia diffusa L.*, comum na caatinga.

A tia encarregou os meninos de caçarem a planta. Os três olhavam para baixo, à procura da tal ervinha, quando foram surpreendidos pela mulher. Notando os olhares de interrogação das crianças, apresentou-se: "Sou uma doida que vive no mundo!". Depois, ela pediria aos meninos que pegassem a latinha de queijo do reino, levassem para casa e voltassem com o pote cheio de sal. O tempero seria utilizado no preparo de umas rolinhas.

Quando os meninos se preparavam para sair, a moça fez uma sinistra advertência: "Não contem a ninguém que me viram. Eu adivinho. Se souber que contaram, castro vocês".

Em casa, com a lata na mão, trêmulo de medo, Leônidas — que relembraria a aventura décadas depois — não resistiria a um comichão na língua e acabaria por contar o ocorrido para a mãe, dona Delfina. Ela encheu a lata com o sal e determinou aos meninos que regressassem ao lugar onde a morena os esperava. Ao ouvir a ordem, cada um correu para um lugar mais escondido do que o outro, morrendo de medo de perder os possuídos. Coube às irmãs mais velhas de Leônidas — Hilda, Rosinha e Maria — a tarefa de entregar a encomenda. Por precaução, Juvenal, um parente mais velho, acompanhou as mocinhas.

Quando retornaram, contaram aos familiares quem era a tal doida precisada de sal pra assar rolinha: "Maria do capitão".[11]

Maria do capitão podia até ser abusada, mimada e metida a besta, como pensava Dadá, mas de tonta não tinha nada. Quando mexeu com os meninos da fazenda Pedra d'Água, sabia que estava segura. Delfina dos Santos, a dona da propriedade, era uma das mais leais coiteiras de Lampião. Mesmo em época de assédio constante das volantes, mantinha-se firme em sua missão de proteger os cangaceiros. Os mais maliciosos insinuavam que a razão de tanta lealdade era o desejo que Delfina nutria por Lampião.[12]

Além de causar medo a meninos pequenos, Maria de Déa aproveitava as ocasiões em que mantinha contato com os familiares de seus protetores para obter informações sobre o trabalho das forças. Sempre que ficava hospedada na casa do subdelegado de Santo Antônio do Tará, em Pernambuco, tinha o seguinte combinado com a esposa do homem: quando fosse à feira comprar mantimentos, a dona de casa aproveitaria para assuntar com comerciantes e fregueses sobre o trabalho da polícia. As informações eram repassadas a Maria, que, por sua vez, levava-as ao estado-maior do bando.[13]

As temporadas no coito, portanto, não eram de simples descanso para Maria de Déa. Nos esconderijos, em meio a atividades prosaicas como a culinária e a costura, agia como espiã. Quando a oportunidade surgia, agenciava novos homens para o bando. Certa vez, enquanto passava alguns dias no Sítio do Tará, nas proximidades de Malhada da Caiçara, a Rainha do Cangaço reencontrou Manoel Marques da Silva, vulgo Mané Véio, seu amigo dos tempos em que era casada com Zé de Neném.

O destino havia traçado caminhos diferentes para os velhos conhecidos. Maria virara cangaceira. Mané Véio virara soldado. Este, por sinal, fizera parte da volante do tenente Douradinho — aquela que mandara tocar fogo na fazenda Arrasta-pé, dos pais de Durvinha — e combatera em Maranduba, quando Sabonete e Catingueira foram mortos. Na ocasião, de tanto atirar contra cangaceiro, Mané Véio chegara a provocar um superaquecimento em seu mosquetão. O cano da arma, colado na sua orelha, estourou e o soldado ficou surdo de um dos ouvidos.

A perda da audição, entretanto, estava longe de ser o maior problema de Mané Véio. Naquela ocasião do encontro com Maria, ele era tão fugitivo quanto ela. Havia acabado de assassinar a ex-esposa, Cidália, com quem tinha um filho pequeno. Mané Véio se separara dela para viver com outra mulher, Pureza. Mesmo assim, não suportava a ideia de que a mãe de seu herdeiro olhasse para outro homem. Quando suspeitou que ela pudesse estar envolvida com um rapaz, foi ao seu encontro e atirou no rosto da ex-companheira. Logo depois, descobriria que se enganara, o que deixara os moradores da região revoltados. Cidália era inocente. Desde que fora trocada, nunca mais tivera cabeça para homem nenhum.

Com medo de ser preso, Mané Véio adentrou na caatinga, esperando a comoção popular em torno do crime arrefecer. No encontro com Maria de Déa, contou-lhe o drama. Compadecida, a companheira de Lampião o convidou a integrar as hostes cangaceiras. Cabra valente como aquele não faria mal no bando, muito pelo contrário. O assassino ouviu a proposta com atenção e partiu do Sítio do Tará com a promessa de pensar no caso.[14]

Mané Véio nunca se tornaria cangaceiro. Ele e Maria de Déa, contudo, voltariam a se encontrar, dali a alguns anos, em situação bem menos amigável do que aquela do Sítio do Tará.

Coiteiros cooperavam com os cangaceiros não apenas por lealdade, como também por pavor de uma morte certa — e sofrida. Traições de ex-protetores eram punidas pelo bando de forma exemplar. Quando dona Delfina providenciou a lata de sal para as rolinhas de Maria de Déa, fazia menos de um ano que o assassinato de um ex-protetor de bandoleiro assombrara os sertões. Na fazenda Bom Conselho, na Bahia, cangaceiros amarraram a um poste um fazendeiro que os denunciara à polícia. Exigiram que a esposa e os seis filhos do cidadão permanecessem no terreiro onde ele seria executado, bem atentos, para ver tudo. Com uma faca, Virgulino arrancou os olhos do senhor. Na sequência, tomou distância, mirou os dois buracos no rosto do homem e terminou de matá-lo com tiros de pistola.

Pouco antes, chegara à fazenda São Paulo, nas proximidades da cidade baiana de Uauá, querendo saber quem fora o corajoso que dera informações suas às volantes. Como ninguém assumiu a traição, o capitão disse que o jeito seria tocar fogo nas casas e matar todo mundo. Para salvar os parentes, um homem se apresentou como delator. Foi esfaqueado até a morte.

O caso mais exemplar de punição de cangaceiro a delator — e que assombraria gerações de sertanejos — envolveu um humilde roceiro da localidade de Almécega, nas proximidades de Jeremoabo. Manoel Francisco de Brito, conhecido como Manoel Salinas, cometeu a insensatez de informar aos soldados onde se encontrava Lampião. Na sequência, temeroso da vingança dos cangaceiros, deixou a pequena plantação e a criação para trás e se escondeu na cidade.

Conforme previa Salinas, Lampião logo ficou sabendo da caguetagem, informado por alguém da própria polícia. Certo dia, o velho resolveu correr o risco de voltar à fazenda para não perder a colheita da mandioca. Tinha planos de trabalhar rapidamente, de modo a voltar antes que sua presença fosse notada por cangaceiros. A estratégia, porém, não deu certo.

Manoel Salinas trabalhava na roça quando viu sua propriedade ser cercada por um grupo de bandoleiros. Tão logo desceu do cavalo, Lampião lembrou ao velho os motivos pelos quais ele seria punido. Convocou os filhos do homem e deu início ao castigo. João, José e Antônio foram executados com tiros na cabeça. Tributino, o caçula, foi orientado a subir ao telhado, com um pau na mão, e quebrar todas as telhas da casa. Enquanto isso, o Rei do Cangaço trabalhava em Manoel Salinas: cortou-lhe as orelhas, arrancou-lhe um olho, extraiu-lhe os testículos e extirpou-lhe os lábios, deixando os dentes à mostra. Depois, pediu aos cabras que o acompanhavam para destruir a dentadura do homem a coronhadas. O pequeno Tributino aproveitou que todos os bandoleiros estavam concentrados na tortura para fugir pelo telhado.

Com sangue espalhado por todo o corpo, a figura sinistra de Salinas — sem lábios, sem dentes, sem orelhas e com um olho vazado — foi colocada no lombo de um cavalo e levada até uma propriedade vizinha, onde morava Ulisses, seu filho de 23 anos, recém-casado e pai de uma menina de dois meses. O rapaz foi executado com dois tiros, diante da esposa, que foi obrigada ainda a presenciar a morte do sogro, cujo sofrimento foi finalmente encerrado com um golpe de punhal desferido pelo cabra Quixabeira.

Segundo se espalharia pelo sertão, o cangaceiro teria ainda aberto o peito do homem, arrancado o coração e arremessado o órgão no meio do mato.

Maria Rosa do Espírito Santo Brito, esposa de Salinas, bem como a mulher de Ulisses, tiveram suas vidas poupadas "para contar a história", segundo lhes teria dito Virgulino. Além de Tributino, também escapariam suas duas irmãs, igualmente preservadas para servir de testemunha.[15]

Não que, ao cooperar fielmente com os bandoleiros, os coiteiros estivessem a salvo da violência. Junto com as histórias de assassinatos cometidos pelos cangaceiros, havia relatos de sertanejos enterrados vivos e criancinhas lançadas ao fogo para punir os pais. Em abril de 1932, o fazendeiro João Andrade, de Sergipe, resumiu, em carta a um amigo, o terror que sentia diante da presença dos homens da lei: "Pode acreditar que hoje, no sertão, já se tem mais alegria quando Lampião chega à porta do que a simples notícia de que as forças se aproximam?".[16]

Ao que tudo indica, o parto de Expedita não foi o primeiro de Maria de Deá. Em novembro de 1930, a Rainha do Cangaço pode ter sido mãe pela primeira vez. O garotinho teria nascido na fazenda do coiteiro Venceslau Santos, o Lau, localizada no povoado de Campos Novos, perto de Santo Antônio da Glória. Nem a presença de dona Aninha, experiente parteira da região, evitou uma tragédia: devido às dificuldades durante o parto, o bebê nasceu morto.

Segundo outra versão que correria em Santo Antônio da Glória durante décadas, o bebê nascera vivinho da silva e esbanjando saúde. Na mesma época, dona Déa, mãe de Maria, também tivera um bebê. O garotinho teria sido enviado para os sogros de Lampião — e o casal, assim como fariam os vaqueiros Severo e Aurora, diria para os curiosos que os dois meninos eram gêmeos. E, para corroborar o disfarce, os cangaceiros-reis espalhariam a história do bebê natimorto.

Arlindo e Ananias foram, de fato, criados como gêmeos. A diferença física entre os dois ajudava a aumentar a boataria nas proximidades de Malhada da Caiçara. Arlindo era baixo; Ananias, alto. Arlindo tinha a pele clara. Ananias, moreno-escuro como Virgulino, ganhara o apelido de Pretão. Outro detalhe alimentaria as teorias de que Pretão não era irmão, mas sim filho de Maria de Déa: seu Zé de Felipe demoraria anos para registrar os garotos. Quando finalmente o fez, disse que ambos nasceram em dezembro de 1929, mas com dois dias de diferença: Arlindo, no dia 28; Ananias, no dia 30. Um raríssimo caso de gêmeos nascidos em dias diferentes.[17]

Coincidência ou não, em algumas das versões sobre a sugestão de Lampião de sangrar o bebê, a criança em questão não é uma menina, mas sim um filho macho.

8

As moças de Vila Bela
São pobres, mas têm ação
Passam o dia na janela
Namorando Lampião

Dona Bibiana e seu Aureliano percorriam tranquilamente uma vereda nas proximidades de Santo Antônio da Glória quando foram surpreendidos por uma visão dos infernos: um bando de homens reluzentes, chapéus tomados por moedas douradas, cartucheiras em volta do peito e punhais apontados para o céu. "Bem montados, espalhafatosos", como os definiria o escritor alagoano Graciliano Ramos sobre a passagem do bando em Palmeira dos Índios, onde ocupara a prefeitura.¹

Embora fossem pobres agricultores, sem nada a oferecer para a gente de Lampião a não ser a própria vida, o casal terminaria sendo feito de refém. No terceiro dia do sequestro, sons de tiros assustaram os cangaceiros. Ao antever a aproximação dos macacos, os bandoleiros se apressaram em recolher os pertences e organizar a fuga. Na confusão, descuidaram da vigilância sobre os prisioneiros, que aproveitaram a oportunidade para escapar do cativeiro.

Depois de correr pela caatinga durante toda a madrugada, o casal finalmente alcançou a zona urbana e procurou a polícia. Findo o relato da aventura para os soldados, dona Bibiana aceitou conversar com os jornalistas. Conforme publicaria o *Jornal do Brasil*, a roceira teria ficado impressionada com a imponência do Rei do Cangaço. "Virgulino é mesmo respeitado. Ninguém brinca com ele. O único com quem tem alguma intimidade é Pó Corante. Comem juntos, no mesmo prato", revelou, citando o jovem cangaceiro que, de tão criança, corria, às lágrimas, após levar bofetões do chefe, contrariando a lenda disseminada no sertão de que "cangaceiro só chora na hora que nasce".[2]

O que mais impressionaria a roceira em sua curta temporada no cangaço seria o comportamento folgado de Maria de Déa. Dona Bibiana ficaria besta de ver que, dentre as mulheres, todas participavam da divisão das tarefas domésticas, menos a cangaceira-mor. "Ela é a única que não carrega as panelas. As outras é só o que fazem", contou, estupefata.

Caso Maria tenha tido a chance de ler a entrevista de dona Bibiana, é razoável supor que daria mais uma de suas gargalhadas quebradas, daquelas que tanto irritavam Dadá e Durvinha. Entretanto, ao avançar na leitura, talvez ficasse furiosa com a insinuação da roceira de que era a preferida de Lampião, mas não a única. "Ele diz que é mulher dele. Mas de primeiro ele tinha outra", salpicou, cheia de veneno.

Maria de Déa possuía acesso frequente ao que se publicava sobre o bando. Embora, ao que conste, tenha frequentado a escola na infância, a moça, assim como quase todos os cangaceiros, contava com instrumentos rudimentares de leitura e escrita. Isso não a impedia de consumir os periódicos publicados no litoral sobre os acontecimentos do sertão. Durante as temporadas nos coitos, recebia dos fazendeiros e coronéis aliados exemplares de *O Cruzeiro*, uma das revistas preferidas de Lampião, bem como outras de variedades, a exemplo da *Noite Ilustrada*, *Fon-Fon* e *Careta*.[3]

Lampião, apesar de limitado em suas ferramentas semânticas, fazia questão de consultar o que se escrevia a seu respeito — ou de seus aliados. Apesar de evitar confusão com sacerdotes, vira-se obrigado a punir um padre, Alencar Peixoto, autor de um livro cheio de agressões ao padre Cícero, a quem Lampião tinha mais em conta do que o próprio Deus. Na obra intitulada *Juazeiro do Cariri*, padre Peixoto apresentou o Padim como um verdadeiro explorador do povo, sujeito rico e poderoso capaz de exercer influência fatal sobre quem dele se aproximava.[4] Ao encontrar o religioso, o Rei do Cangaço, em respeito à batina, aplicara-lhe uma pena suave, só um sustinho: determinou que descesse do cavalo e concluísse sua trajetória a pé.[5]

Além de trazer preciosas informações sobre o comportamento dos delatores — dona Bibiana e seu Aureliano, aliás, tinham bons motivos para redobrar o cuidado com a segurança após a publicação da entrevista —, os jornais davam a Lampião a segurança de sua notoriedade. Homem vaidoso, gostava de ler reportagens que reforçassem suas características de "bandido de classe", um tipo em tudo distinto de um vulgar ladrão de galinhas ou um simples tarado. Detestava quando o acusavam de cometer estupros, crime que negava. Ameaçava, inclusive, cortar a língua de quem espalhasse tais informações a seu respeito.

Uma década depois de ter recebido o bastão de sinhô Pereira para comandar o cangaço, Virgulino Ferreira da Silva construíra, no sertão, a paradoxal imagem de facínora honesto. Um sertanejo a quem o capitão pedisse algo emprestado podia ficar duplamente aliviado. Em primeiro lugar, porque o objeto seria devolvido. Em segundo, porque a solicitação do empréstimo significava manifestação de amizade por parte do Rei do Cangaço. Se não fosse com a cara do sujeito, simplesmente tomaria seus pertences.

A determinação em cumprir promessas fazia de Lampião um tipo calculista, tornando-o ainda mais cruel. Era comum que suas vítimas, antes de morrer, rogassem clemência, principalmente quando eram pais de filhos pequenos. Nessas situações, o cangaceiro não costumava ceder a apelos desesperados, por mais que, porventura, sentisse um fiapo de comoção. Explicava ao condenado que, caso outros soubessem que fraquejara diante de uma súplica, perderia o respeito do povo. De forma geral, Lampião nunca fraquejava — exceto quando Maria, compadecida, interferia em favor das vítimas, o que acontecia em raras oportunidades. De forma geral, a cangaceira até ajudava na tortura. Tinha por hábito, por exemplo, arrancar brincos de mulheres inimigas à força, rasgando-lhes os lóbulos.[6]

Outro aspecto do qual Lampião se envaidecia era da sofisticação de suas execuções. Atirador exímio, raramente errava o alvo, embora enxergasse apenas com um olho. O sangramento, no qual o condenado se ajoelhava diante do algoz, era conduzido com ares de cerimônia. Para o Rei do Cangaço, matar era uma arte. Os assassinatos, como alguns rituais, por vezes envolviam uma refeição especial. Viraria célebre a história segundo a qual teria comido um carneiro levemente assado, com sangue escorrendo, sobre a cova de um delator que acabara de matar — e que tivera, ele próprio, de providenciar o buraco no qual seria sepultado depois de ter a cabeça estraçalhada por tiros certeiros na boca e no ouvido.[7]

A famosa violência dos cangaceiros não desestimulava algumas sertanejas a querer entrar para o grupo. Reduzidas a uma vida em que sóis se punham e nasciam sem que nada de extraordinário movimentasse suas existências, muitas moças sonhavam com a rotina de ouro, dança e aventuras que permeava o imaginário popular sobre o cangaço. Dadá, ainda saudosa de suas bonecas e da família, desencorajava as meninas que lhe manifestavam o desejo de tomar parte no bando. "Isso é uma vida miserável", dizia. "Você não queira saber o que é dormir no molhado, andar no espinho, subir saltada, correndo, tomando tiro."[8]

Quando uma jovem decidia se amancebar a cangaceiro, não havia conselho que a fizesse demover da ideia. Aos quinze anos, Adília, morena de covinhas nas bochechas e cachos nas pontas dos cabelos, sentia-se oprimida em casa. O pai, rígido, não deixava que pintasse os olhos, os lábios e as unhas. Na infância, por recomendação de um tio, que alertara a mãe sobre os riscos de ter uma filha sabida — quando aprendesse a escrever, dizia ele, só o faria em cartas para os rapazes —, foi impedida de frequentar a escola. Dançar também era proibido, assim como namorar. Seu romance com Canário, cabra de Lampião, dava-se às escondidas. Adília não pestanejou ao ser convidada pelo amado para integrar o grupo. "Se você for pro inferno eu [também] vou", respondeu. E iria, de fato, viver no fogo eterno.

A visão idealizada de Adília não contemplava as longas caminhadas sertão adentro, tampouco a sede, a fome e o cansaço extenuantes. Para despistar as volantes, os bandoleiros percorriam as trilhas com o cuidado de não deixar rastros, o que tornava a travessia ainda mais penosa. Andavam de costas ou calçavam as alpercatas ao contrário — para dar a impressão de que iam, quando vinham. Evitavam terra molhada, preferindo as pedras, e se esforçavam para não provocar a queda de folhas verdes, que só se desprendem das árvores se alguém as arranca. Na oportunidade de abaterem um animal e improvisarem um almoço, precisavam, antes que a comida assentasse no estômago, enterrar vísceras, ossos e pele, de modo a não atrair urubus, cujo sobrevoo denunciaria o esconderijo para a polícia. Raramente preparavam iguarias assadas para o jantar — uma fogueira em meio ao breu, em noite que não fosse de São João, também entregaria a localização do grupo.

Certa vez, irritada com tantas regras, Adília deixou a trilha e tomou outra direção, caminhando com firmeza, espalhando seus rastros por onde passava. Canário e outros cabras correram atrás da moça, decididos a contê-la. Adília deveria estar disposta a morrer para se livrar daquele calvário, porque contrariar o companheiro não era atitude das mais seguras. Enciumado, o cabra chegara a pressionar os dedos no pescoço da namorada, determinado a estrangulá-la. Adília já estava roxa, com a língua de fora, quando Delicado, outro cangaceiro, convenceu Canário a soltar a moça. Enquanto isso, Xexéu, também integrante da falange, fizera ouvidos moucos aos apelos da jovem.

Um dos muitos alertas que Dadá faria às futuras colegas seria sobre os transtornos que tal decisão acarretaria a suas famílias. Adília seria a prova da sabedoria da companheira de Corisco. Em dada ocasião, acompanhou os cabras até a casa de José Joaquim, um primo a quem queria muito bem. Os cangaceiros deixaram que os dois conversassem à vontade, inocentes quanto a seus planos sinistros. Familiares, aliás, estavam entre os poucos homens com quem Adília podia prosear. Caso se aproximasse de qualquer outro varão, alertava Canário, terminaria morta. Joaquim acabara de contar à prima que estava prestes a se casar quando foi dominado, amarrado e fuzilado, sem que Adília ao menos soubesse o motivo da execução. Parte da família da cangaceira, certa de que ela tivera participação na emboscada, nunca mais lhe dirigiria a palavra.

Com o passar do tempo, arrependida daquele caminho sem volta, a jovem cangaceira foi se tornando cada vez mais violenta. Em seus primeiros dias no bando, podia desmaiar ao presenciar um infeliz sendo descarnado. Aos poucos, foi se tornando capaz de dar fim a uma vida. Na ocasião em que ouviu de um cabra a insinuação de que era namoradeira, manobrou um fuzil Mauser e mirou na cabeça do linguarudo. Outro rapaz, vendo a cena, conseguiu desarmá-la a tempo de evitar a tragédia. Nem os muitos gramas de ouro que portava nos dedos, pescoço e orelhas, tampouco o charme de uma rotina guerreira, compensavam o martírio.

Da única vez em que ficou grávida daquele homem que passara a odiar fez todas as simpatias possíveis para expelir o feto. Dentre os chás que tomou na esperança de abortar estavam os das folhas de anis, juazeiro, marcela e pereira. Os esforços foram em vão. Adília deu à luz um menino, que seria criado por uma família da região. Sufocada, a jovem sonhava, noite e dia, com a morte de Canário.[9]

Não que a passagem do companheiro para a morada do Capiroto, onde ela julgava ser seu lugar, fosse garantia de mitigação de sofrimento. Ao contrário. A situação podia se tornar ainda mais dramática.

Como regra, depois da morte de seus maridos, as mulheres ficavam à disposição dos outros cabras, como um patrimônio sem herdeiro certo. Um cangaceiro solteiro poderia, se quisesse, pegar a moça para ele. Se houvesse mais de um interessado, que resolvessem a disputa entre si, amigavelmente. Caso não despertasse o interesse de ninguém, o mais recomendável era que fosse morta, pois, caso voltasse para casa, poderia entregar os segredos do grupo para a polícia. A presença de mulheres solteiras era rigorosamente proibida no bando. Só ficava ali quem tinha dono.[10]

Embora fossem raros, havia casos em que uma mulher podia ser transferida de um homem para outro, sem que o antigo proprietário precisasse estar morto para isso.

A baiana Lili fazia parte do seleto grupo de jovens que gostavam de seus companheiros. Começara a namorar Lavandeira em

1929 e, depois do ingresso de Maria de Déa, passou a acompanhá-lo no bando. Como ocorreria com Adília, perceberia em pouco tempo que a vida no cangaço não seria exatamente um passeio.

Além do namorado, Lili contava, na rotina errante, com a companhia dos irmãos Ferrugem e Baliza, este tido como o mais frouxo entre os cabras. Aperreado com as constantes manifestações de medo por parte do rapaz, Lampião costumava dizer, em tom de suprema ofensa, que ele deveria "ter nascido fêmea".[11] No final de 1932, durante um combate, Baliza resolveu se entregar às volantes. Desde março, por ordens do chefe da polícia da Bahia, João Facó, cartazes espalhados pelas cidades do interior garantiam a vida dos cangaceiros que resolvessem depor as armas.[12]

O tenente Ladislau Reis de Souza, ironicamente conhecido como Santinho, talvez não tivesse lido os cartazes de João Facó. Ao pôr as mãos em Baliza, espancou-o quase até a morte. Depois, ateou fogo ao corpo do bandido e, antes que as chamas ultrapassassem o pescoço, decepou-lhe a cabeça.[13] O quengo do bandoleiro viria a se juntar ao de outro, o de Açúcar, que o tenente Santinho ganhara de presente do fazendeiro baiano Zé Borreto como prova de que deixara de ser coiteiro.[14]

Lili ainda enfrentava o luto pela morte do irmão quando deparou com nova tragédia: Lavandeira seria abatido em combate contra as volantes dos sargentos Antônio Inácio de Souza e João Fernandes, na Serra da Canabrava, em Uauá, na Bahia. Prestigiado dentro do grupo pela pontaria, o cangaceiro daria mostras da sua excelência no ofício: segundos antes de cair morto, fuzilara o cachorro de Antônio Inácio, cuja fama de brabeza superava a do dono.[15]

Seguindo as regras do grupo, Lili foi colocada à disposição dos outros cangaceiros. Manoel Moreno, primo do ferrador Zé Baiano, pegou a moça para si sem grande entusiasmo, embora a jovem, com seus lábios grossos e dentes perfeitos, fosse reconhecida pela beleza e simpatia. O que sobrava a Manoel Moreno em ânimo para o forró lhe faltava em espírito bélico. Não era exatamente um bandoleiro com talento nato para o ofício. Tanto que agiria de forma quase indiferente quando fosse trocado por Moita Brava, em tudo o oposto dele: valentão e famoso pela frieza ao cometer assassinatos.

Lili, que sofrera publicamente pela morte de Lavandeira (durante meses chorara pelos cantos), também não encontrou em Moita Brava um novo amor. Com pouco tempo de relacionamento, afeiçoou-se ao ameninado Pó Corante, aquele que dividia o prato com Lampião e chorava depois de levar bofetões. Um dia, Moita Brava flagrou Lili nos braços do rapazinho. Sem vacilar, desferiu seis tiros na cabeça da mulher.

Dadá, ao saber do crime, não tiraria a razão de Moita. "Era uma descaradinha", diria sobre Lili, que parecia não ter aprendido a primeira lição das mulheres no grupo, frequentemente lembrada pela esposa do Diabo Louro: ter "respeito" ao marido, acima de tudo.[16]

Moita Brava não ficaria viúvo por muito tempo. Logo se amigaria com Sebastiana, moça tida como feia por não corresponder ao padrão de beleza sertanejo: magra e alta, tinha cabelo castanho e olhos muito vivos.[17]

Embora recriminasse Lili, Dadá não se oporia ao acolhimento de Pó Corante no círculo de Corisco. O moço tinha conseguido fugir enquanto Moita Brava se ocupava de liquidar a esposa. Aos dezoito anos, a jovem raptada e estuprada aos doze se tornava cada vez mais poderosa dentro do subgrupo do marido. Na ausência deste, que abusava cada vez mais da cachaça, ela é quem dava as coordenadas para os cabras. Em dezembro do ano anterior, 1932, chegara a comandar uma fuga. O fato ocorrera nas proximidades da cidade baiana de Campo Formoso, onde a turma fora atacada pela força volante do sargento Antônio Inácio de Souza após invadir uma fazenda — e esfaquear uma criança de oito anos.[18]

A liderança de Dadá era aceita pelos cangaceiros com reservas. A impetuosidade e a coragem que, em Corisco, inspiravam os rapazes, na esposa eram tomadas como autoritarismo e agressividade. Mesmo o Diabo Louro não reconhecia a ascendência da companheira sobre o grupo, ou sua capacidade de tomar a frente dos trabalhos quando ele estava fora de si. No episódio de Campo Formoso, só escapara porque fora carregado, nos braços, pelos colegas.

Em público, sempre que possível, Corisco ressaltava as boas características de Dadá, todas ligadas à submissão. Considerava-a mulher mais certa que Maria de Déa. Por mais que evitasse conflito com Lampião, Corisco tinha suas reservas a algumas atitudes do chefe. Achava que ele se deixava controlar por Maria, cujas arengas criavam dificuldades no relacionamento entre os asseclas. Certa vez, durante um almoço, Maria "começou com besteira", como narraria Dadá. Deu comida para os homens de Lampião e deixou os de Corisco só olhando, mortos de fome. Desinteressado pelo que se passava, Virgulino convocaria os meninos a levantarem pouso. "Não vou viajar com meus rapazes sem almoçar", teria dito Corisco. "Mas estamos correndo perigo, compadre", respondera o capitão.

Ainda conforme o relato de Dadá, o Diabo Louro respondera que, esfomeados, os cabras também estavam em condição de risco. "Se minha gente não comeu não podemos pegar alpercata", decidira. Irritado, o Rei do Cangaço reclamara o fato de Corisco não tê-lo alertado da situação. "Não, senhor. Quem está na frente são o senhor e sua esposa. Não sou eu. Onde não cabe a galinha não cabem os pintos", dissera, enigmático.

A palestra entre os dois homens mais poderosos do cangaço prosseguira tensa, com Virgulino insistindo para que todos deixassem o coito o quanto antes e Corisco firme em seu propósito de só sair dali depois que todos estivessem de bucho cheio. Antes de se despedir do chefe, que acabaria por partir na frente, o Diabo Louro o aconselhara a refletir sobre a autoridade da companheira.

"Homem governado por mulher não dá certo. Minha mulher fala, mas fala pouco", recomendara. Ao ouvir aquilo, ainda segundo o relato de Dadá, a mulher de Virgulino ficaria humilhada. Ou "toda tapeada", conforme suas palavras.[19]

O posto de Rainha do cangaço submetia Maria de Déa a rasteiras como aquela, vindas de todas as partes. Que partissem de Dadá e Corisco, tidos como a princesa e o príncipe do bando, ela já podia esperar. Terrível mesmo era quando vinham de quem menos imaginava: pai e irmãos.

A casa dos pais de Maria Gomes de Oliveira, na Malhada do Caiçara (BA), um dos coitos de Virgulino Ferreira da Silva, o Lampião. *Foto de autor desconhecido.*

Seu Zé de Felipe, pai de Maria de Déa, e o alinhado sapateiro Zé de Neném, seu primeiro marido. *Foto de autor desconhecido.*

Ao lado, cartaz do início dos anos 1930, do governo da Bahia, oferecendo prêmio de cinquenta contos de réis para quem capturasse Lampião, vivo ou morto; abaixo, o cangaceiro em Juazeiro do Norte, em 1926, convocado por Padre Cícero para combater a Coluna Prestes. *Foto de Lauro Cabral de Oliveira.*

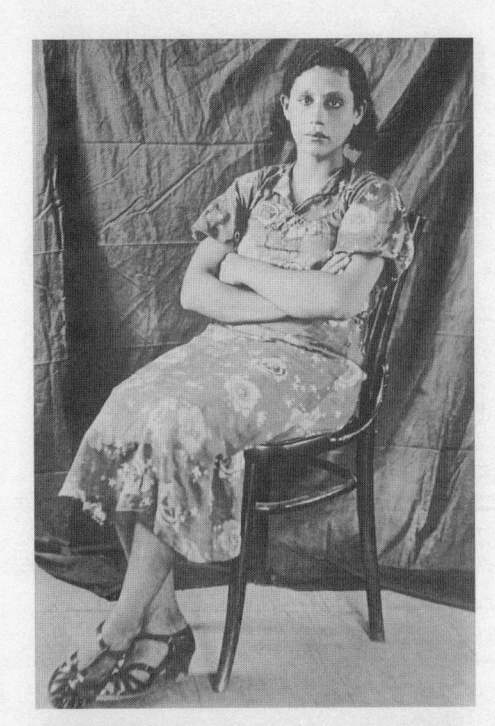

Cangaceiras Maria Jovina e Inacinha. A primeira sofria agressões frequentes de Pancada, como ser arrastada pelos cabelos. A segunda estava noiva de João quando foi raptada por Gato.

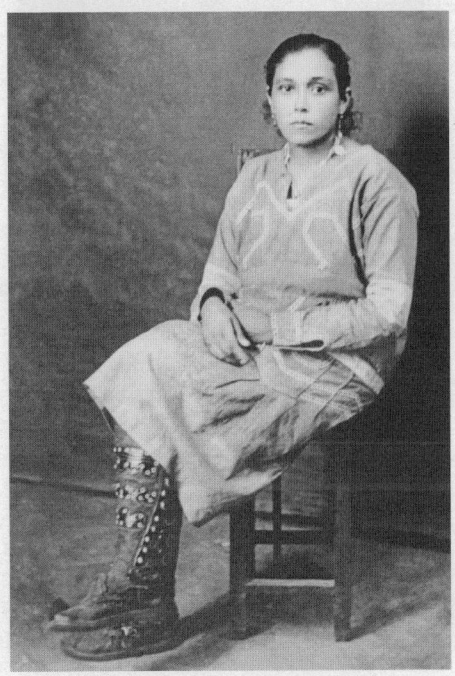

Mulheres estavam entre as vítimas preferenciais dos cangaceiros: eram frequentes os relatos de estupros coletivos, que envolviam de crianças a idosas.
© *O Cruzeiro/ EM/ D. A Press.*

Maria Felismina, a sertaneja marcada no rosto com ferro em brasa pelo cangaceiro Zé Baiano. Para receber a punição, que também poderia ser na virilha, nas nádegas e nas coxas, bastava que as mulheres tivessem cabelos curtos e usassem vestidos acima do joelho.

A vaidade de Maria: o bornal, bolsa típica dos cangaceiros, onde as mulheres levavam dinheiro e maquiagem. *Coleção de Frederico Pernambucano de Mello. Foto de Fred Jordão.*

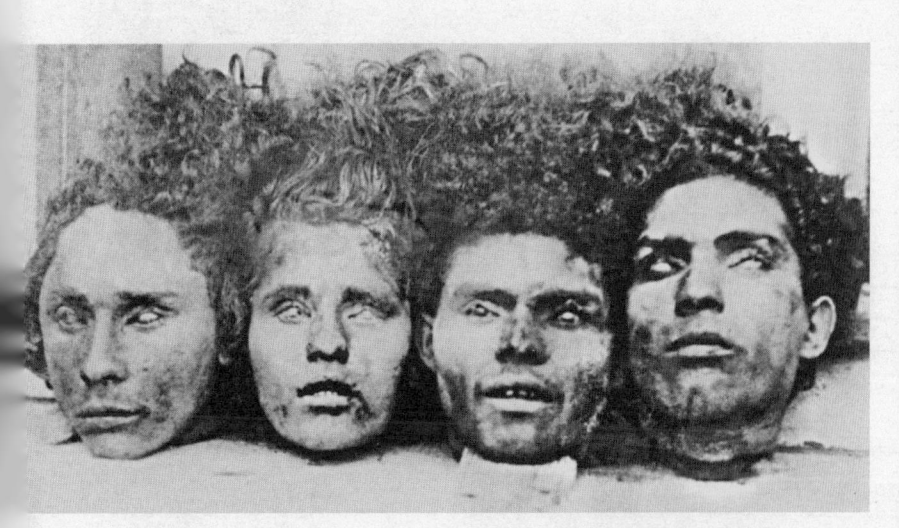

As cabeças cortadas de Azulão, Zabelê, Canjica e Maria Dórea. Tidas como troféus, eram expostas em praças e escadarias das cidades do sertão e atraíam multidões de curiosos, inclusive crianças.

A foto de Cirilo de Engrácia com "os pés suspensos, mortos", como descreveria o escritor Graciliano Ramos em seu romance *Angústia*, ao lado de seus executores. *Foto de J. Uchôa.*

O cangaceiro Zé Baiano, a Pantera Negra dos Sertões: ferrador de mulheres e assassino de Lídia. *Foto de Eronides de Carvalho.*

A Rainha do Cangaço em trajes de festa: cabelos ao estilo das melindrosas, dedos tomados por anéis e uma profusão de colares no pescoço. *Foto de Benjamin Abrahão.*

Maria de Déa e Dadá.
Foto de Benjamin Abrahão.

Joana Gomes e Inacinha.
Foto de Benjamin Abrahão.

Neném. *Foto de Benjamin Abrahão.*

Adília e Sila. *Foto de Benjamin Abrahão.*

Maria e Lampião com os cães de estimação: ele mostra para a câmera exemplar da revista *A Noite Ilustrada*; ao lado, ela penteia o marido, em raro registro da intimidade do casal.
Fotos de Benjamin Abrahão.

Casais de cangaceiros (em sentido horário): Corisco e Dadá; Gato e Inacinha; Adília e Canário; Pancada e Maria Jovina.
Fotos de Benjamin Abrahão.

A cangaceira Cristina, considerada de "feiura espamosa" e morta por suspeita de traição. Na imagem, acompanhada de Português, seu companheiro, e Atividade. *Foto de Benjamin Abrahão.*

Nenê, Maria Jovina e Durvinha. *Foto de Benjamin Abrahão*.

Bando de Lampião, com Maria de Déa em primeiro plano. *Foto de Benjamin Abrahão.*

Bando de Corisco, com Dadá, Maria Jovina e a cachorra Jardineira. *Foto de Benjamin Abrahão.*

O tenente João Bezerra, sentado, à esquerda,
com os integrantes de sua volante após a
chacina de Angico. *Foto de autor desconhecido*.

A exposição das cabeças na escadaria da prefeitura de Piranhas: Lampião está no primeiro degrau; Maria Bonita, no segundo, entre as cabeças de Quinta-Feira e Luís Pedro. No lado esquerdo do último degrau, Enedina, totalmente desfigurada pelo tiro. *Foto de autor desconhecido*.

Maria Gomes de Oliveira, que entraria para a história como Maria Bonita. *Foto de Benjamin Abrahão*.

9

Pode tê corpo de gente
Mas gente mesmo não é
Acho inté que não nasceu
Das entranha de muié

As duas malas de couro cru trancadas a cadeado guardavam dinheiro e joias. Escondida nas profundezas da caatinga, protegida pelo emaranhado de folhas das macambiras, a bagagem fora colocada ali por Maria de Déa e Lampião. O casal estava certo de que, sob os cuidados dos pais de Maria, a quem confiaram as chaves, a burra estaria a salvo das volantes. Enganaram-se.

O sargento José Mutti repousava em sua casa, em Santa Brígida, quando recebeu a visita de José de Oliveira, o Zé de Déa, irmão de Maria. Corria o mês de agosto de 1933. "Mutti, se interessa por duas malas de Lampião?" Frente ao ar de interrogação do sargento, prosseguiu: "Estão em Malhada da Caiçara, com tudo que Lampião e Maria possuem. Vá amanhã na fazenda que eu e meu pai mostraremos a você".

No dia seguinte, na companhia de outros três integrantes da volante, Mutti compareceu ao local. Foi recebido por Zé de Déa e o pai, seu Zé de Felipe. Os seis homens se embrenharam mata adentro e, depois de uma breve caminhada, atingiram o ponto exato onde as tais malas estavam guardadas. Com uma mão, seu Zé levantou as folhas de macambira e mostrou os objetos para os macacos. Com a outra, ofereceu as chaves para Mutti. "Abra e veja o que tem dentro."

O sargento ignorou a oferta. Para ele, o tesouro não estava nas canastras, mas sim no marido da filha do velho. O prêmio de cem contos de réis para quem capturasse Virgulino Ferreira da Silva ainda estava em vigor. Quis saber quando o cabra estaria ali. "No dia 3 de novembro", respondeu seu Zé de Felipe. Mas lhe fez um alerta: geralmente Lampião vinha acompanhado de outros asseclas e permanecia a certa distância do local. Maria ia sozinha até onde estavam os pertences e pegava ou guardava o que fosse preciso. Tratava-se de medida preventiva. Caso um rapaz fosse preso, não teria como entregar para as forças volantes o canto exato onde o chefe escondia a riqueza.

Mutti elaborou uma rápida estratégia a partir daquela informação. Ao examinar o ambiente, vislumbrou moitas de quipá, um tipo de cacto. Escondeu-se atrás delas, testando sua eficácia como tocaia. "Está muito perto", opinou Zé de Déa. Depois de finalmente encontrar uma boa posição para mirar Lampião, o sargento, o irmão e o pai de Maria voltaram para a casa da fazenda. Lá, uma cuia de pipoca, gentileza de dona Déa, aguardava-os. O oficial comeu uma parte do lanche e levou o restante para os três oficiais que o acompanhavam e permaneciam no mato, estudando o cenário da planejada captura.

Depois da visita, o sargento voltou para sua rotina e passou as semanas seguintes tentando controlar a ansiedade pela proximidade do grande dia. Em 3 de novembro, derrotaria Virgulino, seria alçado à condição de herói nacional e, com a fortuna recebida, mudaria de vida.

Faltavam poucos dias para a data quando Mutti recebeu nova visita de Zé de Déa em sua casinha modesta, que poderia se transformar em um belo casarão caso tudo corresse de acordo com o planejado. "Mamãe não concordou com a tocaia. Diz que vocês podem matar Maria também", disse o visitante. Depois de dar a má notícia, apresentou uma contraproposta. Na ocasião acertada, o sargento iria para Malhada da Caiçara vestido como vaqueiro de bode. Zé o apresentaria a Lampião e, durante a troca de cumprimentos, os dois derrubariam o homem. O velho Zé de Felipe ficaria encarregado de segurar Maria. Mutti, que se orgulhava do sangue italiano a lhe correr nas veias, ficou ligeiramente ofendido com a proposta. "Você me acha com cara de vaqueiro de bode?", indagou. "Quando Lampião desconfiar, já está agarrado", desconversou Zé de Déa.

O sargento pediu três dias para pensar na proposta. Ao fim do prazo, aceitou a oferta, mas exigiu que o plano não fosse compartilhado com dona Déa. Zé concordou com a condição.

No dia 3 de novembro, Mutti se fantasiou de vaqueiro, dirigiu-se à Malhada da Caiçara e ficou à espera do homem. Lampião, cidadão pontual e de palavra, chegaria logo depois. Os homens de Mutti, tocaiados perto do local das malas, viram quando o cangaceiro encerrou o passo a cerca de mil metros do tesouro. Dali, em vez de seguir em frente, descreveu um círculo em torno do esconderijo, observando os arredores, tal qual um felino rondando a presa. Antes que pudesse encerrar uma nova volta, o Jaguar Bravio do Nordeste se esvaiu pela mata, desaparecendo misteriosamente, como se tivesse virado cacto.

Zé e seu pai não haviam segurado a língua. Contaram toda a trama para dona Déa, que deu seu jeito de avisar ao capitão. Frustrado ao perceber que não embolsaria os cem contos de réis, José Mutti chegaria ainda a uma dolorosa conclusão: dentre os genros, era de Lampião que a velha gostava mais.

Na ocasião daquela malsucedida emboscada, Mutti estava amigado com Antônia fazia seis meses. Aos vinte anos, três a menos do que a irmã Maria de Déa, Tonha despertara a paixão do sargento com predicativos que, dentro de um ano, seriam apresentados como razão para abandoná-la em avançado estado de gravidez. Com corpo e cabelo cheirando a "alecrim do campo", conforme descreveria o militar, a jovem encantaria o companheiro com sua total ausência de "educação doméstica cristã".[1]

Se a versão contada por José Mutti fosse verdadeira, os dois genros de seu Zé de Felipe e dona Déa jamais compartilhariam uma carneirada no almoço de domingo. Nesse caso, também é possível concluir que Lampião não ficara sabendo da participação do sogro e do cunhado na cilada. A mãe de Maria, que nunca escondera a admiração por Virgulino, certamente sabia de sua crueldade com delatores. O mais provável é que ele tenha sido alertado quanto à presença de macacos na região quando já estava nas proximidades da fazenda. Afinal, por causa de Maria de Déa, o lugar vivia na mira das volantes, de maneira que a informação não o surpreenderia.

Isso explicaria o motivo pelo qual Lampião teria chegado a ir até Malhada da Caiçara, mas recuara antes de se aproximar das malas. Os soldados a serviço de Mutti, de tocaia, também estavam ali apenas para lhe dar apoio. Deveria caber ao sargento a glória máxima de disparar a bala que encerraria a vida do fora da lei mais procurado do Brasil.

Sempre que Lampião escapava de armadilha ou saía ileso de intenso tiroteio, reforçavam-se os boatos sobre seus poderes mágicos e negócios com o Capeta. Entre os soldados, corria a lenda de que o capitão tinha poder de se tornar invisível, era adivinho e conseguia pressentir o perigo, o que fazia com que muitos oficiais evitassem, a todo custo, encontrar-se com ele.

Seu cabelo desgrenhado, na altura dos ombros, reforçava as suspeitas dos que o imaginavam descendente de Lúcifer. Macacos e cangaceiros pertenciam ao mesmo universo místico do sertão nordestino e, desse modo, partilhavam de idênticas crenças no maravilhoso. Acreditava-se que o Rei do Cangaço sabia ler as estrelas, previa chuva e seca, podia traduzir os sons da caatinga — mugido de boi, piado de coruja e rugido de onça — e interpretar os sonhos.

Parte do respeito que Lampião impunha a seus cabras estava relacionada à sua fama de detentor de sexto sentido. Reputação na qual ele próprio acreditava. Virgulino levava muito a sério os avisos da natureza — e do além. Gatos miando na madrugada eram prenúncio de desgraça. Se, de manhã, testemunhasse um cachorro olhando para ele enquanto fazia cocô, logo receberia alta soma em dinheiro. Sonhar com moça experimentando roupa era morte na certa. Cobra trazia felicidade.

Aos talentos sobrenaturais do Rei do Cangaço se somariam, ainda, as bênçãos de padre Cícero. Segundo a história que corria em toda a caatinga, Lampião tivera o corpo fechado pelo sacerdote, razão pela qual bala nenhuma poderia matá-lo. O fechamento, contudo, não seria definitivo. Algumas atitudes poriam o feitiço a perder. Sentar em umbral de porta, atravessar água e transmitir oração a pessoas sem fé estavam entre as medidas a ser evitadas pelo cangaceiro, caso quisesse se manter protegido.[2]

Lampião tinha muita convicção de sua condição de homem tutelado pelo oculto, mas preferia não se arriscar. Era doido por coalhada, arroz-doce e galinha de cabidela. Porém, por medo de ser envenenado, só se regalava com a iguaria depois que o próprio ofertante a provasse. Trazia no bornal uma colher de prata, que enfiava na bebida e na comida que lhe chegavam de presente. O enegrecimento do utensílio denunciaria a presença de substância letal na boia — e, nesse caso, o espertalhão que tentara enganar Lampião podia começar a se despedir da vida. Como no caso dos coiteiros delatores, as histórias que corriam pelo sertão de castigos impostos aos pretensos envenenadores de Virgulino eram as mais aterrorizantes.[3]

Aqueles não eram mesmo tempos de dar voto de confiança a ninguém. Desde que o tenente Liberato de Carvalho — o irmão do coronel de Serra Negra João Maria, amigo e suposto ex-amante de Maria de Déa — assumira o comando da campanha de caça aos cangaceiros, parecia que o vírus da traição tinha contaminado todo o sertão.

Em março, o cangaceiro Esperança se entregara às forças e, para provar sua firme intenção de seguir no caminho da lei, aceitara matar, degolar e entregar a cabeça de um companheiro para a polícia. A vítima, Cocada, foi morta e decepada enquanto pegava água em uma cacimba. A cabeça do cangaceiro, com farto cabelo cacheado, olhos fechados e lábios entreabertos, seria colocada em um pedestal, fotografada e publicada com destaque nos jornais.[4]

Numa época em que minguavam notícias sobre as ações dos cangaceiros, a cabeça de Cocada era um alento para os jornalistas ávidos por sangue no sertão. No primeiro semestre de 1933, Lampião aparece na imprensa aqui e ali, quase sempre em notinhas genéricas sobre assaltos a fazendas e saques a comércios. Seu nome também continuava a servir de inspiração. Na cidade de Barretos, no interior de São Paulo, um assaltante de fazendas era conhecido pela população como "Lampião paulista".[5] O pugilista carioca Virgolino Isaías de Oliveira subia aos ringues como Lampião.[6] Em comum, além do prenome, tinham a fama de destemidos.

Mesmo que quisesse sumir por uns tempos, Virgulino Ferreira da Silva não seria tão facilmente esquecido. Nas agências de propaganda dos anos 1930, recorria-se à figura fantástica do sequaz para se vender de tudo, inclusive medicamentos: "Para o combate ao banditismo de Lampião, o país arma os seus soldados adestrados. Para combater a prisão de ventre, as pílulas de vida do dr. Ross, na dose de uma ou duas por noite, são as armas seguras, de efeitos infalíveis", recomendava o anúncio dos comprimidos, com um desenho do Rei do Cangaço na companhia de outros oito bandoleiros — e um ar saudável, certamente de quem não sofria de problemas de constipação.[7]

Citações aos cangaceiros também eram feitas pelos comandantes da campanha contra o banditismo rural, cujas entrevistas, mesmo sem grandes novidades, continuavam a atrair a atenção dos leitores. Em abril, o chefe de polícia da Bahia João Facó informou ao jornal carioca *A Noite* que o sertanejo finalmente conhecia a paz. "Nos povoados, os moradores já vivem tranquilos e confiantes", assegurou. A matéria, que trazia a imagem de Facó com o cabelo meticulosamente partido de lado e o pescoço dividido em duas dobras — talvez como resultado da gravata-borboleta aparentemente apertada —, registrava ainda que Lampião, com parcos armamento e munição, perdera "o seu valor combativo".[8]

Embora o chefe da polícia estivesse enganado quanto à capacidade bélica do Rei do Cangaço, Facó não estava de todo equivocado sobre o valor combativo do capitão. Fazia algum tempo que Virgulino vinha dando mostras de desgosto com a vida bandoleira. Costumava definir o cangaço como o pior meio de vida possível. Gostava de dizer que, se pudesse escolher uma profissão, seria vaqueiro.[9]

Três anos depois de ter deixado o pacato Zé de Neném para acompanhar Lampião, Maria de Déa também parecia sentir alguma saudade de uma vida morosa. Desde o nascimento de Expedita, procurava permanecer o maior tempo possível em Sergipe, para facilitar suas visitas à filha, ocasiões em que lhe levava presentes.[10] Compartilhava com Virgulino o sonho de uma existência diferente, longe das persigas. Com o dinheiro que haviam juntado, poderiam facilmente viajar para o sul do Brasil, comprar um pedaço de terra, mudar os próprios nomes e recomeçar a vida. Para Maria, não seria tão difícil apostar no anonimato. Estava longe de ser uma moça famosa e sua foto nunca saíra nos jornais. Para Lampião, uma celebridade internacional, a situação era mais complicada. Ele sabia que, se largasse seus súditos, abdicasse do reino e rompesse com os aliados, acabaria por decretar o próprio fim.

Em 1933, os cangaceiros vinham privilegiando mais a qualidade do que a quantidade de suas ações. Solicitavam grandes quantias em dinheiro, armas, munição e mantimentos a seus protetores. Abastecidos, permitiam-se coitos mais demorados, ocasiões em que se dedicavam aos prazeres de uma vida ociosa. Passavam bom tempo a jogar cartas, dançar — quando as mulheres não acompanhavam os homens na valsa, o fuzil fazia as vezes de par — e beber grandes quantidades de álcool.[11] Lampião tinha autocontrole e interrompia o consumo de uísque e conhaque quando se percebia prestes a ficar ébrio. Corisco continuava a beber cachaça mesmo se estivesse mamado a ponto de não sentir as próprias pernas.

Enquanto a vida parecia menos tortuosa para os homens, as mulheres passariam a enfrentar perigos maiores quanto mais tempo permaneciam no cangaço. Durvinha, por exemplo, tivera um grave ferimento à bala na perna durante combate em Jeremoabo. Ao contrário dos primeiros meses, quando a presença de fêmeas no bando parecia uma excentricidade, as moças já eram vistas pelos policiais como inimigas. Narrativas sobre o espírito de liderança de Dadá, que se sobressaía quanto mais Corisco bebia, e o autoritarismo e o poder de influência de Maria de Déa sobre as decisões do marido ganhavam ares de epopeia nas feiras do sertão.

Se, até então, as baixas ocorridas no bando eram basicamente de homens, a partir daquele instante as mulheres também começariam a compor de forma mais expressiva as estatísticas de vitória das volantes. Ficaria instalado entre elas um verdadeiro pavor de ser capturada por macaco. Era certo que, ao pôr as mãos em uma jovem e aformoseada mulher de cangaceiro, os oficiais aproveitariam para ir à forra. Ficaria conhecida no sertão a fetichista façanha de Abdom, soldado da polícia alagoana que, depois de assassinar uma bandoleira, arrancaria não a sua cabeça, como era o costume, mas a vulva. Após a penosa extração, guardaria a parte íntima da mulher no bornal.

Segundo a história que assombraria a região, ao chegar em casa, na cidade alagoana de Água Branca, Abdom teria salgado a vulva e a colocado para secar ao sol, com as extremidades ligadas e esticadas por varetas, de maneira a manter o formato triangular do órgão. Depois de curtido, o tecido seria batido até recuperar a flexibilidade. Ao fim da meticulosa operação, o soldado teria guardado a periquita de volta no bornal. Nos bares catingueiros, exibia-a para alguns nauseados ou entusiasmados conhecidos. Finda a apresentação, possessivo, levava a preciosidade de volta à bolsa.[12]

Na calçada da cadeia pública de Monte Alegre, na Bahia, quatro cabeças dispostas lado a lado atraíam a atenção de idosos, adultos e crianças. À primeira vista, as quatro cabeleiras volumosas, de aspecto úmido (chegaram ali imersas em álcool, dentro de uma lata), pareciam uma estopa enegrecida. As órbitas oculares sem expressão, opacas, eram semelhantes em todos, exceto em Azulão, cujo ríctus dava à sua face cadavérica uma perturbadora aparência de simpatia — os lábios entreabertos, deixando os dentes à mostra, harmonizavam com olhos que pareciam sorrir. Zabelê, de testa larga e proeminente, transmitia conformação. Maria Dora possuía um semblante ligeiramente contrariado e Canjica, que implorara pela vida antes de ser degolado, um ar estranhamente impetuoso.

Em outubro de 1933, a morte bruta dos cangaceiros interrompera uma jornada intensa de pavor pelas cidades próximas a Monte Alegre. Azulão se fazia acompanhar na viagem por uma amante, Maria. Sua namorada oficial, de mesmo nome — tratada no bando como Maria de Azulão —, ficara no coito com as outras moças. Arvoredo levava consigo a companheira Maria Dora e os outros rapazes, Canjica, Zabelê e João Calais, peregrinavam solteiros.

Na casa de um subdelegado, roubaram dinheiro, joias, roupas e alimentos. Em uma fazenda mais adiante, depararam-se com um rapazinho que, dominado pelo pavor, saiu correndo — e, por isso, levou um tiro fatal. O pai do garoto, um vaqueiro, ao ouvir os disparos, saiu em seu socorro. E, tendo permanecido sem resposta diante da pergunta sobre os motivos da corrida do filho, também teve o corpo atravessado por balas. Mais adiante, os meninos de Lampião aplicaram a palmatória nas mãos e nas cabeças de duas moças por terem cortado o cabelo ao estilo das melindrosas. Ao ver a população de sua cidade começar a fugir com medo dos invasores, o prefeito de Monte Alegre avisou à polícia da presença de cangaceiros na região.

Os três grupos de soldados enviados a Monte Alegre iniciaram os trabalhos visitando coiteiros. Na casa de dona Cirila, avistaram uma garotinha com um bule na mão, regressando do mato. A seu modo de botar pressão em sertanejos, arrancaram da jovem a informação de que fora levar café para os bandoleiros em uma lagoa próxima dali. Ao chegar ao local, os macacos encontraram os forasteiros em plena refeição, comendo batatas-doces e ovos cozidos, oferecimento de outro coiteiro das redondezas. Abriram fogo sobre o bando, que revidou o ataque, ferindo dois militares. Em meio aos tiros, Arvoredo, Maria e João Calais conseguiram fugir. Os outros seriam degolados ali mesmo, em meio aos restos de ovos e batatas.

Depois de exibidas na calçada da cadeia, as cabeças de Azulão, Dora, Zabelê e Canjica permaneceram expostas na prefeitura da cidade, sobre um caixão. De lá, seguiram para Jeremoabo e depois para Salvador, onde foram recebidas por um extasiado Estácio de Lima, o diretor do Instituto Médico Legal Nina Rodrigues.

Aquela era a primeira vez que Lima colocava as mãos no crânio de uma cangaceira. Desde que soubera da presença de mulheres no bando de Lampião, andara ávido por estudar o caso e tentar compreender os motivos que explicariam a presença delas ali.

Às suas habituais leituras do alemão Ernst Kretschmer, Estácio de Lima acrescentara as do filósofo e criminalista francês Jean-Gabriel de Tarde, morto em 1904, em Paris, e que fora, na década de 1880, grande adversário de Cesare Lombroso, o autor da tese da criminalidade nata. Seguindo o pensamento de Tarde, Lima estava convencido de que a criminalidade não se relacionava com as características anatômicas, embora achasse que estas devessem ser levadas em conta. Tanto que ele se dedicava a analisar as cabeças de criminosos que lhe eram endereçadas. Fora assim com a de Gavião, morto em dezembro de 1929, logo depois do ataque do bando à cidade de Queimada — ocasião na qual Volta Seca sangrara soldados a mando de Lampião.

Volta Seca também chegara a ser examinado pelos antropólogos do Instituto Médico Legal Nina Rodrigues por ocasião de sua prisão, em 1932. A respeito do menino, por quem desenvolveria verdadeira fascinação, Lima sustentaria não haver "interferências étnicas" em sua adesão ao cangaço. O professor da faculdade de medicina defenderia:[13]

> Não é o "mulato" Volta Seca responsável pelas sangrias de soldados e pelos disparos a esmo, ou sob pontaria, para abater, brincando, os caminhantes. Mas o "menino" Volta Seca, ou o "rapazinho" inconsequente, que se divertia com essas diversões macabras, ou cumpria ordens selvagens, com o orgulho de quem deseja parecer adulto. Procure-se, antes, a alma turbilhonante do adolescente, ou pré-adolescente, do que as "malvadezas do mestiço".

A respeito das mulheres, Lima concluiria haver uma conjunção de aspectos de ordem natural e social a explicar o que considerava ser uma reduzida propensão à delinquência: de um lado, "força física menor, levando-as a maiores precauções", bem como "uma sexualidade antes passiva do que ativa" e o "instinto maternal, que a conduz às ternuras"; de outro, uma "educação multissecular, objetivando torná-la submissa e mais recatada".[14]

No cangaço, porém, tal recato seria relativizado, visto que, conforme os estudos de Lima, as mulheres seriam dotadas de "hipergenitalismo". Possuidoras de "mamas proporcionais e túrgidas, além de sensíveis ao toque", as moças mantinham, segundo ele, "coitos ruidosos, remexidos, alvoroçados". Para o professor, não é que os homens, "machos indubitáveis", desgostassem do vuco-vuco. Elas é que gostavam demais.[15]

O cangaceiro ferrador Zé Baiano, a Pantera Negra dos Sertões, em breve chegaria a essa mesma conclusão. Da pior maneira possível.

10

Pra mode se vê defunto
Num é preciso adoecê
Quarqué intriga é bastante
Pra se matá ou morrê

"Negro grosso e malvado. De cabeça disforme, grande nariz esparramado na face bestial, boca rasgada de sapo cururu, é de horripilante feiura. É, talvez por isso, o mais perverso, sobretudo com as mulheres."[1]

O ano de 1934 não despertou nada bem para o cangaceiro e ferrador Zé Baiano, a começar pela forma grosseira como foi descrito pelo médico sergipano Ranulfo Prata, cujos apontamentos sobre o cangaço haviam se transformado em livro. Nos primeiros dias de janeiro, *Lampião, documentário* chegou às livrarias do país com ampla aprovação da crítica especializada. Aclamado pelo *Jornal do Brasil* como o estudo mais "completo e igualmente o mais bem-feito acerca do famoso bandido", a obra se apresentava na forma de uma biografia do Rei do Cangaço, entremeada por pequenos perfis de alguns de seus cabras.[2]

Corisco, apresentado como um homem "alto, musculoso, alourado, de traços finos de branco", era, na análise do médico, "o mais cavalheiresco de todos". Mariano, dono das palmatórias com que aplicava castigos até mesmo em criancinhas, foi retratado como um "negro sanhudo, de torso hercúleo e sobrecenho carregado".[3]

Definitivamente racista, Ranulfo Prata era, também, pouco empático com as mulheres. O autor classificaria como "peraltices insignificantes" uma sequência de estupros coletivos cometidos por Lampião e seu bando — inclusive de uma idosa por cinco rapazes.[4] A despeito de possuir sentimentos pouco virtuosos, Prata era homem de inegável coragem. Embora residisse no litoral de São Paulo, na cidade de Santos — onde chefiava o Serviço Radiológico da Santa Casa e da Beneficência Portuguesa —, costumava passar as férias em Sergipe. Teria, inclusive, batido o ponto final de sua obra na máquina de escrever do pai, o coronel Felisberto Prata, na cidade de Simão Dias.[5]

É certo que, ao deitar os olhos sobre as páginas do tomo, Lampião tenha mesmo "fumado numa quenga" — ficado irado, no linguajar sertanejo. Ali, entre toda sorte de referências pouco lisonjeiras a sua pessoa — incluindo a menção ao defeito no olho e à cor "de bronze-escuro", para Virgulino um vitupério sem tamanho — havia a reprodução de um verso de cordel caçoando de dona Maria Ferreira, sua finada mãe: "A mãe de Lampião/ É feia de natureza/ Quando bota pó e ruge/ Fica o suco da beleza".

O único ponto que talvez agradasse ao capitão fosse a exposição quase poética de alguns de seus crimes, como o sangramento. "E friamente, serenamente, o matador bárbaro saca do largo punhal de 78 centímetros de lâmina e crava, num golpe certeiro e veloz, na região preferida — a fossa supraclavicular. A arma, agudíssima, vara facilmente o mole dos tecidos, como um palito a manteiga. A experiência ensinou-lhe ser ali ótima região, sem obstáculos ósseos que lhe resvalem o punhal", escreveu o médico.[6]

Ranulfo Prata tinha fortes razões para temer pela segurança de si e da família. Lampião não costumava deixar impunes provocações como aquelas. Por muito menos, quase matara Manuel Cândido Carneiro da Silva, que, naquele mesmo ano de 1934, publicara *Fatores do cangaço*. A obra, sem maiores pretensões literárias, fora escrita mais como um passatempo de Cândido durante o período em que atuou como promotor de justiça de São José do Egito, em Pernambuco. Embora tivesse tiragem modesta, um exemplar acabou nas mãos de Virgulino. E o capitão não gostou do que leu.

Poucos meses depois do lançamento de *Fatores do cangaço*, Manuel Cândido deu o azar de se encontrar em um caminhão que seria interceptado pelo bando de Lampião. O veículo percorria o trecho entre Buíque (Pernambuco) e Água Branca (Alagoas), em cuja comarca Cândido acabara de ser empossado promotor de justiça. Virgulino estava acompanhado de outros oito cangaceiros e três mulheres — Maria de Déa entre elas. Ao reconhecer o autor da brochura na boleia do caminhão, ordenou que descesse da cabine e o acompanhasse, mata adentro, para uma conversinha.

Como se a situação já não fosse suficientemente assustadora, Cândido ainda trazia na valise um exemplar de sua obra. Lampião teria, então, solicitado ao autor que providenciasse a leitura das páginas em voz alta. Malicioso e sabedor da pouca intimidade do cangaceiro com as letras, o autor pulara os trechos que criticavam o bando, caprichando na dicção ao ler parágrafos inteiros dedicados à truculência das forças volantes. O capitão, ao perceber a artimanha, teria ficado ainda mais furioso. Oferecera ao promotor de justiça duas opções: ou comia página por página do livro ou se deixaria sangrar por Virgínio — que já preparava a ponta do punhal para iniciar a viagem corpo adentro do escritor desgraçado.[7]

Anos depois, ao relembrar o episódio, Manuel Cândido contaria que, ao se ver na iminência de descarnar, fez um último apelo ao coração de seus algozes. Seu pavor não era da morte, mas de deixar sozinha, sem ter quem a sustentasse, a filhinha de seis anos. Nesse momento, segundo o promotor, Maria de Déa se comoveu com a situação. "Lampião, garanta o doutor, pois eu só me lembro de minha filha", teriam sido as palavras salvadoras da Rainha do Cangaço, conforme o relato do próprio Manuel Cândido. O capitão atenderia ao pedido da esposa — mas faria o escritor prometer que, no caso de uma nova edição da obra, corrigiria as passagens "erradas". Depois de dar sua palavra de que o faria, Cândido deixaria o encontro são, salvo e encantado com Maria. "Ela abrandava Lampião nos seus furores, enquanto Dadá [...] empregava todo o seu domínio sobre Corisco, impelindo-o a maiores ferocidades", concluiria.[8]

Aquela não seria a primeira vez que Maria de Déa salvaria uma alma do inferno. Além de criancinhas, sensibilizava-se com os dramas e as necessidades dos rapazes mais jovens. Quando Volta Seca ainda estava no bando, costumava recorrer a ela para intervir contra as surras que lhe eram aplicadas pelos asseclas mais velhos, como Luiz Pedro, marido de Neném, melhor amiga de Maria.

Seus protegidos eram compensados ainda com porções maiores de comida.[9] Durante uma época, em um coito, afeiçoou-se tanto a dois meninos, de catorze e quinze anos, filhos do dono da fazenda em cujas terras o bando se hospedava, que os convidou repetidas vezes a fazer refeições com o grupo. Ela mesma preparava os pratos dos meninos antes que os outros se servissem. Lampião, que se afeiçoara a um dos garotos a ponto de tratá-lo por "filho", aprovava os cuidados da companheira.[10]

A Rainha do Cangaço também teria evitado que um trivial jogo de baralho terminasse em tragédia. Segundo a história contada pelo ex-soldado Joaquim Góis, Maria jogava três setes em parceria com Luiz Pedro, disputando contra a dupla formada por Lampião e Neném. Habilidosa nas cartas, Maria de Déa garantia todas as vitórias para sua equipe. Um cabra do bando, observando as sucessivas derrotas do chefe, achou interessante se divertir às custas daquela inusitada invencibilidade. "O azar, quando dá em gente, é pior do que em bicho", caçoava, às gargalhadas. Lampião fez ouvidos de mercador às provocações, até o momento em que o subordinado lhe dirigiu um conselho: "O remédio de quem anda pesado é chá de cortiça".

Foi o suficiente para Virgulino perder a paciência, interromper a partida, derrubar o piadista no chão, sacar do punhal e encostar a ponta da arma na garganta do miserável. Maria, então, lançou--se sobre o companheiro e o convenceu a desculpar o rapaz. O capitão não apenas desistiu do assassinato como ignorou o parecer de Luiz Pedro, favorável à expulsão do engraçadinho. De acordo com o companheiro de Neném, não pegava bem ter na falange um frouxo salvo pela interferência de mulher.

Ainda conforme relatos do ex-soldado Góis, Maria também pediu a Lampião para não matar um bandoleiro mimado, que se recusara a tomar uma dose de aguardente em passagem por Malhada da Caiçara, por considerar a quantidade insatisfatória — como havia apenas dois litros de bebida para distribuir entre os presentes, a porção destinada a cada um dos rapazes era, de fato, frugal. "Já disse que não gosto de cachaça pouca. Não teime que não quero", teria dito o cabra, enfezado. "Pois agora você vai beber essa cachaça toda", revidara Lampião, derrubando o mal--agradecido no chão para abrir-lhe a boca à força e fazer descer, garganta abaixo, todo o conteúdo da garrafa. Nessa hora, mais uma vez, a bandoleira chamaria o companheiro à razão e evitaria uma morte besta.[11]

Maria também protegia os animais do bando — que, de forma geral, eram tratados com paparicos. Certa vez, em um povoado próximo à cidade baiana de Sento Sé, os cavalos chegaram a ser perfumados com doses generosas de água-de-colônia depois de um banho na beira do rio São Francisco. O trato nos animais foi dado logo depois de um saque que rendeu ao grupo boa quantidade em dinheiro, joias e tecidos. Os cangaceiros estavam tranquilos a ponto de se dedicar à higiene das montarias por saber que as volantes não os incomodariam. De fato, os soldados só chegariam a Sento Sé para as diligências passados seis dias da invasão.[12]

Os cachorros do cangaço igualmente passavam bem. Comiam melhor do que os bichos criados nos roçados e, dada a boa aparência, terminavam involuntariamente fornecendo pistas de seus donos. Quando encontravam vira-latas formosos, os policiais deduziam que havia bandoleiro por perto. Para eles, gordura em bicho era sinal de bandidagem — coleira no pescoço, então, consistia prova irrefutável de que o quadrúpede tinha uma pata no cangaço.[13]

Para fazer graça, os bandoleiros gostavam de batizar seus cachorros com nome de policiais. Maria de Déa chegou a criar um chamado Zé Rufino, um dos mais cruéis perseguidores do grupo. Fora o tenente Rufino quem comandara o ataque que resultara na morte e degola de Azulão, Canjica, Dora e Zabelê. Embora tivesse horror ao homem, Maria era doida pelo bichinho, e ficou apavorada na ocasião em que o vira-lata se envolveu em uma disputa por um osso com o cachorro de Neném, Mané Henrique — outra "homenagem" a soldado.

Tudo indicava que Zé Rufino seria trucidado por Mané Henrique quando Maria pediu socorro a Virgulino. "Tá vendo isso não, seu filho duma peste?", gritara a cangaceira, a seu modo peculiar de chamar a atenção do companheiro. Tranquilamente, Lampião teria posicionado a pistola para exterminar Mané Henrique, ao que seria interpelado por Luiz Pedro. "Se matar o cachorro, morre."

Depois de um pequeno entrevero, os dois teriam decidido apartar a briga dos cachorros sem o envolvimento de balas. A paz recém-instalada entre homens, mulheres e cães não evitou um comentário ácido de Labareda, que assistira à cena: "Cachorro e mulher no grupo só dá é nisso!".[14]

Se crianças, cachorros e jovens rapazes despertavam os melhores instintos em Maria de Déa, o mesmo não pode ser dito em relação a suas colegas de bando. Assim como Dadá, que ficara ao lado de Moita Brava após a morte de Lili, Maria tinha uma tendência a compreender a atitude de assassinos de mulheres, a exemplo do velho amigo Mané Véio, convidado por ela a se refugiar no bando depois de executar a esposa que acabara de trocar por outra.

Por mais mulheres que entrassem no cangaço, nenhuma conseguia chamar tanto a atenção dos cabras quanto a companheira de Zé Baiano. Com sua simpatia, curvas voluptuosas e seios que se deixavam vislumbrar pela cava do vestido, a morena fornecia aos cangaceiros solteiros um bom repertório de imagens para inspirar o prazer solitário na caatinga.

Para um deles, Lídia era mais do que uma musa inatingível. Quando o marido não estava por perto, ela caía nos braços de Bem-te-vi, jovem "claro, de cabelo fino, um tanto meloso e derretido", como o apresentaria o médico Estácio de Lima, para quem Zé Baiano, além de corresponder às características do criminoso nato apontadas por Cesare Lombroso, era ainda "um negro feio, bastante alto, muito forte, valente e malvado como poucos".[15]

Os encontros entre Lídia e o amante ocorriam de vez em quando, pois dependiam das negociações entre os chefes de subgrupos. Bem-te-vi fazia parte do time de Virgínio, mas era eventualmente emprestado a Zé Baiano. Ao que tudo indica, o cangaceiro ferrador não desconfiava da traição — apesar de, como relataria Dadá, ter ficado cismado ao encontrar cachos de cabelo castanho, do mesmo tipo do de Virgínio, no bornal da esposa.

Seja como for, o fato é que, durante uma saída a campo de Zé Baiano, Lídia e Bem-te-vi foram flagrados em plena conjunção carnal pelo cangaceiro Besouro, do grupo de Lampião, que seguia a mulher para onde ela ia. Depois de observar o ato do começo ao fim, Besouro se aproximou do casal e lançou a seguinte proposta: não contaria nada a ninguém, desde que Lídia, por quem sentia um enorme desejo, também se entregasse a ele. Do contrário, seria obrigado a levar o caso ao próprio Zé Baiano. Irritada com a proposta, a bandoleira teria lhe dado um chega pra lá: "Pode contar, mas você não me come".

Bem-te-vi e Lídia talvez não acreditassem que Besouro, um reles cabra, seria capaz de dar com a língua nos dentes para a portentosa Pantera Negra dos Sertões. Horas depois, quando o grupo estava reunido e Zé Baiano já tinha voltado de suas andanças, o cangaceiro desprezado pediu a palavra e relatou o que havia visto. Lídia, surpresa e assustada, não teve outra opção a não ser confirmar o ocorrido. Mas completou a informação que Besouro esquecera de propósito: o adultério só estava sendo revelado porque ela havia se recusado a fornicar com ele.

Segundo os inúmeros relatos a respeito do caso, Lampião foi o primeiro a deliberar sobre o imbróglio. Decidiu pela morte imediata de Besouro. Não apenas pela chantagem com Lídia, mas também pela delação, atitude tida como covarde e moralmente repreensível. Há duas versões sobre o fim do delator. Na primeira, o capitão lhe desfere um golpe de foice na cabeça, partindo-a em duas. Na outra, mais verossímil, pede a Gato que execute Besouro com um simples tiro.

Em ambas as narrativas, Bem-te-vi aproveitou a confusão para escapar dali, nas carreiras, em direção a Alagoas. Zé Baiano teria cogitado correr atrás do garanhão para liquidá-lo, no que fora repreendido por Lampião. Como o menino pertencia ao bando de Virgínio, só o próprio teria o direito de lhe tirar a vida.

Depois de presenciar o assassinato de Besouro e a fuga de Bem-te-vi, Lídia caiu em si. Como sabia da pena imposta a mulheres traidoras, pediu a Maria de Déa que falasse com o capitão em seu favor. Em vão. Com seu tom de voz calmo e seguro, Lampião sempre determinava que cada um fizesse o que bem entendesse com sua propriedade. Ele considerara a melhor solução executar seu rapaz. Logo, Zé Baiano que decidisse o que fazer com Lídia. Afinal, ela lhe pertencia.

De acordo com a história que chegaria à posteridade, Lídia foi amarrada a um pedaço de pau na beira do riacho do Quatarvo, na cidade sergipana de Poço Redondo. Passou ali a madrugada inteira, chorando e implorando por socorro, sem que ninguém a acudisse. Ao amanhecer, Zé Baiano se dirigiu ao local e, alucinado, desferiu uma sequência de pedradas e pauladas na cabeça e no corpo da mulher.

No bando, a poucos metros de distância do local onde Zé Baiano abatia a companheira, os bandoleiros seguiam com suas rotinas matinais, indiferentes aos gritos de dor de Lídia, até que o último sussurro saísse de sua boca e a jovem sertaneja se transformasse em uma massa disforme de sangue, pele e ossos.

Ao preparar a cova daquela que ficaria famosa como a cangaceira mais bonita de todos os tempos — embora não seja conhecida uma única foto sua —, Zé Baiano choraria compulsivamente.[16]

Em 1934, cangaceiros corriam mais risco de morrer pelas mãos dos colegas do que pelas armas dos soldados. Com salários atrasados desde o ano anterior, os macacos não estavam exatamente dispostos a pôr a vida em risco para capturar bandoleiros.[17] O único assecla de destaque morto naquele ano fora capturado por civis. Arvoredo, o primo de Corisco que escapara do massacre da lagoa do Lino — quando Azulão, Dora, Zabelê e Canjica foram mortos e decepados —, seria liquidado por dois rapazes feitos reféns enquanto procuravam um jumento na zona rural de Jaguariri, na Bahia.

Equipado com pistola, mosquetão e punhais, Arvoredo menosprezou o perigo do facão que um dos moços carregava consigo. O outro, desarmado, andava um pouco mais à frente, por ordens do cangaceiro. Em dado momento, o rapaz se abaixou para ajeitar as alpercatas, que lhe incomodavam os pés. O bandoleiro, zangado com a interrupção, deu um chute no jovem acocorado. Ao ver a humilhação a que o amigo era submetido, o dono do facão desferiu um golpe contra Arvoredo. Gravemente machucado, foi rapidamente dominado e morto pela dupla.[18]

Empolgados com a façanha heroica, Cícero Ferreira e João de Biano, como se chamavam os bravos sertanejos, cortaram a cabeça e a mão esquerda de Arvoredo. Juntaram as partes aos objetos do morto e levaram tudo até a delegacia. Mediante as provas, foram recompensados com a quantia de quatro contos de réis.[19] Tinham capturado peixe grande. Arvoredo fora um dos rapazes perfilados por Ranulfo Prata em seu *Lampião, documentário*. No livro, o médico e escritor responsabilizava a polícia pela transformação do então honesto roceiro em sanguinário cangaceiro. Ele teria decidido se juntar ao primo Corisco para vingar o espancamento da mãe, uma humilde velhinha, por soldados das forças oficiais.[20]

Os jornais, ávidos por novidades sobre a caça aos bandoleiros no sertão — que minguavam quanto menos as forças se empenhavam em combatê-los —, narraram a morte do célebre sequaz com pequenos ajustes. Segundo o *Jornal do Brasil*, os civis haviam executado o assecla, mas teriam agido "orientados e devidamente instruídos pelo tenente João Domingues e pelo sargento Joel, [...] ambos da Força Pública do estado da Bahia".

Para a revista *Noite Ilustrada*, o mais impressionante não fora a luta que culminara na morte do cabra, tampouco o retalhamento do corpo, mas sim um aspecto revelador de sua vaidade. Conforme demonstrara a mão cortada pelos assassinos, Arvoredo cuidava muito bem das unhas. "A mão decepada ainda conservava a luva e os anéis que o bandido usava, apresentando as unhas bem tratadas e polidas", lia-se na edição de 12 de junho da publicação: "Um tipo rústico, verdadeiro bicho do mato, sanguinário, cruel, de unhas brunidas, não deixa de causar espanto".[21]

Como se davam muito bem, parecia que as duas combinavam de engravidar juntas. Do mesmo jeito como ocorrera dois anos antes, Dadá e Otília estavam mais uma vez prestes a parir. Corisco e Mariano, seus companheiros, providenciaram um coito seguro para que as jovens dessem à luz. Na mata fechada da serra do Periquito, em Pernambuco, nas proximidades de uma fonte de água, armaram toldas minimamente confortáveis para o momento do parto. Por segurança, estenderam um cordão rente ao chão nas redondezas. Pendurado na ponta da linha, junto à barraca, um chocalho tilintaria caso alguém ultrapassasse a zona de segurança, o que não tardaria a ocorrer. Durante uma noite, ao lado de um reduzido grupo de colegas de bando, Dadá e Otília, com as barrigas enormes, tiveram que deixar as tendas às pressas, embrenhando-se por entre os espinhos da mata fechada, pois uma volante se encaminhava para o ataque.[22]

As duas mulheres e os demais cabras caminharam durante horas a fio, abrindo caminho no escuro da caatinga com o auxílio de facões. Esgotados e mortos de sede, fizeram uma parada para dormir por alguns instantes e recarregar as energias antes de retomar a fuga, ao amanhecer.

Dadá seguia em seu passo discreto, tomando cuidado para não deixar rastros, quando foi surpreendida pela mira de um fuzil. O soldado puxou o gatilho para balear a gestante, mas o tiro, literalmente, saiu pela culatra — a caixa estourou nas mãos do policial. Dadá aproveitou a confusão para correr para perto de Corisco, que se reerguia depois de uma queda desastrada por sobre os espinhos. Dali, o grupo saiu em disparada em busca de novo esconderijo. Vencidos pelo cansaço, sede, fome e ferimentos decorrentes da fuga, acoitaram na mata de uma serra. Ali, no dia 11 de março de 1934, Dadá deu à luz seu terceiro filho. Desidratada e desnutrida, a mãe não produzia leite. O bebê, faminto, morreu antes de ser enviado para os novos pais. Aos dezoito anos, Dadá já contabilizava três filhos, dois meninos e uma menina, todos mortos.

No dia 21 de abril, Otília pariu um filho homem. A exemplo do acontecido quando teve uma menina, em 1932, coube a Corisco a redação da carta que acompanharia o bebê no envio para sua nova casa — no caso, a paróquia de Mata Grande, em Alagoas, aos cuidados do vigário Manuel Firmino Pinheiro.

Quando a correspondência ficou pronta, Mariano a assinou como se fosse de próprio punho. "Ele [o menino] não é culpado dos malfeitos do pai", dizia o texto, em um dos trechos. Otília vestiu o bebê com as roupinhas que confeccionara durante a gestação e se despediu do segundo filho que não poderia ver crescer. O garotinho, que seria batizado como José, foi arrancado dos braços da mãe com três dias de vida.[23]

11

A Bahia tá de luto
Pernambuco de sentimento
Sergipe de porta aberta
Lampião sambando dentro

A capital do reino de Virgulino se situava às margens do rio São Francisco, no povoado de Poço Redondo. Ali, difícil era encontrar quem não tivesse cangaceiro na família. Naquele pequeno pedaço de terra de Sergipe estavam enterrados os umbigos de mais de trinta bandoleiros, incluindo mulheres. Por esse motivo, Lampião e seus asseclas se sentiam muito à vontade na região — e, com os bornais abarrotados de dinheiro, faziam movimentar a economia da localidade. Meninos poço-redondenses cresciam admirando os símbolos de riqueza dos bandoleiros, como os pesados colares dourados e os anéis de ouro maciço. Quando ganhassem mais um pouco de corpo, sonhavam, também seriam luxuosos guerreiros.

Como a procura por vagas no bando era grande, os candidatos precisavam se submeter a algumas provas de habilidades para ingressar na hoste. Valentões com crimes nas costas tinham mais chances de ser aceitos, o que fazia com que os interessados no emprego, por vezes, cometessem assassinatos aleatórios, de gente que nunca havia lhes feito mal nenhum, somente para turbinar o currículo.[1] Entre os pais de meninas, pairava a constante ameaça de que uma delas despertasse desejo de um dos cangaceiros e fosse carregada para o meio do mato.

O casal de vaqueiros Lé Soares e Pureza tinha cinco razões para morrer de medo de testosterona de bandoleiro: Guiomar, Arabela, Cidália, Rosinha e Adelaide, suas filhas. Mas, por mais fortes que tenham sido suas rezas a padre Cícero, não conseguiram livrar as meninas da cobiça dos asseclas. Numa visita à moradia do casal, o cabra Criança, do subgrupo de Corisco, gostou de Adelaide. Aos velhos vaqueiros, só restou se despedir da filha e torcer por melhor sorte para as quatro restantes.

O infortúnio de Adelaide no cangaço seria breve, porém intenso. Numa de suas primeiras relações com Criança, engravidou. Precisou se familiarizar com os códigos internos do grupo ao mesmo tempo que lidava com as novidades da gestação. Quando estava prestes a parir, o grupo viajou para as proximidades da Serra Negra, na Bahia. Ali, sob a proteção do coronel João Maria de Carvalho, sentiam-se seguros em momento tão vulnerável; Nos primeiros dias depois do nascimento do bebê, antes do despacho para a nova família, o conveniente era se manter em coito de qualidade, de forma a evitar que fossem atacados por macacos atraídos por choro de recém-nascido.

Por mais seguro que fosse um coito, os cangaceiros jamais baixavam a guarda. E, quanto mais inexperiente o bandoleiro, maior o nervosismo sentido nos esconderijos. Foi nesse clima de tensão que, no estágio final da gravidez, Adelaide foi despertada de um leve cochilo por barulho de bala. Traduziu como sinal de aproximação de soldados o que era apenas brincadeira de um cabra recém-ingresso no bando — entusiasmado com o rifle que acabara de ganhar, o menino resolvera inaugurar a arma com um tiro para o alto.

Adelaide entrou em desespero. Os demais cangaceiros ficaram duplamente apavorados: de um lado, com o pânico da mocinha prestes a parir. Do outro, com a possibilidade de o tiro ser mesmo de soldado. Por unanimidade, decidiram abandonar as tendas e pedir abrigo na fazenda Pedra d'Água, de dona Delfina, a coiteira que havia fornecido sal para as rolinhas de Maria de Déa. No caminho até o novo repouso, Adelaide começou a sentir as contrações do parto. Apesar das dores, prosseguiu caminhando o mais rápido que pôde, tomando cuidado redobrado para que seu corpo pesado não deixasse rastros.

Quando finalmente chegaram à fazenda Pedra d'Água, os bandoleiros observaram que a barriga de Adelaide parecia diferente. Em vez de redonda, estava dura e achatada. Depois de tanto enfrentar a força da mãe para evitar o parto, parecia que a criança havia desistido de nascer. O esforço da caminhada, as dores intensas e a sede tinham esgotado as energias de Adelaide. A companheira de Criança passou mais algumas horas deitada embaixo de um umbuzeiro, assistida por mulheres da região, que se revezavam nas rezas e simpatias para ajudar a expelir o bebê. Pela experiência acumulada em partos no meio do sertão, concluíram que aquele era um caso perdido.

Horas depois, Adelaide morreria com o filho na barriga.[2]

Criança, no entanto, não tardaria a arrumar nova companheira: Dulce, de quinze anos, recebera convite de um conhecido, João Pedro, para ir a uma festa de casamento. Como adorava dançar, aceitou a proposta. Mal chegou ao local, foi raptada por Criança. Estava tudo acertado entre os dois rapazes. Por ter conduzido a menina para a emboscada, Pedro recebeu do cangaceiro a quantia de 30 mil contos de réis.[3] Se quisesse espairecer depois da negociação, João Pedro podia pagar uma diária em uma suíte do hotel Meridional, na praça Castro Alves, em Salvador.

Para Maria, que tinha apego aos bichos, a notícia era bastante desagradável: a partir daquele ano, 1934, cangaceiro não teria mais montaria própria. Na análise de Lampião, os bichos davam trabalho, chamavam a atenção dos soldados e, por causa das viagens constantes, duravam pouco.[4] Era o caso de Velocípede, o burro selado de Maria. Em seus últimos dias de vida, o bicho mal conseguia se arrastar.

A mudança no setor de transportes fazia parte de uma série de novas medidas baixadas por Virgulino Ferreira da Silva no comando do grupo. A partir de então, os estados onde atuavam os cangaceiros — Bahia, Sergipe, Alagoas e Pernambuco — seriam divididos em sub-regiões administrativas, a serem gerenciadas pelos chefes de subgrupos. Corisco, por exemplo, ficou responsável pela cobertura da faixa ribeirinha dos municípios alagoanos de Piranhas e Pão de Açúcar, além das cidades menores vizinhas. Português atuava nos mesmos municípios, mas cuidava da zona rural, afastada do São Francisco. Virgínio assumiu o posto de gerente de Jeremoabo, Santa Brígida e povoados próximos à cachoeira de Paulo Afonso, na Bahia. Assim como os demais cabras do primeiro escalão, eles se reuniam com o chefe periodicamente, de maneira a prestar contas do trabalho e deliberar sobre novas ações.

As fronteiras entre as regiões não eram intransponíveis. Um cangaceiro podia adentrar o território do outro, desde que respeitada uma série de regras sacramentadas por Lampião numa espécie de Constituição cangaceira. O código estabelecia condutas de ordem tributária, como pagamento de parte do valor arrecadado para o capitão, e logísticas. Pelas novas regras, cada chefe de subgrupo passava a ser responsável pela aquisição de armas e munições. Em vez de distribuir o que negociava com coronéis e policiais entre seus subordinados, Virgulino passava, agora, a vender os produtos. Também normatizava regras de comportamento, como a proibição de agredir padres, uma vez que eram religiosos e tementes a Deus e seus representantes, e regulamentava os tratos com coiteiros. Esses eram dispensados dos pagamentos usualmente exigidos pelos cangaceiros aos sertanejos caso fornecessem alimentos e informações colhidas com a polícia aos bandoleiros.

Com a reforma administrativa, Lampião fortalecia sua condição de monarca e se afastava cada vez mais das miudezas do dia a dia. Mais do que um combatente em campo, era um político em ação. Dedicava-se a fortalecer a amizade com coronéis, prefeitos, deputados e policiais. Chegara a mandar distribuir entre os aliados um tipo de passaporte sertanejo, com sua foto e assinatura. O documento funcionaria como salvo-conduto nas sub-regiões dominadas por seus rapazes, no caso de algum deles não saber que estava diante de um protegido de Lampião.[5]

Seu Zé de Felipe, ao testemunhar o progresso do genro, não se cansava de aconselhá-lo a mudar de vida. Sugeria que cortasse o cabelo, providenciasse novos óculos, mandasse confeccionar três ou quatro camisas de casimira e assim, disfarçado, ganhasse o mundo com sua Maria de Déa.[6] Dinheiro para isso ele tinha de sobra. Tanto que, nos últimos tempos, para dar vazão aos muitos contos de réis acumulados, investira em cabeças de gado. O rebanho permanecia na fazenda Cana Brava, do coronel Manoel Brito, na cidade de Canindé, em Sergipe.[7]

Apesar do cansaço com a vida sem teto, Virgulino continuava a não dar ouvidos a conselhos como aquele. Em vez disso, preferia espairecer dos dissabores da vida forasteira durante os folguedos promovidos pelos cabras, quando se reencontravam nos coitos. Noite adentro, os rapazes se entregavam ao xaxado, dança tipicamente sertaneja que ficaria fortemente associada a Lampião por surgir na mesma época em que ele entrou no cangaço.

Dispostos em círculos ou filas indianas e armados com rifles, os dançarinos realizavam rápido movimento com os pés, arrastando as alpercatas no chão de areia e produzindo som chiado, um xá-xá-xá — daí o nome da dança. Para aquela brincadeira, executada em tom ritualístico depois dos combates, as cangaceiras não eram convidadas.[8]

O temperamento reservado de Virgulino, portanto, não fazia dele um homem pouco festivo, para alívio de Maria de Déa — ela, sim, cabocla das mais animadas. Uma de suas maiores alegrias era assistir aos reisados, festas de origem religiosa em que artistas diletantes recriam a visita dos três reis magos ao menino Jesus. Segundo narraria o soldado Joaquim Góis, certa vez, durante repouso na fazenda Capim, no município de Porto da Folha, em Sergipe, Maria convenceu a rapaziada a ir à cidade à noite, onde ocorreria uma Folia de Reis.

Bastou os bandoleiros entrarem no local da festa para o ambiente ser preenchido pelo mais profundo silêncio. Convidados e anfitriões quedaram-se aterrorizados com a presença dos cangaceiros — aqueles tipos que tinham o hábito de mandar todo mundo ficar pelado nos bailes e sair estuprando e roubando meninas. Ao sentir o clima pesado, Lampião pediu a palavra e assegurou que estavam em paz. Procuravam diversão, mas não fariam mal a ninguém. Solicitou aos subordinados respeito a todas as mulheres presentes, virgens ou não, e ordenou aos intérpretes do reisado que prosseguissem com a apresentação.

Os bandoleiros arrastaram pé a noite inteira, impregnando o ambiente com fedentina de suor misturada a perfume e brilhantina, num odor acre que seria reconhecido, no sertão, como "cheiro de cangaceiro".[9] O dia amanhecia quando os artistas do reisado decidiram encerrar a festa. Mas Lampião queria mais. E determinou que o grupo refizesse o espetáculo.

Ao fim do show, Cordão de Ouro cismou com a magreza do jovem que interpretava o boi. Considerou que, para o papel do animal, deveriam ter escolhido alguém mais parrudo. Lampião deu a deixa que o cabra esperava — para engordar boi magro, havia um remédio líquido e certeiro. Ato contínuo, Cordão dominou o garoto, arrancou-lhe as calças e cortou-lhe os testículos, repetindo o gesto com o qual vitimara o jovem Batatinha, castrado pouco antes de subir ao altar.

Maria de Déa não aprovou a atitude. "Mas por que vocês arrancaram os possuídos do miserável que tanto animou o folguedo?", perguntou, ouvindo gargalhadas como resposta. A confiar na versão disseminada por Joaquim Góis, a Rainha do Cangaço passou o resto do dia amuada, a um canto, dominada pela tristeza. A quem perguntasse o motivo do banzo, dizia que estava cansada.[10]

No dia 20 de julho de 1934, Lampião perdeu um aliado na terra, mas estava certo de que ganhara um no céu. Naquela data, aos noventa anos, padre Cícero Romão Batista morreu em Juazeiro do Norte, tendo passado os últimos anos lutando contra a cegueira e graves complicações na bexiga e no intestino. Ao ser informado do falecimento, Lampião não chorou, como o fariam Virgínio e Luís Pedro, mas determinou que todos no bando botassem luto. Como não era viável arrumar roupas escuras de última hora, que ao menos usassem uma faixa preta nos braços, por oito dias, para homenagear o Padim.

Ao que imaginava ser uma forte proteção espiritual do padre, Lampião recebia um acobertamento cada vez mais descarado da polícia. Em Sergipe, dadas as relações de amizade com poderosos como o coronel Eronides de Carvalho, que, naquela época, estava em plena articulação política para assumir o governo do estado, Virgulino vivia sossegado. Quando o bando passou uma longa temporada repousando na fazenda Capim, todo mundo no lugar sabia disso. Os macacos não apenas evitavam atacar o grupo, como alguns deles aceitavam os convites do capitão para jogar baralho, comer carne e arrastar os pés nas pândegas que oferecia aos coiteiros da região.[11]

Depois de um surto de empolgação no combate aos bandoleiros, parecia que o governo federal tinha simplesmente se esquecido da existência de Lampião. Naquele primeiro semestre de 1934, o presidente Getúlio Vargas estava mais empenhado em ser reconduzido ao Palácio do Catete do que em mandar caçar cangaceiro. No dia 17 de julho, Vargas venceria a eleição indireta para presidente da República com os votos de 173 dos deputados eleitos pela Assembleia Nacional Constituinte — que contava, pela primeira vez na história, com a presença de uma mulher. Carlota Pereira de Queiroz, médica paulista, havia sido eleita em 1933, beneficiada pela mudança na legislação que finalmente asseguraria às mulheres o direito de votar e ser votadas. Outra candidata, a bióloga e feminista paulista Berta Lutz, conquistaria a primeira suplência pelo Distrito Federal.[12]

Nem mesmo o fato de os cangaceiros atrapalharem a chegada do chamado progresso ao sertão parecia incomodar o governo. Para cangaceiro, estrada de rodagem, por exemplo, era um atraso de vida. Os clarões para a passagem de veículos motorizados no meio da caatinga, afinal, só serviriam para facilitar persiga de macaco. Melhor seria permanecer com as intrincadas trilhas por onde soldado menos destemido não tinha coragem de passar. Lampião não podia ler notícia de via sendo aberta que ficava danado da vida — e cometia suas habituais atrocidades.

Numa passagem por Santo Antônio da Glória, ao deparar com um barracão da empresa responsável pela construção da estrada que ligaria a cidade a Juazeiro do Norte, Lampião preparou o gatilho para matar todos os peões. Como os homens conseguiram escapar, a tragédia sobrou para o rapazinho que chegava com a boia dos operários, fuzilado à queima-roupa. No meio do caminho entre Chorrochó e Barro Vermelho, na Bahia, ele e outros cabras sangraram nove trabalhadores.

A reserva com as estradas não impedia os cangaceiros de admirarem as máquinas possantes que, pouco a pouco, surgiam na paisagem nordestina. Na primeira vez em que viu um ônibus, o cangaceiro Labareda ficou sem compreender direito que diabos era aquilo. Depois, definiria o veículo como "um carro que trazia os povo de Vila Nova para Santa Rosa e voltava. As muié, as moça, muita gente".[13]

Aos coiteiros, Lampião avisava que mandaria executar se soubesse de gente pegando serviço em estrada. Quando teve notícia de que os filhos de uma viúva haviam descumprido sua ordem, foi até a casa da família tomar satisfação. Labareda, que o acompanhava na ocasião, reconstruiria anos depois o diálogo entre o capitão e a velha:

— Dona, eu não disse que a senhora não deixasse seus filhos trabalhar na rodagem? A rodagem trabalha contra nós, e nós temos que brigar contra as rodagens.

— Capitão, é precisão — respondeu a mulher, conforme Labareda.

Virgulino teria permanecido ali por um tempo, com o Parabellum na mão, aguardando a chegada dos rapazes. Quando o primeiro se aproximou, levou um tiro certeiro e caiu "que nem jaca mole", no dizer de Labareda. "A viúva ficou sem sentido, amarela, e se mijou toda."

Lampião se preparava para matar o segundo rapaz quando o cangaceiro que o acompanhava interveio em seu favor, sendo atendido.

Ao saber do crime contra o filho da viúva, o cangaceiro Antônio de Engrácia ficou revoltado com a atitude do chefe. Gostava do morto e compreendia que o coitado realmente trabalhava na estrada por necessidade, não por querer. Pensava que, em consideração a ele e ao irmão, Cirilo de Engrácia, amigos da família, Virgulino deveria ter poupado a vida do moço. Dias depois, magoados com o chefe, os irmãos Engrácia passariam um tempo afastados do bando.[14]

Apesar da tranquilidade da vida em Sergipe, Lampião e Maria decidiram atravessar o rio São Francisco no começo do segundo semestre de 1934. Desembarcaram em Alagoas, onde morariam cerca de um ano, entre idas e vindas para estados vizinhos.

Em uma dessas viagens, a caminho de Pernambuco, enfrentaram uma traição. Dona Maria Orismídia, conhecida como dona Beijinha, procurou a polícia depois de receber o capitão em sua fazenda, na localidade de Queimada Redonda, na fronteira entre Pernambuco e Alagoas. Quando soube do fuxico, Virgulino mandou um de seus cabras voltar ao local e cortar a ponta da língua de dona Beijinha. A partir de então, mesmo que quisesse, a fazendeira não conseguiria passar informações para mais ninguém.[15]

De forma geral, Lampião ficava sabendo das delações pelos próprios policiais. Em Alagoas, suas amizades com os oficiais eram quase tão fortes quanto as que mantinha com os coronéis sergipanos. Com um deles, o tenente João Bezerra, de Piranhas, a relação ia além do afeto: ao que tudo indica, Bezerra fornecia ao bando algumas de suas melhores armas e munições. Quase sempre o arsenal chegava aos asseclas em malas de couro, escondido sob sacos de farinha e tabletes de rapadura.[16]

Às vezes, para disfarçar o corpo mole no combate ao grupo e mostrar serviço, as forças repressoras capturavam um ou outro cangaceiro menos estrelado. Enquanto Lampião e Maria passeavam por Alagoas e Pernambuco, a volante do tenente Zé Rufino — o mesmo que mandara cortar as cabeças de Azulão, Canjica, Dora e Zabelê e inspirara o nome do cachorro de Maria de Déa — invadiu uma fazenda na Bahia em que estavam acoitados Mariano, Otília, Criança e mais dois cangaceiros. Os rapazes conseguiram fugir, arrastando Mariano, baleado na perna, mas Otília ficou para trás. Com medo das balas, escondeu-se em um dos quartos, mas foi encontrada por Zé Rufino, depois capturada e levada a cavalo até Jeremoabo, onde seria encarcerada.[17]

A prisão da cangaceira encerraria uma carreira que começara cerca de três anos antes, contra sua vontade. Em 1931, Otília trafegava nas proximidades do Raso da Catarina com dois irmãos quando encontrou o bando de Lampião. Mariano colocou os olhos sobre a menina, gostou do que viu, e determinou que o acompanhasse. Ou ia ou morria. Ela foi. Tinha quinze anos.[18]

Apesar de todas as agruras, é possível que Otília sentisse saudades do cangaço no período em que permaneceu presa na cadeia de Jeremoabo. Todos as noites a jovem era retirada da cela, violentada por quantos soldados estivessem presentes no estabelecimento e depois, como se fosse um resto de alimento que se guarda para comer no dia seguinte, era jogada de volta na cela.

Depois da prisão da companheira, Mariano tratou de pegar outra mulher. Foi até Poço Redondo e, na casa dos vaqueiros Lé Soares e Pureza, pais de Adelaide, analisou suas outras quatro filhas. Escolheu Rosinha.

12

> A mulé de Lampião
> É faceira e é bonita
> Cada cacho de cabelo
> Tem cinco laços de fita

Na cadeia, entre o martírio de um estupro e outro, Otília foi fotografada e deu entrevista para o *Diário de Notícias*, de Salvador. Ao repórter, contou um pouco sobre sua rotina no bando. "[Vivemos] pelos matos, dormindo hoje aqui, amanhã ali, comendo carne de sol e, às vezes, um pouco de farinha. Água se arranja nas raízes de umbu." Otília explicou ainda que, à noite, "todos se deitam no chão e se embrulham com suas cobertas". Quem possuía mulher preferia dormir mais afastado, "debaixo de algum pé de pau".

"É uma vida desgraçada", resumiu. O infortúnio era um pouco menor por causa da presença de uma pessoa em particular. "Tive a sorte de travar relações com Basé, e então a vida melhorou para mim." "E quem é esse Basé?", indagou o jornalista. "Esse, não! Basé é a mulher de Lampião. O nome dela é Maria, mas todos a chamamos de Basé", respondeu.

A considerar a maneira como descreveria Maria de Déa para o *Diário de Notícias*, a amizade com Dadá não influenciaria suas opiniões sobre a Rainha do Cangaço. "É uma moça boa e de bom coração. Morena clara, cabelo castanho, estatura média. [...] Basé é muito bonita", descreveu. Porém, segundo Otília, também era ciumenta e cheia de vontades. Quando o marido não se submetia a seus conselhos, partia para a briga e ameaçava se entregar para a polícia.

Pode-se supor que o apelido Basé fosse utilizado de forma muito restrita entre Otília e seus mais chegados. No restante do grupo, a esposa de Lampião era tratada por Maria do capitão. Por costume, as mulheres agregavam ao prenome o do companheiro, acompanhado da preposição indicativa de relação de posse. E, por ser a mais importante entre as inúmeras Marias do bando, a cangaceira-mor podia, eventualmente, ser referida apenas como dona Maria.

Na cadeia de Jeremoabo, Otília tinha a companhia de outra bandoleira. Sentada sobre os calcanhares, Anna ouvia a palestra da colega com o repórter quando foi convidada a contar sua história. Aceitou de bom grado. Assim como Maria de Déa, havia entrado no cangaço por amor. Mas tivera um empurrãozinho da repressão. Anna era noiva de Jurema, irmão do cangaceiro de mesmo apelido que era cabra de Lampião. Por isso, o lugar onde vivia com a família entrou na mira das volantes. Certo dia, a força do tenente José Sampaio Macedo entrou no pequeno roçado da família de Ana e mandou queimar tudo. "Até as roças de feijão", lamentou.

Não era nada bom ter a família no horizonte do tenente Macedo. O sujeito era importante: licenciara-se do posto de oficial da Aeronáutica para correr atrás de Lampião e gozava da simpatia e confiança do interventor Juracy Magalhães, da Bahia.[1] A qualquer momento podia chegar lá fazendo coisa pior do que destruir o meio de vida dos roceiros. Ana decidiu que o melhor era fugir com o noivo para junto do capitão. Lá, imaginava, estaria a salvo da violência.

Dias depois de ser aceita no bando, Ana se arrependeu e quis voltar para casa. Mas, para as mulheres, aquele costumava ser um caminho sem volta. Gostassem ou não do cangaço, tivessem ou não entrado por querer, não podiam deixar o grupo, exceto em raras situações, como ocorrera com Antônia, de quem Gato enjoara e trocara por Inacinha. Mas, como Jurema ainda queria Ana, ninguém via sentido em a criatura sair dali. "Não tive mais jeito. Ordem era ordem", explicou ao repórter.[2]

Ana passou três anos no bando até o dia em que, durante um combate de Jurema e outros três rapazes com a polícia, foi baleada nos dois braços. Os asseclas conseguiram fugir, mas a jovem, machucada e impossibilitada de correr, foi presa pelas forças do sargento Vicente e encaminhada para Jeremoabo.

Ao posar para a foto que ilustraria a matéria, Ana e Otília, com os cabelos presos atrás da cabeça, não sorriram.

O rastro de sangue que o bando espalhava pelo caminho não tinha a menor importância. O imprescindível, naquele 20 de julho de 1935, era conseguir uma rede para transportar Maria de Déa. De preferência, com uma boa quantidade de chumaços de algodão e panos limpos para lhe estancar a hemorragia.

Passavam poucos minutos da meia-noite quando a mulher do capitão foi baleada nas costas. Seus algozes não eram macacos, mas comerciantes e fazendeiros que se escondiam na casa de João Cacheado, tocaiados para tentar defender do ataque dos cangaceiros o povoado pernambucano de Serrinha do Catimbau, nas proximidades de Garanhuns. Na véspera, Lampião mandara avisar os homens que, se não lhe enviassem dinheiro, seria obrigado a ir até lá buscar a bufunfa pessoalmente.

Modesto, o arraial não tinha nem ao menos um grupamento de polícia. A única autoridade de segurança de Serrinha, o comissário Inácio Bezerra, contava com um arsenal reduzido a um rifle velho e um punhado de balas que cabia na palma da mão. Certos de que os bandoleiros, com seus equipamentos de última geração, fariam grande estrago ali, os moradores abandonaram suas casas tão logo tiveram notícia da iminência da invasão.

Os quatro homens que concordaram em ficar em Serrinha para recepcionar os cangaceiros dispararam suas armas tão logo perceberam a presença dos cabras. Pegos de surpresa, os rapazes ficaram atônitos, principalmente quando viram Maria se esvaindo em sangue. Outra moça também seria atingida, Maria de Ema, mas sem gravidade.

E foi assim que, tateando a caatinga em meio ao breu da madrugada, os cangaceiros chegaram a outro arraial, onde conseguiram não apenas a rede, o algodão e os panos, como também quatro sertanejos para carregar Maria até a localidade de Riacho do Saco, onde ela seria acomodada perto da lagoa do Serrote Belo, embaixo de um umbuzeiro.[3]

A companheira de Lampião seria tratada com o melhor da farmacopeia cangaceira: para machucados à bala, nada mais indicado do que aplicar na ferida raspas de quixabeira e, por cima, um emplastro de pimenta malagueta. Havia ainda a opção de ministrar ao doente o chá de pinto, preparado da seguinte maneira: um filhote de galinha, preferencialmente vivo, era colocado dentro de um recipiente e, com um pilão, amassado até se transformar em uma pasta. Aos restos mortais do bicho era adicionada a casca cozida da folha verde da quixabeira. Por fim, a gororoba era coada em um retalho de morim (um tecido de algodão) e servida ao enfermo.

Depois de beber o chá de pinto, esperava-se que o paciente vomitasse. Se isso acontecesse, era sinal de que o sangue se espalhara e, em breve, o felizardo estaria curado. Do contrário, instaurava-se a preocupação. Mas receio mesmo sentiam os cangaceiros quando os baleados emanavam cheiro de fezes. Perfuração nos intestinos era motivo para preparar a mortalha. Segundo uma máxima do bando, "fedeu a cocô, fede a defunto".

Jovem, forte e saudável, Maria de Déa logo se recuperou do tiro nas costas. Quatro dias depois de chegar ao Riacho do Saco, sentia-se forte o suficiente para, com os demais cangaceiros, escalar a serra do Tará, vencer penhascos e pegar o rumo da serra do Buíque, a setenta quilômetros dali, onde fariam pouso na casa do coiteiro José Osina até que Maria estivesse totalmente curada.[4]

Como não sabiam atirar, as mulheres eram alvos fáceis dos caçadores de cangaceiro. Joana Gomes, apelidada de Moça, era uma exceção. Conseguia manobrar um fuzil com maestria, apesar de não gostar de combates. Porém, não fugia de uma boa contenda. Tentava, na medida do possível, fazer valer a própria vontade. Devido ao comportamento, era tida como geniosa e briguenta por seus pares.

"Alta, magra, testuda, sarará", dona de "cabelo muito corrido para trás que emprestava ao conjunto uma aparência de calvície", conforme a definição usualmente discriminatória de Estácio de Lima, Moça pertencia a Cirilo.[5] Mesmo chateado com o episódio em que Lampião matou seu amigo que trabalhava na estrada de rodagem, ele voltara ao grupo depois de assassinar o irmão, Antônio. Durante uma festa, embriagado, quis agarrar a noiva do rapaz, que interveio contra o ataque. Ali, na presença de todos os convidados, Cirilo puxou a arma e atirou no irmão. Antes de tombar sem vida, ele teria gritado, surpreso: "Me matou, Cirilo!".

Em dada ocasião, no coito, Moça cismou de lavar os pés numa bacia de uso coletivo. Mas não queria ter trabalho. Cirilo estava em serviço e ela pediu então ao cangaceiro Zé Sereno — que recontaria a história, no futuro — para que amornasse uma água no fogo, enchesse a bacia e lhe higienizasse os membros inferiores. Zé Sereno era sobrinho de Cirilo — daí também por que Moça, na condição de "tia", sentia-se autorizada a agir daquela maneira. "Não lavo nada! Só lavei os pés de minha mãe quando ela estava doente", respondeu Sereno, segundo sua própria versão.

No dia seguinte, Cirilo estava de volta ao coito. Moça foi correndo contar a ele a escaramuça com Zé Sereno. Bravo, Cirilo foi tomar satisfações com o sobrinho. "Ou lava os pés de Moça ou apanha", ameaçou. "Tô sentido mesmo de o senhor ter morto tio Antônio. Não lavo o pé de ninguém", respondeu Sereno, apontando o fuzil para o parente. Cirilo, com apenas uma singela vara na mão, percebeu-se em desvantagem e deixou a conversa por aquilo mesmo. Se quisesse os pés limpos, Joana teria que cuidar da lavagem por conta própria.

Cirilo não era de fazer as vontades da mulher, tampouco se destacava pelo cavalheirismo. Se ficara do seu lado na briga com Zé Sereno, era mais por ter se sentido afrontado na posição de tio. Em julho de 1935, Joana tinha acabado de dar à luz. Estava, desde os últimos momentos da gravidez, vivendo com o companheiro no subgrupo de Corisco, pousado na fazenda Salgadinho, em Água Branca. Dadá, que se encontrava no estágio final de sua quarta gravidez, viu quando Cirilo empurrou a mulher para dentro da residência, violentamente, por ela se recusar a seguir suas ordens de sair da chuva. "Eu fico onde quero", teria dito a recém-parida, conforme contaria Dadá, despertando a ira do cangaceiro.[6]

Dias depois do desentendimento, Cirilo deixaria Moça para mais uma missão caatinga adentro. Quando partiu, ainda bravo com a companheira, não sabia que jamais voltaria a vê-la. Durante assalto a um caminhão, foi morto pelos passageiros — dentre eles, o subdelegado Agripino Feitosa. O cabra Limoeiro, que o acompanhava na missão, conseguiu fugir.

Morto, Cirilo comporia uma das imagens mais perturbadoras da gesta cangaceira. Seu corpo seria amarrado a uma tábua e colocado de pé, encostado a uma parede. Os quatro passageiros que reagiram ao assalto se posicionaram ao seu lado, apoiados em rifles, e posaram para a foto, que seria publicada no *Diário de Pernambuco*. No retrato, Cirilo, com seu farto cabelo partido de lado e a barba cerrada, parecia não ter pescoço, como se a cabeça tivesse sido colada ao tronco.[7] Para muitos, teria sido exatamente isso o que acontecera: alguém o degolou e depois, para deixar a foto mais impactante, posicionou a cabeça sobre o tronco, disfarçando a gambiarra com auxílio de um lenço.

Quando publicou seu romance *Angústia*, no ano seguinte, o escritor Graciliano Ramos faria alusão à imagem. "A figura que me veio ao espírito foi a de Cirilo de Engrácia, terrível, amarrado a um tronco, o cabelo comprido ensombrando o rosto, os pés suspensos, mortos", espanta-se, na obra, o personagem Luís da Silva.[8]

No bornal de Cirilo de Engrácia, seriam encontradas delicadas roupinhas de recém-nascido. Entre um serviço e outro, o cangaceiro aproveitara para pegar uma encomenda para Dadá: o enxoval de seu bebê, que estava prestes a nascer.[9]

Moça não teria tempo para lamentar a morte de Cirilo. Tão logo foi informado por Limoeiro da morte do colega, Corisco achou mais seguro deixar a fazenda Salgadinho. O grupo recolheu os pertences e tomou direção da fazenda Beleza, no município de Pão de Açúcar, em Alagoas.

Dadá ficou arrasada. Mais uma vez, não teria a felicidade de comer "galinha de parida". Para ajudar no fortalecimento da mulher depois do parto, os cangaceiros tinham o hábito de matar e assar capões, engordados especificamente para esse fim. A exemplo do que ocorrera em seus outros partos, teria que deixar o coito antes que se tivesse tempo para preparar a iguaria. Não havia como transportar os bichos na viagem.

Logo no início da jornada, Dadá começou a sentir contrações. Mal conseguia ficar em pé, mas tentava firmar o passo para não aborrecer Corisco. Pensou em comentar algo com o companheiro, mas temeu levar uma bronca. A situação era ainda mais complicada porque a chuva forte atrapalhava a visão da mata, aberta com golpes de facões.

Às vezes, sentindo o que chamava de "dor divina", Dadá caía em meio aos espinhos e era reerguida pelos colegas. Então firmava as alpercatas nos pés e prosseguia a viagem, respondendo estar apenas cansada e molhada aos que perguntavam o motivo daquela cara de sofrimento.

Para chegar à fazenda Beleza, o grupo precisava cruzar o trecho de um rio. Ainda chovia forte no momento em que iniciaram a travessia. Dadá, que não sabia nadar, ficou em pânico com a força da correnteza, vendo a hora de ser carregada. O pedaço era fundo — a água batia no queixo da cangaceira. Depois de suportar tanto martírio estoicamente, a mulher arregou. "Me tirem daqui, que o menino vai nascer dentro d'água."

Assustados, os cabras se juntaram para carregar a cangaceira, posta deitada dentro de uma barraca erguida às pressas por Corisco tão logo deixaram o rio. Dadá fazia força para expelir o bebê, mas sentia o pé da barriga vazio. "Corisco, o menino tá atravessado!", gritou. O Diabo Louro se pôs a rezar em nome da Nossa Senhora do Bom Parto ao mesmo tempo que, com os dedos, massageava a barriga da mulher. Moça tentou mudar a posição da criança, fazendo fortes movimentos com as mãos sobre o ventre da amiga.

Como nada desse jeito, Dadá teve uma intuição, conforme relataria décadas depois. "Me sacudam com as pernas pra cima."

Com a força que lhe era característica, Corisco virou a mulher de cabeça para baixo e sacolejou-a vigorosamente. Assim que foi posta de novo no chão, Dadá pariu o quarto filho. Apesar das dificuldades, a criança nasceu forte e em perfeita saúde.[10] Aquele era o dia 29 de agosto de 1935. Catorze dias depois, o garotinho — cujo rosto tinha todos os traços da mãe — foi encaminhado para o padre José Hermano Bulhões, vigário de Santana do Ipanema, em Alagoas, com o seguinte bilhete:[11]

> Ilmo. Exmo. Snr. Reverendíssimo Vigário Da Igrezia de Santa Do Ypanema Bulhanzes dezejo que esta va li encontrá gozando perfeita Saude y pás de espírito a si com os que li forem caros. Sinhor Bulhanzes segue em companhia desta carta este menino para u Snr. Criá como seu filho y educá da forma que puder. A madrinha he nossa Sinhora y um padrinho he u Snr. mesmo pesso au Bom Vigário que crie este menino da milhor forma que puder u pai do menino sou eu capitão Christino Gomes da Silva Cleto conhecido por Curisco. A mai do Menino he Cerja Maria da Conceição conhecida por Dadá. Capitão Curisco chefe de Grupo dus Grandes Cangaceiro.

Sílvio, como o menino viria a ser batizado, receberia educação esmerada.

A moda pegara. Depois do retrato de Cirilo morto em pé, corpos de outros quatro cangaceiros seriam fotografados amarrados em tábuas e apoiados na parede. Mas, no lugar de empertigados assassinos, os defuntos dividiam o retrato com um caixão.

Os assassinos podiam contar com motivos para orgulho, mas tinham juízo suficiente para não sair alardeando o feito aos quatro ventos do sertão. Eram coiteiros que, perseguidos pela polícia, haviam decidido armar uma emboscada para matar os cangaceiros e, assim, conquistar a simpatia das forças. Na luta com os bandoleiros, na fazenda Aroeirinha, um dos traidores, Félix Alves, acabou morto. Era dele o corpo que jazia no caixão.

A execução dos bandoleiros acabaria por se revelar uma péssima ideia. Os dois fazendeiros sobreviventes não foram recebidos como heróis pelas forças de Alagoas, estado onde ocorrera a chacina. A pressão sobre eles não passava de jogo de cena. Um dos tenentes da polícia alagoana, José Joaquim Grande, atuava como fornecedor de armas para os bandoleiros. Para piorar, um dos mortos era primo de Dadá — o cangaceiro Limoeiro, que escapara do assalto que culminou no fim de Cirilo de Engrácia. No que dependesse da influência de Dadá sobre Corisco, a vingança seria cruel.

E foi. Na fazenda Jaburu, Moita Brava, subordinado ao Diabo Louro, matou os jovens roceiros Zezinho, Messias e Cazuza, cujo único crime era serem filhos de Saturnino, velho amigo de Antônio de Amélia, um dos coiteiros que armaram a emboscada para os cangaceiros.

Mais tarde, na fazenda Lagoa do Couro, os rapazes de Corisco executaram três crianças — os meninos Jorge, João e Benedito — e queimaram o paiol de algodão e os chiqueiros de bode da propriedade de Martins Vieira, parente do mesmo Antônio. Antes de deixar a fazenda, mataram duas vacas.[12]

A passagem de Dadá de menina inocente e brincalhona para mulher fria e vingativa se processava em alta velocidade. O pequeno punhal de cabo de prata que, em seus primeiros tempos no cangaço, fazia as vezes de brinquedo evoluíra para uma perigosa arma. Dizia que era "para matar gente feia que não tem dinheiro", conforme ouvira, de gente próxima a ela, o então soldado Joaquim Góis. As ameaças que, segundo consta, jamais seriam cumpridas não representavam o maior perigo vindo de Dadá. Era a naturalização da violência e o incentivo para as práticas bárbaras de Corisco os principais indicativos da transformação da cangaceira.[13]

O ano de 1935 teria como saldo uma grande conquista e o começo de uma onda de problemas para os cangaceiros. A boa notícia era que, em abril, o médico Eronides de Carvalho, retratista ocasional e grande admirador de Lampião, venceria as eleições indiretas para o governo de Sergipe. Conforme explicaria tempos depois seu irmão e secretário particular, Raimundo Ferreira de Carvalho, a questão era que o presidente Getúlio Vargas jamais lhe dera ordens para combater o cangaço. E, de mais a mais, Virgulino podia ter seus defeitos, mas nunca causara problemas às propriedades da família.[14]

A má notícia consistia na reação do governo à eclosão da Revolta Comunista. Deflagrado em Natal (RN), em novembro de 1935, o levante armado fora organizado pela Aliança Nacional Liberal (ANL) e tinha por objetivo derrubar o presidente Vargas e colocar em seu lugar o líder comunista Luís Carlos Prestes. Sem conseguir adesão popular, a revolta foi facilmente debelada pelo governo depois dos levantes em Recife e no Rio de Janeiro.

O chefe da ANL, a quem Lampião devia a oportunidade de ter conhecido padre Cícero (no episódio em que recebera modernos fuzis do Exército, farta munição e a falsa patente de capitão para combater a Coluna Prestes), tinha os cangaceiros na conta de camponeses revolucionários. Tratava-se não apenas de uma opinião assumida em artigos nos jornais, nos quais descrevia

Lampião como um combatente que tirava dos ricos para distribuir aos pobres, tal qual Robin Hood, como também de estratégia política. Durante sua temporada de formação em Moscou, Prestes convencera o comando da Internacional Comunista da necessidade de aproximar os bandoleiros da caatinga dos revolucionários brasileiros, vinculando-os às causas operária e do campesinato.[15]

Por ocasião do VII Congresso Mundial da Internacional Comunista, um estudo referente à América Latina e ao Caribe apontava, no começo de 1935, a boa condição pré-revolucionária do Nordeste do Brasil, em função do "movimento insurrecional dos camponeses". Citava a figura já mundialmente famosa de Virgulino Ferreira da Silva. O documento informava ser o Nordeste o palco privilegiado "onde atuam os destacamentos guerrilheiros de Lampião e de outros".[16]

O Rei do Cangaço e seus rapazes, contudo, de comunistas não tinham nada. Estavam muito mais próximos da burguesia, representada na figura de tenentes, coronéis e chefes políticos, do que do proletariado, formado por sertanejos pobres que viviam entre a cruz e a espada, vitimados pela violência de soldados e cangaceiros, pelo abandono do governo e pela inexorabilidade das secas.

Para azar do capitão Virgulino, a revolta comandada por Prestes colocaria cangaceiros e comunistas em uma mesma categoria: a de inimigos do regime Vargas.[17] A "ameaça vermelha", fortalecida por meio de um movimento armado (ainda que fracassado), acabaria por fazer o governo federal despertar da letargia que lhe permitira esquecer do plano, elaborado depois da chamada Revolução de 1930, de dar fim a uma barbárie que punha em xeque seu projeto de construir um país moderno. Um país que não ornava com sertanejos em fúria, marcando mulheres como gado e abatendo homens como pássaros — ainda que a selvageria ocorresse bem distante da Zona Sul carioca, no longínquo sertão do Nordeste brasileiro.

13

Tiraram a minha farda
Depois me puseram nu
Me deram tão grande surra
Com facão e couro cru

Os cangaceiros atraíam o interesse não apenas dos comunistas da União das Repúblicas Socialistas Soviéticas, mas também da Alemanha nazista comandada pelo *führer* Adolf Hitler. Em 1935, pelo menos duas grandes corporações investiram dinheiro no grupo de Lampião: a Bayer, gigante da indústria farmacêutica, e a Zeiss, uma das maiores indústrias de ótica do mundo. A ideia era que, tendo Virgulino, Maria de Déa, Corisco e Dadá como garotos-propaganda, as empresas aumentassem a venda de seus produtos no Brasil.

O plano começara a se engendrar no começo daquele ano, quando o fotógrafo e cinegrafista sírio-libanês Benjamin Abrahão se dirigiu ao escritório da Aba Film, em Fortaleza, com uma ideia mirabolante. A empresa de material fotográfico e de produção de imagens, recém-aberta na capital cearense por Ademar Bezerra de Albuquerque, funcionário do Bank of London & South America Limited, tinha a representação exclusiva da Zeiss no estado. Abrahão vivia no Brasil desde 1915, quando desembarcara no porto de Recife, aos catorze anos, para escapar do alistamento militar obrigatório da Síria (que, na época, incluía o território do que viria a ser o Líbano) em plena Primeira Guerra Mundial.

Depois de perambular pelas cidades do sertão nordestino como mascate, Abrahão se fixou em Juazeiro do Norte, interessado no potencial de compras dos romeiros que acorriam à região para venerar padre Cícero, tido como milagreiro desde que se espalhara a história da transformação de hóstia em sangue na boca de uma de suas beatas. A vida errática do imigrante começaria a se estabilizar depois de conhecer o Padim, entusiasmado com a presença, em Juazeiro, de um conterrâneo do filho de Deus — sempre que encontrava uma oportunidade, Abrahão dizia ter nascido em Belém, terra de Jesus Cristo. Convidado a trabalhar como seu secretário particular, ele ocuparia o cargo até a morte do sacerdote, em julho de 1934.

Na fúnebre ocasião, vendo-se desempregado, Abrahão teria aproveitado o momento em que tirava uma foto do corpo de Cícero para arrancar-lhe uma mecha do cabelo. Nos meses seguintes, pagaria as contas com o dinheiro arrecadado com a venda dos fios, até que a aparente capacidade reprodutiva capilar do padre começasse a despertar a desconfiança de seus compradores e o sírio visse minada a fonte de recursos.

Foi então que lhe veio à mente a tal mirabolante ideia para sair do atoleiro: convencer grandes patrocinadores a financiarem uma jornada épica sertão adentro à procura de Lampião. Tão logo estivesse frente a frente com os bandoleiros, em vez de entregá-los à polícia, filmaria e fotografaria o grupo para um audacioso documentário que, dada a fama de Virgulino, deveria ganhar o mundo.

Benjamin Abrahão demonstrara aos potenciais parceiros as razões para sua convicção no êxito da empreitada: já estivera com Lampião, em 1926, por ocasião da visita deste a padre Cícero. Virgulino, portanto, saberia estar diante de homem de confiança, um servo do santo milagreiro. Isso seria o suficiente para lhe abrir veredas.

Depois de gastar muita saliva em seu português precário, carregado de sotaque a despeito dos anos no Brasil, Abrahão conseguiu convencer seus interlocutores da viabilidade do projeto. O patrocínio da Bayer foi aprovado na sucursal brasileira da empresa, no Rio de Janeiro, cujo escritório ficava próximo à praça Mauá. Da Aba Film, representante da Zeiss, recebeu os mais modernos equipamentos para utilizar na empreitada.[1] No dia 10 de maio de 1935, Benjamin partiu de Fortaleza levando na bagagem uma caderneta, na qual anotava em árabe e a lápis as cidades por onde passava, uma filmadora Ica e uma máquina fotográfica Universal, com lentes Zeiss.[2] Também carregava revistas, jornais, cartazes de propaganda da Bayer e, segundo consta, um par de óculos com lentes da ótica alemã, oferta da firma ao capitão.[3]

Até o fim do ano, Abrahão permaneceria tentando encontrar os cangaceiros, pedindo aos coiteiros que entregassem a Lampião seus bilhetes solicitando um encontro — e aos quais anexava uma foto de sua autoria de padre Cícero no caixão.[4] Em janeiro de 1936, estava esgotado. Nas caminhadas entre um coito e outro, enfrentara a fome e a sede com as quais soldados e bandoleiros estavam acostumados, mas que, para ele, representavam uma terrível novidade.

Contudo, não podia perder o ânimo. Afinal, tinha contas a prestar com os patrocinadores. Benjamin Abrahão precisaria rezar muito para padre Cícero iluminar seus caminhos e levar-lhe ao encontro do "Cabitán Lambiúm", como o sírio-libanês pronunciava o nome de Virgulino.[5]

— Fale direito, seu macaco sem-vergonha!
— *Yo soy Andrés Zambrano. De la República de la Venezuela. Mis compañeros también son venezolanos.*

Notando a esquisitice do jeito de falar daquele jovem escoteiro de 22 anos, Lampião logo imaginou que seus cabras tinham razão. Aquilo só podia ser mesmo gente da polícia do Sul.

Fazia mais de um ano que o venezuelano Andrés Zambrano deixara Caracas, a capital do seu país, para uma aventura pelo Brasil. Acompanhavam-no outros vinte escoteiros, seus subordinados, todos empenhados em percorrer, a maior parte do tempo a pé, uma grande extensão do território brasileiro.

Nas conversas com nordestinos, os rapazes já tinham escutado muitas histórias macabras envolvendo Virgulino. Mas seguiam a jornada tranquilos, sem grandes preocupações, até o dia em que, durante uma parada para um lanche próximo a Águas Belas, em Pernambuco, foram surpreendidos pela aproximação de um grupo de 24 cangaceiros.

Ao jornal carioca *Diário da Noite*, que publicaria a história com destaque naquele 15 de fevereiro de 1936, Zambrano relataria que seu grupo foi obrigado a acompanhar os 24 cabras por cinco léguas, até chegarem a um clarão em meio à caatinga, iluminado por fogueira. Avistou Lampião sentado numa rede, contando cédulas e moedas de ouro e prata que tirava de um saco de couro. "Uma fortuna", afirmaria ao repórter do *Diário*.

Depois de tanto ouvir falar no homem, Zambrano ficou realmente maravilhado com o que testemunhava. Chamou-lhe a atenção, além dos calçados rústicos e "dedos cheios de anéis finos, com pedras preciosas", o que tomaria por uma "gravata vermelha, com um rico alfinete de brilhante" — certamente se referia à jabiraca amarrada ao pescoço. Zambrano também se impressionaria com a "cara enérgica" do capitão, bem como seus óculos de aro de ouro e uma mecha de algodão no olho esquerdo. "Tinha na cintura uma Parabellum, uma faca muito grande e um cinturão carregado de balas. Ao lado dele, na rede, um fuzil militar com a coronha incrustada de moedas que, eu verifiquei, depois, serem todas canadenses", completou.

Como o uniforme dos escoteiros venezuelanos parecesse suspeito — em tecido cáqui, acompanhado por um enorme chapéu de feltro preto, de abas largas —, os cabras concluíram se tratar de soldado paulista. E foi assim que apresentaram o grupo ao chefe, de modo que, por mais que se arriscasse em seu portunhol, o venezuelano não conseguisse fazê-lo mudar de ideia.

— Vocês querem me enganar, mas não me enganam não, senhor. Vieram a mando do governo federal me prender — insistia Virgulino.

Segundo relataria ao jornal, Zambrano foi amarrado, nu, a um tronco de árvore, junto com os outros escoteiros, e obrigado a beber café com sal e água com pimenta. Recebia mais castigos por ser o chefe da turma — seu uniforme trazia galões de capitão, o que certamente irritara ainda mais Lampião. Levou coronhadas no peito, tapas nas faces, pontapés em todo o corpo e cusparadas no rosto.

Por volta de meia-noite, Zambrano notou a aproximação de uma mulher de cabelo comprido. Era Maria de Déa. "Alta, bonita, esbelta, trajando culote, perneiras e camisa cáqui, como Lampião", descreveria o humilhado escoteiro. Ele observou quando a cangaceira se deitou na rede, junto ao companheiro, e perguntou pelas novidades. "Temos aí uns macacos de São Paulo que vieram atrás da gente", respondeu Virgulino, segundo o venezuelano. Curiosa, Maria pediu para ver o chefe do grupo. Embora os homens estivessem nus, Lampião não se opôs à visita.

"Era uma mulher regularmente ilustrada", contou Zambrano. "Expliquei-lhe quem éramos nós e o que estávamos fazendo. Pedi-lhe que interferisse a nosso favor junto de Lampião, porque tínhamos certeza de que ela tudo podia naquelas selvas e só com ela contávamos." Ainda conforme a versão do escoteiro, Maria aceitou verificar os documentos que os homens traziam consigo — e que permaneciam em poder de Lampião. Ao fim do exame, foi ter com o marido. Assegurou que os rapazes diziam a verdade e não tinha nada a ver com a polícia, quanto mais de São Paulo. "Já vem você com suas besteiras", teria dito o capitão. Ainda que os esquisitões fossem inocentes, era capaz de saírem dali correndo para contar à polícia sobre o esconderijo dos cangaceiros, argumentou.

Maria voltou a Zambrano e detalhou o temor do marido. "Jurei pela minha palavra de honra, pela minha pátria e pela minha família que não contaríamos nada", narrou o viajante. "Homem não tem palavra", respondera Maria, em tom de gracejo. "Há homens que não. E eu lhe dou a minha palavra de honra", devolveu o venezuelano, de acordo com sua narrativa para o *Diário da Noite*.

Embora não dissesse com todas as letras, Zambrano deu a entender ao repórter que Maria, ao vislumbrá-lo como veio ao mundo, entusiasmara-se com a visão. Depois de perguntar a idade do jovem, teria lhe feito certa corte. "'Menino, você é bem bonitinho', exclamou com um sorriso, batendo no meu ombro. E eu ainda estava nu, amarrado na árvore", narrou, envaidecido.

No dia seguinte, graças à interferência da Rainha do Cangaço, os escoteiros venezuelanos seriam soltos — são, salvos e pelados. Lampião se recusou a devolver-lhes os trajes.

Já haviam se passado dez meses desde o início da viagem quando, na caatinga alagoana, perto da cidade de Mata Grande, Benjamin Abrahão foi abordado pelos cangaceiros Juriti e Marreca. Tinham ordens para levá-lo até o capitão, que o reconheceu tão logo pôs os olhos em sua pele alva queimada pelo sol.

Embora dez anos tivessem se passado desde o encontro em Juazeiro do Norte, Lampião se lembrava perfeitamente do antigo secretário do Padim. "Não sei como você veio bater aqui com vida, cabra velho", comentou o Rei do Cangaço. Em seguida, convidou-o para almoçar à sombra de uma quixabeira. Degustaram bode assado com farinha de mandioca. E, para dar boas-vindas ao ilustre visitante, Virgulino mandou abrir uma garrafa de conhaque Macieira.

Embora estivesse faminto e sedento depois do árido percurso caatinga adentro, Abrahão não saboreou a refeição. Comeu o mais rápido que pôde. Estava ansioso para começar a fotografar o grupo. Na primeira oportunidade, armou o tripé, posicionou a câmera e mirou Lampião. Em mais de uma década como fugitivo da polícia, Virgulino aprendera a desconfiar até de assistente de santo. "Para. Primeiro a gente tira o seu retrato", ordenou. Precisava se certificar de que, daquela geringonça, não sairia bala.

Após bater uma chapa de Benjamin e percebê-lo inteirinho, sem nenhum furo, autorizou o início dos trabalhos. Mas, com pouco tempo, julgou por bem interrompê-los. "Basta. O resto fica para outra oportunidade."

O sírio-libanês entrou em desespero. Sabia como fora difícil conseguir uma oportunidade como aquela. Explicou a situação a Lampião, que não se comoveu. "Quem lida comigo precisa ter paciência", sentenciou. Como última cartada, o estrangeiro tentou deixar um novo encontro já acertado. Não obteve sucesso. "Sou homem que não tem pouso certo. Hoje estou aqui, amanhã posso estar na Bahia, Sergipe ou Pernambuco."

Depois de uma noite de sono, entretanto, Virgulino parecia mais receptivo. Pediu a seus cabras que convocassem os chefes de subgrupo que se encontravam viajando — Corisco, Virgínio, Zé Sereno, Labareda, Gato e Canário, dentre outros — para dar uma chegada ao coito tão logo tivessem um tempo livre.

Benjamin viu aflorar em Lampião um espírito de produtor cinematográfico, diretor de arte e preparador de elenco. Além de organizar a logística dos ensaios e das filmagens, logo começaria a sugerir cenas, ângulos e orientar a atuação dos "atores". De fato, o capitão agia bem ao mandar chamar os chefes de subgrupo para a gravação. Afinal, o filme precisava de mais atores. Além disso, as únicas mulheres do reduzido elenco eram as melhores amigas Neném e Maria de Déa — esta "é branca, bem parecida, com pele conservada, apesar de viver ao sol", conforme descreveria o sírio.[6]

Depois de cinco dias de convivência, entusiasmado com a brincadeira, o Rei do Cangaço acertaria um novo encontro com Benjamin Abrahão para dali a quatro meses. Era o tempo que o rapaz precisava para ir a Fortaleza, prestar contas com o dono da Aba Film e pegar mais negativos para as próximas tomadas.[7]

Pelo menos um dos cabras do primeiro escalão do bando não teria oportunidade de participar das fotos e filmagens: Zé Baiano, o ferrador de mulheres e assassino da esposa, Lídia.

Em 1936, Zé Baiano já consolidara sua fama de magnata do cangaço. Estimava-se que sua fortuna ultrapassasse os mil contos de réis. Para se ter uma ideia de quanto o montante significava, o capital declarado da empresa jornalística *A Noite*, do Rio de Janeiro, era de 1500 contos de réis.[8] Do valor pertencente a Baiano, setecentos estariam enterrados em garrafões de vidro na serra das Campinas, em Sergipe. Outros duzentos teriam sido emprestados a juros para comerciantes de Aracaju — Baiano trabalhava como agiota, tomando dinheiro de uns fazendeiros para emprestar a outros, cobrando valores exorbitantes pelo crediário. Naquele ano, a Pantera Negra dos Sertões tinha ainda contas a receber de fazendeiros e senhores de engenho dos canaviais, bem como boa quantidade acumulada em joias.

Por motivos óbvios, ninguém pensava em dar calote em Baiano. Este, por sua vez, costumava ser rigoroso com aqueles que se recusavam a lhe fornecer capital de giro a fundo perdido. Em abril, um homem que não lhe entregou o valor solicitado foi amarrado a um cavalo, arrastado pelo bicho ao longo do espinhento matagal e, depois, executado com um tiro.

Após matar Lídia, Zé Baiano escolheu a mata do povoado de Alagadiço, em Sergipe, como um dos seus pousos preferidos. Lá, contava com a ajuda do coiteiro Antônio de Chiquinho, pai de quatro moças: Lindinalva, Luísa, Salvelina e Avilete. Como tinha matado sua mulher, Baiano precisava arrumar outra — e vinha dando sinais de querer pegar Luísa para si. Embora fosse próximo a Baiano, ou justamente por causa disso, Chiquinho não gostava da ideia de ter o cangaceiro como seu genro. Mas seria bem difícil impor alguma dificuldade ao relacionamento, pois devia dinheiro a ele.

Portanto, não foi exatamente uma surpresa para muitos quando Antônio de Chiquinho e outros cinco sertanejos da região armaram uma emboscada que resultaria na morte de Baiano e de outros quatro rapazes de seu grupo. Baiano morreu a punhaladas e teve a cabeça separada do corpo com um golpe preciso de facão.

Com a morte da Pantera Negra, Antônio de Chiquinho se livrava, a um só tempo, das dívidas, dos achaques da polícia e da infelicidade de ver a filha nas mãos de um cruel ferrador e matador de mulheres. De sobra, ainda dividiria com os demais assassinos do cangaceiro todo o dinheiro que ele carregava consigo.

Há quem diga que os coiteiros, depois de matar Zé Baiano, assumiram-se como cobradores do bandoleiro e receberam dinheiro de muitos de seus credores. Para não atrapalhar a arrecadação, só avisariam às autoridades do ocorrido quando o defunto já contasse dezenove dias embaixo da terra.[9]

Se fosse só por causa da filha, Antônio de Chiquinho não precisava matar Baiano. Pouco antes de morrer, o cangaceiro tinha se decidido por outra mulher. Na verdade, uma menina: Sila, natural de Poço Redondo, a "capital" do cangaço, tinha apenas onze anos, embora a altura e a robustez das formas lhe dessem uma aparência de moça-feita.[10]

A notícia sobre o interesse da Pantera Negra havia sido dada a Sila pelo seu irmão, Gumercindo. "Tá lhe querendo!", alertou o rapaz, para desespero da menina, que desatou a chorar.

Órfã de mãe aos cinco anos e de pai aos nove, Sila era criada pelos irmãos mais velhos. Acostumara-se, desde cedo, a pegar firme no trabalho: era dela a obrigação de lavar as roupas e as panelas, além de carregar água da fonte até a casa. A vida podia até não ser uma maravilha, mas a menina preferia aquilo a ser mulher de Zé Baiano. Aliás, preferia morrer a partir com o ferrador.

No dia seguinte, Gumercindo anunciou que chegara a hora. Recebera a incumbência de levar a encomenda ao cangaceiro e não podia desrespeitar a ordem. Sila calçou um par de alpercatas velhas, botou seu vestido mais surrado e, de propósito, mal penteou o cabelo. Tinha a esperança de, assim, ser rejeitada pelo cabra.

No caminho, os irmãos precisaram atravessar um riacho. Sila se molhou inteira e, quando chegou ao coito, além de despenteada e malvestida, estava ensopada. Foi recebida por um grupo de oito rapazes — Zé Baiano entre eles. Ao ver a moça naquele estado deplorável, quis saber o que acontecera. "Ela tá com muito medo e caiu dentro d'água uma porção de vezes", explicou Gumercindo.

Zé Baiano e os outros cabras desataram a rir. Entre uma gargalhada e outra, o cangaceiro presenteou Sila com um punhado de joias. Confirmou que a queria como mulher, mas preferia que ela voltasse para casa e se acalmasse. Dali a alguns dias, mandaria alguém buscá-la.

Um tempo depois, a família de Sila recebeu a visita de um grupo comandado por Zé Sereno. Como Zé Baiano não estava entre os rapazes, a menina sentiu um imenso alívio. Entretanto, a alegria durou pouco. "Fiz um acordo com Zé Baiano e vosmicê vai ser minha mulher", informou Sereno. Não se tratava exatamente de um acordo, pois entre um encontro e outro, Zé Baiano, de quem Zé Sereno era primo, fora morto.

Sereno então ordenou à garota que o acompanhasse até fora da casa. Tirou uma das alpercatas e orientou Sila a calçá-la em seu pé esquerdo. A menina, pensando se tratar de uma simpatia, seguiu as orientações. Depois, levou-a até perto de um umbuzeiro, onde pronunciou palavras incompreensíveis e aplicou-lhe passes no corpo e na cabeça. Ao fim da cerimônia, assegurou que em breve voltaria para pegá-la em definitivo.

Não voltaria sozinho. Estava acompanhado de Luís Pedro e Neném, que afagou o cabelo da jovem e pronunciou, baixinho: "Uma criança". Horas depois, quando estivesse longe do casal, a menina "conheceria o sexo", como definiria o estupro do qual fora vítima. Uma "experiência ruim", "lua de mel amarga", segundo suas próprias palavras.[11]

14

Ouviu o pai da defunta
Dizer nesta exclamação
Sou culpado porque dei
Hospedagem a Lampião

Em meados de julho de 1936, Benjamin Abrahão estava de novo frente a frente com o grupo de foras da lei mais procurado do Brasil. Desta vez, sua estadia seria mais longa. Durante quase todo o segundo semestre, desfrutaria da convivência intensa com os notórios cangaceiros.

Nos primeiros momentos do novo encontro, Abrahão notou algo diferente no bando. Estavam com aparência saudável, de gente bem alimentada, e se vestindo com evidente capricho. Maria de Déa andava com os dedos abertos em leque, impossibilitados de manter outra posição devido à grande quantidade de anéis que lhe enfeitavam as mãos. Lampião, em vez do tradicional chapéu meia-lua, portava um elegante Ramenzoni de feltro. Até os cachorros de estimação, Guarani e Ligeiro, de Maria, e Jardineira, de Corisco, apresentavam-se gordinhos e impecáveis, com coleiras ornadas com detalhes em ouro.[1]

Ali, no meio do sertão de Alagoas, Benjamin filmaria e fotografaria o grupo em sua intimidade. Nas imagens que deixaria para a história, ficaria evidente o entrosamento que conseguira estabelecer com a turma, e o clima de alegria que envolvia as gravações.

O que faltava de espontaneidade aos registros sobrava em bom humor. Interpretando a si mesmos, os cangaceiros pareciam sentir um misto de orgulho e constrangimento pelo papel que desempenhavam. Mesmo nas cenas mais tensas, não seguravam o riso — caso de uma simulação de combate em que um cabra cai e é carregado pelos colegas. Até nos momentos mais contritos, como a simulação de uma missa, os bandoleiros agem como canastrões.

Na captação de imagens, Abrahão privilegiou a rotina do grupo, ainda que teatralizada. Os cachorros Ligeiro e Guarani são flagrados a todo instante passeando displicentemente no meio dos "tiroteios" ou seguindo Maria de Déa. Em uma das poucas cenas que parecem documentais, os cangaceiros, montados em seus cavalos, tentam capturar um boi. Na sequência, a naturalidade desaparece: enquanto tiram o couro do bicho, os homens olham para a câmera fixamente, desatentos à tarefa que fingem exercer. Nem mesmo Benjamin, que aparece em diferentes cenas, convence como ator. Quando recebe água das mãos de Juriti, bebe o líquido de maneira afetada, sem encostar os lábios na boca do cantil.

Entre todos os cangaceiros, homens e mulheres, seria Maria de Déa a mais cobiçada pela câmera — excetuando-se Lampião, razão maior da presença do cinegrafista amador ali.

Benjamin Abrahão fez questão de registrar Maria sendo servida pelo cangaceiro Sabonete, escalado como seu ajudante. Em dado momento, a câmera foca Maria sozinha, trajando seu vestidinho de seda com estampas delicadas, fazendo sinal com uma das mãos para que Sabonete se aproxime e lhe estenda um dos braços com vários colares pendurados. Na cena, uma Maria de ar autoritário põe as joias no pescoço, uma a uma, e por fim o chapéu, também entregue pelo acólito — compondo um quadro que, para cabra macho do sertão, certamente soaria embaraçoso. Ornamentada e protegida do sol, ela mira a câmera e com novo movimento de mão indica a Sabonete que se afaste.

Em outra cena, Maria sai de uma vereda com ar faceiro, seguida por Ligeiro. Anda na direção da câmera, para em frente a ela, tira o chapéu e sorri para a lente. Quando dá as costas para retornar à trilha — sempre acompanhada pelo simpático cachorro —, pode-se ver uma enorme fivela a lhe prender o cabelo comprido na altura do pescoço.

Durante a intensa convivência com os cangaceiros, Benjamin Abrahão ficaria surpreso com o relacionamento amoroso entre Lampião e Maria de Déa. Ao contrário da maioria dos casais do bando, o Rei e a Rainha do Cangaço se tratavam carinhosamente. Pareciam, de fato, gostar um do outro. Da parte de Lampião, as imagens do sírio-libanês demonstram a respeitabilidade que ele impunha à sua condição de primeira-dama. Maria aparece ao lado de Virgulino nas situações mais importantes, em plano privilegiado, com postura impávida que não se percebia em outras mulheres, como sua grande amiga Neném, cujas fotos revelam um constante ar desolado.

Abrahão capta o casal em um momento de privacidade, com Maria se esforçando para alcançar o topo da cabeça do companheiro e pentear seu cabelo de aparência ensebada — talvez por excesso de brilhantina. Lampião salpica perfume em si e na companheira, como marido e esposa se preparando, juntos, para uma ocasião especial. E, ao fim da cena, bem-humorado, o capitão faz graça com o cinegrafista, como se jogasse colônia nele também.

Embora não as registrasse, o fotógrafo e cinegrafista também presenciaria brigas do casal. Segundo observaria, Maria de Déa era, de fato, uma mulher ciumenta. Quando Lampião retornou de uma viagem três dias depois da data em que prometera voltar, encontrou a companheira furiosa, de acordo com o relato de Benjamin para Optato Gueiros, então comandante das forças volantes de Pernambuco, com quem ele se encontrara dias depois de terminar as filmagens.

"Já sei que essa demora toda foi em casa das Bezerras, não foi? Se eu fosse você, não voltaria mais! De lá mesmo eu me danaria no mundo", dissera Maria, conforme narrado por Gueiros. Lampião teria respondido com calma, dizendo estar faminto e pedindo que baixasse o tom de voz, para que as forças não a ouvissem gritar.

"Tomara que cheguem logo! Quando estou danada assim, só tenho vontade é de ver o diabo levar logo tudo para o inferno", respondera Maria, que dissera ainda, diante de um Virgulino impassível, não ter medo de nada — nem da tropa, nem dele. Por fim, fez troça de seu estado físico: ele chegara da viagem com a calça rasgada, exibindo as pernas finas de que Maria tanto caçoava.[2]

"Se é Bayer, é bom." Na tarja da extremidade inferior do cartaz de cem por oitenta centímetros, o slogan da empresa farmacêutica que atravessaria décadas aparecia destacado em letras brancas sobre fundo preto. O merchandising do analgésico Cafiaspirina, incluído no filme de Benjamin Abrahão, era tão sutil quanto a atuação dos cangaceiros. De natural, não tinha nada. Coube a Lampião o protagonismo da publicidade, distribuindo drágeas entre Maria de Déa, posicionada com destaque ao lado do anúncio, e outros oito cangaceiros paramentados como tais. Como não havia comprimidos suficientes para todos, no fim do quadro Virgulino entrega aos últimos da fila cápsulas imaginárias.

Depois, volta até a frente do cartaz e passa os dedos pelo letreiro, com olho na câmera de Abrahão, como se reforçasse o motivo pelo qual ministrara o medicamento a sua amada mulher e seus cabras. "Contra dores e resfriados, Cafiaspirina, o remédio de confiança", informava o anúncio preso a uma árvore no meio da caatinga.

Benjamin Abrahão tinha bons motivos para elevar as mãos ao céu e agradecer a intercessão do Padim Ciço. Afinal, conseguira realizar tudo o que planejara. Não apenas filmara o grupo em sua rotina mais comezinha, ainda que artificial, como ainda convencera o capitão, Maria de Déa e outros cabras a fazer propaganda do patrocinador. Tanta dedicação às filmagens leva a crer que, no borderô da viagem, houvesse uma rubrica relativa ao pagamento de cachê para os atores.

Outra explicação para o empenho seria a vaidade, como arriscara o jornal *Correio de Aracaju* em sua edição de 21 de outubro de 1936. Naquele mês, Abrahão fez uma pequena pausa nas filmagens e se deslocou até a capital sergipana para se abastecer de novos negativos. Enquanto aguardava a chegada do material vindo do Rio de Janeiro, aproveitava para fazer publicidade sobre seu trabalho e de seus financiadores.

"O sr. Benjamin Abrahão, que é um rapagão de esplêndida compleição física, faz parte da Aba Film, e há tido encontros vários com grupos de facínoras, sem que tenha sido incomodado, pois essas feras humanas são vaidosas e gostam de posar diante de uma objetiva", noticiava o *Correio*, informando, para quem quisesse ler, onde seria o próximo encontro do fotógrafo com os cangaceiros: tão logo recebesse os negativos, ele viajaria para "as fronteiras da Bahia, via Capela, Dores, Nossa Senhora da Glória, Monte Alegre, Cipó de Leite e Serra Negra".[3]

Na entrevista para o jornal, Benjamin Abrahão lamentaria não ter tido oportunidade de filmar uma invasão autêntica de cangaceiros a uma cidade, como a que acabara de ocorrer em Piranhas, nas margens do Velho Chico.

O ataque fora fruto de um boato que, desde o começo do ano, ganhava força em todo o sertão: o sargento João Bezerra, comandante do destacamento de Piranhas, além de fornecer armas e munições para Lampião, virava madrugadas ao seu lado jogando carteado. Dizia-se, inclusive, que o sargento não era honesto nas partidas. Por diversas vezes, trapaceava o capitão, que ficava uma fera e se queixava aos amigos dos maus hábitos do parceiro no jogo.[4] Tipo papudo, de lábios curvados para baixo e olhos muito juntos, Bezerra se orgulhava de ser exímio matador de onça e de ter aprendido a atirar com o cangaceiro Antônio Silvino, de quem era primo em segundo grau. Aos catorze anos, enamorara uma "menina de cor", como o próprio descreveu, e o pai, ao vê-lo acariciar a garota, aplicou-lhe uma surra. Revoltado, o jovem Bezerra fugiu de casa. Dez anos depois de provocar tamanho desgosto, orgulharia o pai ao se alistar como voluntário da Força Pública de Alagoas.[5]

Embora fosse muito bem casado com a alva Cyra de Brito, sobrinha de João Correia de Brito, o prefeito de Piranhas, o sargento também ciscava fora do terreiro. Segundo se comentava à boca pequena na zona do baixo meretrício piranhense, Bezerra era freguês assíduo de uma prostituta ironicamente apelidada de Santinha, jovem negra que também prestava serviços a Corisco.

Para se contrapor à fofoca sobre a amizade com Lampião, João Bezerra resolveu capturar algum cangaceiro. Daquele jeito, talvez conseguisse provar que estava do lado da lei. Então pressionou um vaqueiro, o coiteiro Lélis, conseguiu a informação de que o subgrupo de Gato estava pousado ali perto e se dirigiu até o local com um grupo de macacos.

Gato estava no endereço indicado, uma fazenda nas imediações, na companhia de dois colegas e da mulher Inacinha, grávida de quase oito meses — fora ela quem solicitara ao companheiro que acoitassem em local seguro, para que pudesse ter o bebê com alguma tranquilidade. Os soldados chegaram ao coito atirando e atingiram a gestante na nádega direita. Os cabras correram.

Homem violento, tido como um dos mais cruéis do grupo — embora risse muito, talvez para exibir os dentes de ouro —, Gato era paradoxalmente bastante apaixonado pela companheira.[6] Entrou em desespero ao perceber que não conseguiria evitar sua prisão. Ele bem sabia do que os agentes da lei eram capazes de fazer com mulher. Montado em um jegue, todo coberto de sangue, chegou ao acampamento onde estavam os subgrupos de Corisco, Virgínio e Português para pedir ajuda.

"Tomaram Inacinha, tomaram Inacinha", gritava Gato, ensandecido. Os colegas concordaram em ajudá-lo. Embora achasse Inacinha "muito enjoadinha", Dadá resolveu acompanhar o grupo. Maria de Pancada foi obrigada pelo companheiro a fazer o mesmo. Cristina, mulher de Português, escapou de ir porque estava grávida.

No caminho até Piranhas, um transtornado Gato saiu matando quem encontrava pela frente. Assassinou dez pessoas, incluindo crianças, parentes de coiteiros e um recém-nascido que dormia em uma rede. Seu plano era sequestrar Cyra, a esposa de João Bezerra, e trocá-la por Inacinha.

Quando chegaram à cidade, os bandoleiros foram surpreendidos por uma chuva de balas. Nas casas distribuídas nos altos dos morros que cercam Piranhas, diversos moradores, incluindo Cyra, dispararam contra os invasores. Agiam assim porque sabiam que a cidade estava desguarnecida, já que, depois de prender Inacinha, João Bezerra e demais soldados seguiram para a estação ferroviária de Olho d'Água do Casado.

Uma das balas atravessou o ventre de Gato e atingiu-lhe a coluna cervical. Em uma casa próxima ao palco da guerra, Dadá e

Maria de Pancada conseguiram uma cadeira de vime, com tecido de veludo vermelho, para transportar o ferido. Impossibilitados de seguir adiante com o plano de sequestrar Cyra, os bandoleiros deixaram a cidade.

Ao chegar ao acampamento, Gato delirava de dor. Não se alimentava e vomitava a todo instante. Para aliviar o sofrimento do colega, Maria de Pancada preparava-lhe cigarrinhos com fumo de rolo. Corisco pediu aos cabras para já irem preparando a sepultura. "Comadre, cadê a minha neguinha? Talvez tenha morrido", dizia Gato para Dadá, como ela relataria décadas depois. "Se acalme, você tem que arranjar o perdão de Deus", respondia, sem esconder do colega a gravidade de seu quadro.

No terceiro dia, o moribundo fumou um último cigarro preparado por Maria de Pancada, que jurava ter visto quando o homem fez uma careta e parou de respirar. "Acabou-se Gato", diria Dadá. O corpo do cangaceiro foi enrolado em uma coberta e enterrado na cova, sobre a qual os colegas plantaram uma macambira. No dia seguinte, o grupo deixou o coito.[7]

Inacinha, que não correspondia ao amor do cangaceiro, teria o bebê na prisão. Liberada pouco tempo depois, ela se casaria com um ex-soldado conhecido como Pé na Tábua.[8]

De todas as cangaceiras filmadas por Benjamin Abrahão, nenhuma superava em simpatia a jovem Durvinha, que deixara a fazenda Arrasta-pé para acompanhar Virgínio, o vistoso bandoleiro por quem se apaixonara. Durvinha parecia genuinamente alegre enquanto se aproximava da câmera, pistola em punho, embora tivesse pavor a armas. Em outra cena, dançando com Moreno, com Virgínio a espiar o baile de perto, agia como se estivesse em um forró de verdade.

Em outubro, pouco depois de gravar essas cenas, Durvinha trocaria o largo sorriso por um choro desesperado. No dia 25, Virgínio morreu em um tiroteio com as forças volantes em Pernambuco. Estava acompanhado pelo sentinela Moreno, o par de Durvinha na dança registrada por Abrahão. Moreno voltaria ao coito contando ter visto, primeiro, cair o chapéu; depois, o corpo do colega. A cabeça de Virgínio seria arrancada e os dentes de ouro, extraídos.

Embora gostasse de Virgínio, em quem apreciava a higiene e a beleza, Durvinha seria obrigada a aceitar a proposta de Moreno para ser sua mulher. Cabreiro — nunca foi com a cara de Benjamin Abrahão, de quem desconfiava a ponto de ter a bala sempre na agulha para matá-lo ao primeiro vacilo —, Moreno também era pouco afeito aos cuidados pessoais.[9] Não apreciava, por exemplo, andar perfumado. "Me encostei nele porque me vi sozinha, não tinha para onde ir", diria a cangaceira.[10]

Na sequência à morte de Gato e Virgínio, Lampião enfrentaria outra grande perda: Mariano, seu cabra desde 1924, morreria enfrentando a volante do implacável caçador de cangaceiros Zé Rufino. Assim como ocorrera com Gato, Mariano estava arranchado com um pequeno grupo de bandoleiros para que sua mulher, Rosinha, tivesse bebê. No ataque, ocorrido na localidade de Cangaleixo, no município sergipano de Guararu, a volante de Zé Rufino conquistaria três troféus: além da cabeça de Mariano, a mais importante, também as de Pai Véio e Pavão.

As cabeças foram expostas na escadaria de Porto da Folha, cidade próxima. Uma grande festa foi celebrada em frente à igreja para comemorar a captura. No caminho para Jeremoabo, os macabros "troféus" fizeram uma parada na cidade alagoana de Pão de Açúcar. Antes de fotografá-los, o retratista os organizou ao lado de alguns dos pertences dos mortos, como bornais, chapéus e cantis. Os objetos mais valiosos haviam sido divididos entre seus algozes. Uma das maiores alegrias de soldado, depois de matar bandoleiro, era vasculhar os bolsos do defunto em busca de riquezas. Era dessa maneira que muitos policiais complementavam a renda do mês.[11]

Logo depois de ter o bebê — e ver Lampião enviá-lo para um padre em Pão de Açúcar —, Rosinha pediu ao chefe uma licença para visitar a família, os vaqueiros Lé Soares e Pureza, que já haviam perdido a filha Adelaide, raptada por Criança e morta no parto.[12] Queria espairecer antes de ser escolhida por outro cabra. O capitão concordou, mas impôs como condição que voltasse dentro de três dias. Passada uma semana, como ela não regressou — sua intenção era aproveitar a ocasião para abandonar o cangaço —, Luís Pedro pediu a Elétrico que fosse buscá-la. O companheiro de Neném já tinha acertado todos os detalhes com Virgulino.

De volta ao coito, Rosinha foi orientada a seguir com três cangaceiros mata adentro. Com poucos metros de caminhada, levou um tiro nas costas. Foi morta à queima-roupa por Pó Corante, um dos colegas de quem mais gostava no bando. Era o preço a ser pago por ter tentado burlar as regras do Rei do Cangaço. Mulher não tinha querer, quanto mais mulher de cabra morto.[13]

Nesse ponto, pelo menos, Corisco costumava ser mais maleável do que Lampião. "Não queria saber de matar gente do grupo. Se o marido morreu, com ele não tinha esse negócio de obrigar a se amigar com outro a pulso", contaria Dadá.[14]

Com a execução de Cirilo de Engrácia, Joana Gomes — a cangaceira Moça — acabou se juntando a Jacaré. Passaram-se poucos meses da união até que Jacaré também tombasse morto. Os cabras começaram a achar que Moça dava azar e, em vez de assassiná-la, como certamente ocorreria se estivesse sob as ordens diretas do capitão, Corisco decidiu pela sua expulsão do bando.[15]

Talvez o azarento fosse Benjamin Abrahão, mas ninguém considerou essa possibilidade ("dar azar" parecia ser uma prerrogativa das mulheres). O fato é que, desde que chegara ao grupo, pelo menos seis cangaceiros tinham sido aniquilados — dentre eles, cabras do quilate de um Gato, um Mariano e um Virgínio. Inacinha fora presa; Rosinha, morta. Em novembro, mais uma mulher daria o último suspiro no cangaço. E se tratava de peixe grande: a melhor amiga de Maria de Déa.

Sila, a nova companheira de Zé Sereno, afeiçoou-se a Neném desde o primeiro instante em que a viu. Ao seu primeiro gesto de carinho com a jovem, afagando seu cabelo e se impressionando com sua pouca idade, se seguiriam muitos outros. Neném presentearia a menina recém-raptada com um culote e lhe daria conselhos quando a visse chorando pelos cantos. Recomendava que secasse as lágrimas e se conformasse, visto ser aquela situação incontornável. Também passaria à jovem as informações básicas sobre a rotina no coito. Por exemplo, como tomar banho tranquila, na certeza de que não seria espiada pelos cabras. Pelo menos, quando ela estivesse com Neném. Se soubesse que um rapaz admirara sua mulher nua, dizia a experiente cangaceira, o companheiro Luís Pedro meteria uma bala no meio dos olhos do safado.

Poucos dias depois da chegada de Sila ao cangaço, o grupo se acoitou na fazenda Mocambo, na região de Itabiana, em Sergipe. Perto do anoitecer, quando os bandoleiros descansavam bebendo cachaça no gargalo, cerca de doze soldados comandados pelo Sargento Luz invadiram a casa, atirando em todas as direções. Por orientação de Neném, Sila se escondeu no quarto dos fundos, escapando ilesa. Sua protetora não teria a mesma felicidade. Seria atingida por uma bala, morrendo instantaneamente.[16]

Uma história macabra correria o sertão após a morte da mulher de Luís Pedro. Vendo-se sozinhos com Neném morta, os soldados teriam se revezado na profanação de seu corpo. Depois de saciados, por galhofa, liberariam o cadáver para o deleite de seus cachorros no cio.[17]

15

> Se não fosse essas caboca
> Não tinha graça o sertão
> Não brigava os cangaceiro
> Não havia Lampião

A transformação de Maria Gomes de Oliveira, a Maria de Déa, em estrela nacional começou no dia 29 de dezembro de 1936. Naquela terça-feira, os leitores de *O Povo*, de Fortaleza, viram, pela primeira vez, a imagem da mulher que largara o marido para viver com o fora da lei mais procurado do Brasil.

"Lampião, sua mulher e seus sequazes filmados em pleno sertão", informava a manchete do jornal, acompanhada de duas fotos. No primeiro retrato, o responsável pela façanha, Benjamin Abrahão (com a logomarca da Aba Film em destaque no estojo de couro que trazia a tiracolo), dá a mão para Lampião, como se firmasse um acordo. A atitude é testemunhada por sete aprumados cangaceiros. Em primeiro plano, Maria de Déa, com seu ar impetuoso, o cenho ligeiramente franzido e, como não escaparia aos olhares mais atentos, o vistoso par de pernas grossas.

No segundo retrato, Maria aparece ao centro, ladeada pelo marido e pelo fotógrafo, com o olhar fixo na objetiva e a mesma vestimenta da primeira imagem: chapéu de feltro escuro, vestido claro de mangas compridas com delicada estamparia e sandálias de couro enfeitadas com ilhoses. Cobrindo pés e pernas, uma meia de tecido grosso. Nas fotografias, a jovem ostenta, ainda, uma profusão de colares e anéis.

Embora trouxesse novidades em termos visuais, a reportagem de O Povo oferecia um texto praticamente copiado da edição do domingo, dia 27, do jornal Diário de Pernambuco. A gazeta do Recife havia dado um furo na concorrência com o relato do encontro entre o cinegrafista e o chefe dos cangaceiros, mas não oferecera imagens atualizadas de Lampião — a que circulava nas redações era de dez anos antes, quando estivera em Juazeiro —, tampouco revelava a feição de sua misteriosa companheira. Nas fotos do Diário, apareciam apenas cinco cangaceiros: Moça, que fora expulsa do bando; Inacinha, que se encontrava presa; Gato, àquela altura já morto; e Juriti e Marreca. Nenhum deles era grande motivo de curiosidade pública.

A ausência de imagens do Rei e da Rainha do Cangaço se tornava ainda mais incômoda à medida que a matéria avançava, com o registro das impressões de Benjamin sobre o casal, atiçando ainda mais o desejo de ver a fotografia dos dois. "A mulher do chefe não trabalha nem sábado, nem domingo, nem segunda-feira. Foi uma promessa", disse a respeito de Maria, confirmando a crescente fama de mimada da cangaceira, característica que tanto contrariava Dadá. A respeito do líder do bando, o fotógrafo deixaria escapar sua admiração. "Lampião é homem de poucas palavras. Quase não fala. Caboclo sabido e de uma discrição sem par", definiria, acrescentando não ter conseguido, apesar de enorme esforço, arrancar alguma declaração bombástica de Virgulino. "O capitão é ignorante, mas inteligência não lhe falta."

Depois da deixa do Diário, não era de admirar que a edição de O Povo com as fotos do casal esgotasse em questão de horas, "não obstante havermos duplicado a tiragem do jornal", como informaria a publicação.

No último dia de 1936, *O Povo* continuaria a alimentar o interesse do público com mais uma imagem inédita: um belo *portrait* de Maria de Déa, elegantemente sentada, com pernas cruzadas (e um joelho à mostra), mãos suavemente repousadas sobre seus cachorros. No retrato, Ligeiro, o cão que a seguia aonde fosse, encosta-se em sua perna, com aspecto carinhoso, oferecendo a cabeça para um chamego. Guarani, mais arisco, aparece em posição de ataque, com a boca aberta, como se latisse.

A foto da cangaceira, segundo a matéria, daria ao leitor "uma apreciação mais detida de seus traços fisionômicos, apresentando um par de pernas que deve ter sido o principal motivo da paixão ardente e calorosa que lhe dedica o 'marido'".[1] Ali, Maria de Déa solidificaria a fama de musa do cangaço — pelo menos, nos grandes centros urbanos.

No sertão, a formosura da cangaceira não seria uma unanimidade. Ao contrário dos leitores do litoral, que só conheceriam a versão de Maria empetecada para a câmera, seus colegas de bando a viam na aspereza do dia a dia catingueiro. Os homens, por razões compreensíveis, não se punham a celebrar os encantos da mulher do capitão. Com a rara exceção de Otília — a companheira de Mariano que fora presa e dera entrevista na prisão classificando-a como "muito bonita" —, Maria era tida, quando muito, como "normal". Era assim que a definiria Sila, para quem a companheira de Lampião pecava pela baixa estatura e excesso de gordura.[2] Dadá diria que Maria, embora quisesse ser mais do que as outras, era apenas "bonitinha e alvinha".[3]

Indiferente às maledicências, o *Diário de Pernambuco*, em sua edição de 17 de fevereiro de 1937, compararia a cangaceira à famosa atriz sueca que, naquele ano, seria indicada ao Oscar de melhor atriz pela atuação no filme *A dama das camélias*: "Tem aí os nossos leitores uma pose feita, com toda dignidade cinematográfica de uma Greta Garbo, pela famigerada Maria Oliveira, vulgo 'Maria do capitão', companheira do famoso bandoleiro Lampião".

"Maria do capitão é a única pessoa do grupo que exerce ascendência moral sobre o chefe cangaceiro. Por vezes, Lampião hesita em lavrar uma sentença de morte e é ela sempre quem resolve em última instância", relatava o *Diário*, informando, contudo, que a mulher raramente decidia a favor do réu. "Os asseclas de Lampião rendem-lhe as mais servis homenagens, tudo fazendo para não cair no desagrado dessa 'madame Pompadour do Cangaço', senhora de baraço e cutelo dos sertões nordestinos", concluía o texto, associando Maria de Déa à figura de Jeanne-Antoinette Lenormant d'Etiolles, francesa que foi amante do rei Luís XV, da França, de 1745 até pouco depois de 1750.

Assim como alçara Maria de Déa à condição de ícone da sensualidade, Benjamin Abrahão elevara a si próprio ao posto de herói do jornalismo. No dia 18 de fevereiro, para quem pensasse em desmerecer o mérito do sírio, o *Diário de Pernambuco* apresentava o fac-símile de um documento escrito e assinado por Virgulino, em seus estilo e garranchos inconfundíveis, atestando a proeza de Abrahão:

Ilmº sr. Bejamin Abrahão
Saudações
Venho lhi afirmar que foi a primeira peçoa que conceguiu filmar eu com todos os meus peçoal cangaceiros, filmando asim todos us movimento da noça vida nas catingas dus sertões nordestinos. Outra peçoa não conciguiu nem conciguirá nem mesmo eu consintirei mais.
Sem mais do amigo
Cap^m Virgulino Ferreira da Silva
Vulgo Capm Lampião

Para o governo, aquilo era uma tremenda desmoralização. Um estrangeiro meio amalucado, sozinho e desarmado, conseguira, em poucos meses, o que as polícias estaduais nordestinas e o governo federal, em quase duas décadas, não estiveram nem perto de alcançar: pôr as mãos em Lampião e seu bando. Não demoraria para que as fotos de Abrahão fossem utilizadas para zombar das forças de caça aos cangaceiros.

O fotógrafo e cinegrafista bem que tentara não criar problemas para policiais e coiteiros. Afinal, devia à colaboração de ambos o êxito da empreitada. "Esse povo está pensando que a caatinga é brincadeira. Perseguir Lampião é coisa muito difícil", amenizara, em entrevista ao *Diário de Pernambuco*.[4] "Não se pense que o soldado de quepe e com aquela perneira consegue penetrar as caatingas. Os bandidos usam as pernas enroladas com couro de bode, calças curtas e luvas", comparou. Abrahão assegurou ainda que a invencibilidade de Virgulino era fruto de sua capacidade de selecionar bons asseclas. "As histórias que nos contam por aí de que Lampião é protegido por A ou B não merecem crédito. Ele conta apenas com os seus cangaceiros", disfarçou.

Seu esforço seria em vão. "Herói do cangaço e galã do cinema", estampou, em manchete, o vespertino *A Nota*, do Rio de Janeiro. "Ora, se pôde a Aba Film mandar seus *camera men* fotografar os terríveis criminosos, assim também poderia o governo [...] enviar, juntamente com os peritos cinematografistas, um contingente policial para fuzilar os 'astros' do crime e, agora, da tela", sugeria a matéria.[5]

No dia 6 de março de 1937, *O Cruzeiro* publicaria uma sequência de fotogramas do filme de Benjamin Abrahão. As imagens eram ainda mais reveladoras da tranquilidade de que os bandoleiros gozavam em sua vida nas caatingas.

"Lampião gosta dos romances policiais. Ei-lo inteiramente absorto nas aventuras que escreveu Edgard Wallace, que certamente não imaginou ter semelhante admirador", informava a legenda da foto na qual Virgulino aparece sentado, com o fuzil apoiado em uma das pernas, livro aberto diante de si, com feição compenetrada.

Em outro quadro, o capitão, de sorriso aberto, costura a máquina: "Manifesta-se o espírito doméstico do matador", informava a legenda. Mais adiante, em imagem tida como uma das mais surpreendentes, o líder reza para seus subordinados: "Fé em Deus e fé no rifle", ironizava a revista, que traria ainda o registro do cangaceiro em vigília simulada, usando o monóculo, e de Maria penteando o cabelo do marido. "Seduzida pela fama de suas proezas, esta rapariga seguiu Lampião, tornando-se companheira do bandido sertanejo que hoje não dispensa a sua companhia", assinalava o texto.

Na mesma edição de 6 de março, a revista trazia uma matéria sobre um filme que tinha potencial para disputar a bilheteria com o documentário de Benjamin Abrahão — as duas obras estavam previstas para abril. "Maria Bonita no cinema", informava a reportagem sobre os bastidores da gravação do filme dirigido pelo francês Julien Mandel, baseado no romance homônimo de Afrânio Peixoto, sobre uma jovem do sertão baiano que carregava o fardo de ser excessivamente bela. Eliana Angel, a estreante e cândida atriz que interpretaria a personagem título, fora escolhida por Mandel por meio de um concurso divulgado nos jornais cariocas.

Desde 1910, Afrânio Peixoto, nascido em Lençóis, na Bahia, ocupava a cadeira número sete da Academia Brasileira de Letras. Sucedeu a Euclides da Cunha, autor de *Os sertões*, de cujo corpo fizera o laudo da autópsia — além de romancista, Afrânio também era médico legista. Tinha um especial interesse pelo estudo do hímen. Em um de seus estudos, resultado da observação de 2701 películas da intimidade feminina, observou que havia muito mais himens complacentes — ou flexíveis, que não rompem com a penetração — do que se imaginava. Isso permitiria a muitas mulheres se apresentarem como virgens mesmo já tendo mantido relações sexuais. Desse modo, mais do que a virgindade física, defendia Peixoto, deveria se considerar a "virgindade moral".[6]

O romance regionalista *Maria Bonita* inaugurou uma trilogia que seria completada com *Fruta do mato*, de 1920, e *Bugrinha*, de 1922.[7] O primeiro tomo, que ganharia pelo menos oito novas edições, acabaria por inspirar apelidos para muitas mocinhas garbosas.[8] Caso se chamassem Maria, era certo que alguém lhe salpicasse um Bonita.

Em abril, no entanto, nem o filme de Lampião, tampouco o de Maria Bonita, estreariam nas salas de cinema do país. No segundo dia do mês, os ouvintes do Programa Nacional, precursor de Voz do Brasil, seriam informados da ordem de apreensão do filme sobre o cangaço. O despacho, assinado pelo jornalista sergipano Lourival Fontes, diretor do Departamento Nacional de Propaganda do Ministério da Justiça, determinava ao chefe de polícia do Ceará que fizesse o recolhimento imediato do material, que se encontrava em poder da Aba Film. A justificativa era a de que a obra atentava "contra os créditos da nacionalidade".[9]

Manuel Cordeiro Neto, o general da reserva do Exército que à época ocupava a chefia da polícia do Ceará, atenderia à ordem, mas não de imediato. Antes de acatar a prescrição de Lourival Fontes, providenciou uma exibição especial do filme no Cinema Moderno, localizado na praça do Ferreira, em Fortaleza. Ali, uma plateia composta por jornalistas e autoridades militares assistiram a quinze minutos de filme, com as já divulgadas cenas dos cangaceiros em sua vida íntima. Se alguém ainda tinha dúvida de que se tratava de Lampião, e não de um sertanejo qualquer, a datilógrafa da repartição onde o general dava expediente deu o veredicto: aquele era o capitão. Seria capaz de reconhecer Virgulino até no escuro, pois muitas vezes ele visitara seu pai na fazenda da família em Brejo Santo.

O chefe da polícia do Ceará sabia há muito tempo sobre o trabalho do sírio-libanês. Ademar Albuquerque, o dono da Aba Film de quem o general era próximo, compartilhava com ele os bilhetes que recebia de Lampião. Nas correspondências, que chegavam às mãos do empresário por intermédio de Benjamin Abrahão, o capitão pedia binóculos, lanternas de mão, cortes de tecido, lenços de seda e miudezas afins. Antes de enviar as encomendas ao Rei do Cangaço, Ademar pedia autorização ao general. Quase sempre a resposta era sim.

"Lampião era muito pidão", se queixaria Cordeiro Neto, anos depois. O general, justiça seja feita, não atendia a todos os pedidos de Virgulino. Quando o cangaceiro solicitou o envio de balas para sua pistola, teve a demanda sumariamente recusada pelo general. Aquilo já era um abuso. "Que é que poderia vir depois disso?", ponderaria o militar.[10]

Antes de entregar o filme às autoridades, Ademar Albuquerque fez uma cópia do trecho preparado para a apresentação no Cine Moderno. Ao que tudo indica, conseguiu resguardar, senão todo o conteúdo exibido, parte considerável dele. O restante, aproximadamente quinhentos metros de filme, seria largado em um depósito da polícia do Ceará e danificado pela poeira e pela ferrugem das latas nas quais permaneceriam guardados.[11]

No começo de agosto, o filme *Maria Bonita*, a adaptação de Julien Mandel para o romance de Afrânio Peixoto, estrearia no Cine Palácio, no Rio de Janeiro, com boa recepção da crítica especializada — e sem ser ofuscado por Lampião. Segundo o *Jornal do Brasil*, tratava-se de obra disposta a "vencer as dificuldades de penetrar no âmago do sertão brasileiro e trazer até nossos olhos um pouco dos seus ambientes e os aspectos de sua vida agitada, com seus dramas, seus conflitos e todos os coloridos e matizes dos soberbos cenários da sua natureza prodigiosa".[12]

A ex-cangaceira Joana Gomes, a Moça, viúva de Cirilo e Jacaré, ficara famosa desde que sua imagem, capturada por Benjamin Abrahão, fora publicada no *Diário de Pernambuco*, em 14 de fevereiro. No dia 14 de abril, os jornais a entrevistariam na cadeia de Mata Grande (AL), onde se encontrava presa. Segundo a imprensa, Moça se entregara à polícia depois de ter sido expulsa do bando.

A julgar pelos trechos de sua fala destacados pelos repórteres, Joana Gomes estava aliviada com a expulsão. Reclamou sentir dor de cabeça ao presenciar tantos assassinatos, embora afirmasse nunca ter matado ninguém. "Nunca mais voltarei ao cangaço, nem que saia da cadeia", assegurou. Segundo informou, Jacaré cogitara se entregar às forças pouco antes de morrer, "abusado como estava da vida que a gente levava, pelas matas, feito bicho". Tais queixas, entretanto, não a impediriam de reconhecer as vantagens da vida fora da lei: "No bolso da gente nunca faltou dinheiro. Era de esbanjar. Quando escasseava, os homens atacavam as estradas, as fazendas, e pronto!".

A informação que mais interessara aos jornalistas, contudo, fora a de que Lampião tinha planos políticos. "Ele quer ser o governador de um estado constituído de pedaços de Alagoas, Sergipe, Pernambuco e Bahia", revelou Moça.[13]

É possível que Lampião estivesse, de fato, tão dono de si a ponto de levar tal ideia a sério. Sua popularidade aumentara com as imagens de Benjamin Abrahão, que mostraram um bandoleiro humanizado, apaixonado pela bela esposa, temente a Deus, carinhoso com os animais de estimação, prendado — a ponto de costurar com prazer — e até intelectualizado, encontrando tempo para ler romances policiais entre um combate e outro.

"Ele é bravo, violento e astucioso, e possui todas as virtudes de um conquistador. É um perseguido que se defende, um reformador incompreendido, que distribui prêmios e castigos e expropria os ricos em proveito dos pobres", escreveu, no *Jornal do Brasil* de 17 de abril daquele ano de 1937, o articulista que se assinava apenas como F, numa demonstração de que, para além de medo, Virgulino começara a despertar simpatias.

Não obstante as dificuldades impostas à imprensa pela Lei de Segurança Nacional, em vigor desde abril de 1935 — que previa penalidades para quem divulgasse "notícias falsas" —, os jornais continuariam encontrando brechas para criticar a leniência do governo na caça aos cangaceiros.[14] A imprensa sergipana destacava o fato de que Eronides de Carvalho, interventor do estado, havia assumido as ações executadas pelo governo da Bahia como suas. Como sabiam todos os espinhos de mandacaru do sertão, Carvalho dera ordens à sua polícia para não bulir com Virgulino.

Um exemplo dessa indevida apropriação de combates bem-sucedidos da força baiana como sendo da sergipana ocorrera em junho. Na ocasião, a volante do sargento Odilon Flor, da Bahia, entrara em Sergipe e matara os cangaceiros Mané Moreno, Cravo Roxo e Áurea. As cabeças dos três seriam expostas, no dia seguinte, na escadaria da prefeitura de Gararu.

Embora criticasse sua aparência, preferindo que ela fosse mais alta e magra, Sila gostava de Maria de Déa. Com a morte de Neném, a quem ambas tinham como melhor amiga, as duas se aproximaram. Nos primeiros contatos, dada a posição da Rainha do Cangaço, Sila achou adequado tratá-la por dona Maria. Mas foi repreendida. "Dona é mulher de coronel", respondeu.

Sila e Maria brincavam juntas de casinha. Na modesta bagagem que levara para o cangaço, a mulher de Zé Sereno incluíra suas bonecas: Rosinha e Branca. Ao ver os brinquedos, Maria se ofereceu para lhe costurar roupinhas e sugeriu que providenciassem outra boneca, para ser a empregada. A exemplo do que ocorrera com Dadá, Lampião manifestou algum espanto ao conhecer a menina. "Zé Sereno não queria mulher, mas sim uma filha", brincou o capitão.[15]

Numa das primeiras vezes em que Zé Sereno fez sexo com Sila, ela engravidou. Aos primeiros sintomas da gestação — cansaço e enjoos — imaginou estar apenas doente. Foi uma colega, Enedina, mulher do cabra Zé Julião, vulgo Cajazeira, quem lhe diagnosticou o estado interessante. Aos doze anos, Sila não fazia ideia de como se sentiam as grávidas.[16]

Como era comum entre as bandoleiras, Sila passaria os nove meses de gravidez de pouso em pouso, correndo das volantes e enfrentando tiros, fome, exaustão e sede. Tida como apetitosa pelo tenente Zé Rufino e seus soldados — que insultavam Zé Sereno, de longe, afirmando que iam pegá-la para lhe mostrar "o que é homem" —, a menina enfrentava um temor ainda maior de ser violentada.[17]

Perto de parir, Sila foi levada pelo companheiro para a fazenda Pedra d'Água, de dona Delfina. No dia em que sentiu as primeiras contrações, foi obrigada a fugir do lugar, às pressas, pois Sereno fora informado da aproximação da volante de Zé Rufino.

Na companhia de Maria de Déa e Adília (a mulher de Canário, que desejava a morte do companheiro), Sila permaneceu uma noite na casa do coiteiro Mané Tarará, nas proximidades do rio

São Francisco. De manhã, com a bolsa amniótica já estourada, precisou correr mais uma vez — recebera o aviso de que o local estava cercado por volantes. Depois de uma nova caminhada, daquela vez em situação ainda mais nervosa, conseguiria abrigo em uma gruta. Mal sentou para descansar do percurso e o bebê nasceu, em um parto sem complicações. De imediato, botou a criança no peito, para mamar e para que parasse de chorar. Afinal, as volantes estavam por perto.

No dia seguinte, a pedido de Sila, Lampião e Maria batizariam a criança. Depois de espirrar um pouco de água na cabeça do bebê, fizeram uma breve oração. "Que Deus te dê sorte, João do Mato", disseram, pronunciando o nome escolhido para o filho que, em menos de 24 horas, seguiria para longe da mãe. "A maior tristeza que tive na minha vida foi ter meu primeiro filho e dar para os outros criarem", desabafaria Sila, décadas depois. "Mas eu não podia criar, o jeito foi dar."[18]

O escolhido para ser o pai adotivo do menino foi o tenente Liberato de Carvalho, chefe de volante, ex-líder do comando da campanha de caça aos cangaceiros — e ex-inimigo de Lampião. Naqueles meados de 1937, Carvalho, que chegara a ser baleado em confronto com os bandoleiros, tornara-se aliado de primeira hora do grupo. Infelizmente, tanta disposição para colaborar com o bando não se reverteu em cuidados com o pequeno João. Apesar de ter nascido forte e cheio de apetite, o garotinho morreria três dias depois.[19]

Em poucos meses, outras duas cangaceiras dariam à luz. Dadá ganharia uma menina, Maria Celeste, enviada aos cinco dias de nascida para o coronel Sebastião de Medeiros Wanderley, do povoado Poço das Trincheiras, em Alagoas.[20] Sebastiana, nova mulher de Moita Brava — ela substituíra Lili, morta depois de ser flagrada nos braços de Pó Corante —, teria um menino na mesma época.

O escolhido para cuidar do filho de Moita Brava e Sebastiana foi o promotor de justiça Manoel Cândido Carneiro da Silva, o autor de *Fatores do cangaço*, obra que quase lhe rendera morte cruel por sangramento, não fosse a intervenção de Maria de Déa.

Ao bebê, Moita Brava juntou a seguinte correspondência:

Ilustríssimo sr. dr. Manuel Cândido u fim desta carta é somente para lhe oferecer esta criança para o sr. criar então faça de conta que será seu próprio filho, então foi nascido no dia 10 de outubro de 1937. (...) Bem, o sr. me desculpe o presente que lhe mando se faltei com o respeito lá haja de desculpar também o papel ser ordinário porque na ocasião outro melhor não encontrei nada mais do seu amigo cincero e criado seu Manuel eu agora que lhe darei o meu nome garbouso nome coronel Moita Brava e a mãe Sebastiana Rodrigues Lima. Algumas lembranças à comadre. Moita Brava, filho da Bahia.

Ao garotinho, o promotor de justiça daria o nome de Joaquim Manuel Calumbo.[21]

16

Lampião tem muita ideia
Sua vida está segura
Atirá nele é bobagem
A bala bate e não fura

"A morte de Lampião." No dia 12 de janeiro de 1938, os leitores do *Diário de Notícias*, do Rio de Janeiro, foram surpreendidos com a bombástica manchete. Virgulino Ferreira da Silva finalmente tinha se encontrado com o Capeta no inferno — ou com Deus no céu, a depender do ponto de vista de quem degustava a notícia. "Vitimado pela tuberculose, faleceu, em Sergipe, o maior bandoleiro do Nordeste", registrou o periódico.

No *Jornal do Brasil*, Benjamin Costallat — autor de *Mademoiselle Cinema*, um best-seller recolhido das livrarias sob a acusação de imputar contra a moralidade e os valores da família — escreveu sobre a morte em certo tom de condolência.[1] "Como nas velhas fitas que acabam sempre bem, o 'vilão' foi castigado", lamentou, assinalando que o bandoleiro fora vencido pela "doença romântica", como a tuberculose era conhecida por vitimar poetas do Romantismo, a exemplo de Castro Alves e Álvares de Azevedo. Para o articulista, sem Lampião, o Brasil deixaria de ser interessante aos jornalistas estrangeiros. "Os países, como os homens públicos, precisam de publicidade, de toda e qualquer publicidade", opinou.[2]

De fato, como observara Costallat, os repórteres estrangeiros gostavam de escrever sobre Lampião. Tão logo recebeu a informação sobre o fim do Al Capone dos trópicos, o jornal americano *The New York Times* incluiu a notícia em sua edição do dia 12 de janeiro. "Inimigo número um morre em sua cama no Brasil", destacou a publicação, dando ênfase ao fato de que, depois de cometer toda sorte de atrocidades pelo Nordeste, o bandoleiro sucumbira à tuberculose.

Em Recife, o *Diário de Pernambuco* dava mais detalhes sobre a morte. Esclarecia que havia ocorrido na fazenda Canhoba, de propriedade de Antônio Carvalho, o velho Antônio Caixeiro — pai de Eronides, o interventor de Sergipe. Segundo informara o jornal *A Noite*, era naquela fazenda que o "o cangaceiro costumava se homiziar".

De Aracaju, o interventor em exercício do estado, Carvalho Barroso, enviou um telegrama a Eronides de Carvalho, que se encontrava no Rio de Janeiro. No dia seguinte, 13 de janeiro, o teor da correspondência seria revelado pelo *Diário de Notícias* com a seguinte errata: "Lampião não morreu".

"Sr. Eronides de Carvalho. Estão chegando aqui pedidos de informações de agências telegráficas e correspondentes de jornais indagando se Lampião morreu na fazenda de seu pai de morte natural", escreveu o interventor, segundo o jornal. "Tratando-se de inominável perfídia e de invencionice deslavada, levo fato [ao] seu conhecimento", concluiu.

Demonstrando indignação, o governo de Sergipe prometeu instaurar um inquérito para apurar a origem da venenosa informação — "inteiramente falsa", segundo o jornal *A Noite* esclareceu na edição de 13 de janeiro: "O bandoleiro Lampião há três anos não faz incursão ao território sergipano, desde o advento do governo Eronides de Carvalho".

A verdade é que Lampião não estava morto, tampouco afastado de Sergipe — continuava, aliás, a se hospedar na fazenda de Antônio Caixeiro sempre que os negócios aconselhavam. Contudo, se não se rendera à tuberculose, também não se podia afirmar com segurança que estivesse totalmente livre de algum mal tão terrível quanto aquele. Fazia algum tempo que a saúde de ferro de Virgulino vinha dando sinais de fraqueza.

A suspeita de que o Jaguar Bravio do Nordeste pudesse estar amansando já tinha ocorrido a João Ferreira, único irmão de Virgulino que não entrara para o cangaço. Seis meses antes, em um encontro na cidade sergipana de Propriá, para onde se mudara após retornar de uma temporada no Piauí, João se assustara com o estado físico do mano. Achara-o velho e abatido. Na ocasião, aconselhou Virgulino a aproveitar tudo o que conquistara até ali — dinheiro e relações com figuras influentes da política — para abandonar o cangaço e recomeçar a vida distante do sertão, onde não seria reconhecido e poderia gozar de velhice tranquila. Afinal, já estava, na ocasião, beirando os quarenta anos, numa época em que a expectativa de vida no Nordeste não passava dos 42.[3] Lampião garantiu que o faria tão logo o amigo Eronides de Carvalho fosse designado presidente da República.[4]

Recorrente, o boato sobre a tuberculose do capitão ganhara força desde que o venezuelano Andrés Zambrano, o escoteiro salvo pela interferência de Maria de Déa, contara aos jornalistas que o cangaceiro tinha uma "tosse seca que não se acaba". O pigarro talvez pudesse ser resultado dos muitos cigarros que o cangaceiro fumava diariamente — além dos industrializados, como os da marca Yolanda, fabricados pela Souza Cruz, os bandoleiros consumiam produtos artesanais, feitos de palha, bem como charutos e cachimbos. Maria também fumava, mas procurava fazê-lo longe do marido.[5]

Na medida do possível, Virgulino e Maria de Déa procuravam cuidar da saúde. Devidamente vestida em trajes civis, com vestidinhos de seda e cabelo solto, a cangaceira visitava a cidade de Propriá quando precisava se consultar com um médico. Em 1936, havia estado no município para tratar de uma coceira e dor no olho esquerdo.[6] Voltaria à cidade outras vezes, por causa de males que iam de nervosismo a suspeitas de tuberculose.[7]

Um dentista prático costumava encontrar os cangaceiros para tratar de seus dentes, diariamente higienizados com folhas de juazeiro e palitados com espinhos de mandacaru.[8] Na necessidade de um atendimento mais especializado, Lampião podia chegar ao extremo de sequestrar um médico e liberá-lo apenas depois que o tivesse examinado, como fizera em 1932, nas proximidades da cidade baiana de Queimadas. O médico Constantino Guimarães, de Salvador, que estava na região para tratar de um surto de tifo, foi feito refém por Virgulino e liberado só depois de lhe assegurar que, exceto pelo olho defeituoso, nada depunha contra sua saúde.[9]

A despeito dos cuidados, a vida no meio da caatinga castigava o corpo de Virgulino. Os mais de trinta quilos de armas e munições que carregava para cima e para baixo provocavam-lhe dores nas costas e nas articulações. As longas temporadas sem água, não raro tendo que repor o líquido do corpo com a própria urina, tinham resultado em problemas renais. As dores provocadas pelo mau funcionamento dos rins impediam as caminhadas intermináveis sertão adentro, de maneira que se tornara mais sedentário do que nunca.[10]

Maria, aos 28 anos, podia não ser mais nenhuma menina para os padrões sertanejos dos anos 1930, mas ainda tinha uma energia que impressionara até mesmo a Benjamin Abrahão, o fotógrafo e cinegrafista para quem a indisposição nunca foi uma questão.

"A mulher demonstrava mais resistência do que eu", dissera para Optato Gueiros, comandante da volante de Pernambuco. "Enquanto me encostava a um tronco de pau mais morto do que vivo, ela, com a presteza de uma boa dona de casa, fazia fogo e cuidava de preparar alguma comida", narrara, classificando a Rainha do Cangaço como "uma heroína, forte no físico e na luta".[11]

O espírito enérgico fazia com que, nas temporadas mais longas nos coitos, Maria se dedicasse não apenas ao descanso, como também ao aprendizado de novas habilidades. Durante pouso na vila do Pau Ferro, no município pernambucano de Águas Belas, a cangaceira aprendeu a dirigir um automóvel. As aulas foram ministradas por Antônio Paranhos, motorista do coronel Audálio Tenório, dono do veículo. Na ocasião, Lampião não se interessou pela novidade. Preferiu apenas observar, à distância, as manobras da mulher ao volante.[12]

Virgulino, de fato, estava mais interessado em prazeres mais amenos do que aventuras a bordo de máquinas possantes. Daria provas de seu ânimo quase poético no dia 17 de abril de 1938, durante travessia pelo rio São Francisco. Lampião, Maria e mais dezessete cabras embarcaram em Sergipe, nas proximidades da fazenda de Antônio Caixeiro — onde, segundo boatos, o casal passara longa temporada cuidando da saúde —, com destino a Traipu, em Alagoas.

No meio do caminho, o barco no qual estavam sendo conduzidos cruzou com outro, vindo da cidade alagoana de Pão de Açúcar, onde viajava a banda de jazz da cidade. Ao se dar conta da presença dos músicos, Virgulino ofereceu 50 mil réis aos artistas para que fizessem uma performance especialmente para ele, no meio do rio. Sob a luz suave de uma lua cheia, a jazz-band encantou Virgulino com a execução de músicas de Cole Porter e Louis Armstrong.

A experiência idílica não impediria Lampião de, em terra firme, comandar suas atrocidades convencionais. Depois de um tempo inativo, era preciso reabastecer o caixa do bando. Em Traipu, os bandoleiros saquearam armazéns e residências e feriram à bala um sargento e um soldado que tentaram conter o assalto.[13]

Se forem verdadeiras as informações que circulavam pelo sertão, Maria de Déa tinha bons motivos para dar muitas de suas já famosas gargalhadas escandalosas naquele primeiro semestre de 1938. Segundo se comentava nas altas rodas, Lampião estaria negociando os termos de uma rendição com as forças repressoras do governo federal.[14] "Estou morto, não sou mais homem para tão cruel vida", teria dito a um amigo. Ao reproduzir a frase para Optato Gueiros, o interlocutor do capitão disse ter tido a impressão de que ele estava, de fato, tuberculoso.[15]

Em novembro de 1937, a implantação do Estado Novo — o regime ditatorial instaurado por Getúlio Vargas por meio de um golpe — provocara rachaduras na base de sustentação do cangaço, que já estava fragilizada desde a Intentona Comunista e a incorporação dos bandoleiros à luta revolucionária, ainda que eles não soubessem disso.

Com a centralização imposta pela nova Constituição, os estados perdiam autonomia — além de bandeira, hino e escudo oficiais.[16] Desse modo, protetores históricos de Lampião, como o interventor Eronides de Carvalho, de Sergipe, já não dispunham da mesma força e influência para garantir sua segurança. Mesmo a colaboração de figuras estratégicas, como o tenente João Bezerra, "o maior de todos os coiteiros", na definição de Corisco, estava comprometida.[17]

No começo de 1938, o major José Lucena de Albuquerque Maranhão, comandante do II Batalhão da Polícia de Alagoas, fora convocado por seu superior, o coronel do Exército Teodureto Camargo do Nascimento, para uma audiência de emergência em Maceió. Na reunião, um sisudo Nascimento avisou a um constrangido Lucena que não toleraria mais o "resultado deplorável" da até então fracassada campanha contra o cangaço. Era preciso identificar o "dedo misterioso" que permitia aos bandoleiros viver como quisessem no sertão. Informou que, a partir daquele instante, empregaria "medidas drásticas e até arbitrárias contra aqueles que fossem apanhados violando suas determinações".

Lucena bem sabia que o coronel não estava de brincadeira. Medidas drásticas e arbitrárias constituíam a regra em um país onde a novíssima Constituição previa a aplicação da pena de morte em casos para além dos previstos na legislação militar. Em maio de 1938, uma alteração na Carta Magna tornou obrigatória (e não mais facultativa ao legislador, como no texto original de seis meses antes) a aplicação da pena máxima para quem, entre outros crimes, atentasse contra a segurança do Estado e cometesse homicídio por motivo fútil ou de maneira extremamente perversa.

Após receber o pito do chefe, o major Lucena viajou até o sertão, convocou os comandantes das volantes — incluindo João Bezerra — e passou um sabão em todos eles. Repetiu o discurso do coronel e assegurou que pensava da mesma maneira. Não toleraria mais a existência de coiteiro e policial amigo de cangaceiro. Para demonstrar que falava a sério, determinou a impressão de um boletim no qual informava a quem pudesse interessar que o II Batalhão finalmente dispunha de carta branca para punir, em termos rigorosos, quem facilitasse a vida de bandoleiro.[18]

João Bezerra, que nunca assumiria sua amizade com o Rei do Cangaço, contaria anos depois ter empreendido esforços para fazer Lampião acreditar que poderia se entregar à polícia e permanecer livre. Por meio de coiteiros pressionados a cooperar com as forças volantes, teria feito chegar a Virgulino uma proposta para que denunciasse seus subordinados e, com isso, conseguisse a anistia de todos os crimes.

O cangaceiro aceitara o acordo, mas exigira que viesse protocolado em documento assinado pelo próprio presidente Getúlio Vargas. O verdadeiro plano de Bezerra, segundo seu próprio relato, era atrair Virgulino para um local em que pudesse ser abatido. "Os nossos homens, integrados no bando, agiriam cumprindo da melhor maneira possível as nossas determinações, tiroteando o 'chefe', embora correndo o perigo de ficarem expostos ao salve-se quem puder", informaria.

Entretanto, conforme contaria o tenente, quando tudo parecia correr para o fim planejado, Lampião desapareceu. Abandonou as negociações e se escondeu em local ignorado pelos coiteiros infiltrados no bando.[19] Se quisesse demonstrar serviço para o major Lucena e o coronel Teodureto, Bezerra teria que pensar em uma alternativa.

Benjamin Abrahão estava completamente falido. Imaginara ganhar uma fortuna com o filme sobre Lampião, faturando alto com bilheteria e vendas de direitos a interessados no exterior, mas terminara com o material apreendido pela censura. O investimento de tempo e dinheiro no documentário fora em vão. Naquele início de 1938, para conseguir levantar algum tostão, fazia bicos como fotógrafo e cinegrafista de casamentos e batizados da pequena vila de Pau Ferro, em Pernambuco.

Os rendimentos, entretanto, não eram suficientes para pagar mais do que as cervejas nas quais afogava as mágoas nos botequins da pequena vila. Suas dívidas se avolumavam na mesma proporção em que diminuía a paciência de seus credores — dentre eles, o coronel Audálio Tenório, um dos melhores amigos de Lampião, em cujo carro Maria aprendera a dirigir. Desesperado, Abrahão teve outra ideia mirabolante para tentar sanar as finanças: vender, nas lojinhas e feiras do sertão, fotografias de diferentes tamanhos — a maioria, em formato de cartão-postal — do bando de Virgulino.

Reveladas na Aba Film, em Fortaleza, as fotografias mal chegaram a Pau Ferro e já foram espalhadas entre diferentes distribuidores de Pernambuco, Ceará, Alagoas, Bahia e Sergipe. Tão logo pôs os olhos em uma das fotos, o major Lucena ficou uma fera. Não bastava aquelas imagens dos cangaceiros sorrindo, comendo e rezando impunemente terem desmoralizado a polícia no litoral. Agora aquele sírio-libanês também queria expor as forças volantes ao ridículo no sertão? E justamente quando o alto-comando do Exército suspeitava que os comandantes sertanejos faziam corpo mole na caça aos bandoleiros? Só podia estar com provocação. De imediato, determinou a apreensão de todos os retratos.

Tão logo soube da determinação do major Lucena, Benjamin Abrahão ficou apavorado. Desde sempre, sua única intenção era ganhar algum dinheiro. Nunca esteve movido por interesse político, tampouco estava disposto a arrumar inimizades com a polícia. Para evitar maiores problemas, queimou todo o estoque de fotografias que ainda tinha consigo em Pau Ferro e pediu aos comerciantes que suspendessem as vendas.

Com mais um projeto financeiro fracassado, um novo prejuízo e pressionado por cobradores por todos os lados, Benjamin Abrahão tentou uma última cartada para quitar os débitos. Durante os meses em que estivera com os cangaceiros, ficara sabendo de muitos segredos do grupo — inclusive do modus operandi de alguns de seus protetores, como fazendeiros, políticos e policiais.

Confidenciou a um amigo que, diante da absoluta ausência de alternativa para viver como fotógrafo e cinegrafista — os contos de réis que faturava como colaborador recém-contratado do *Diário de Pernambuco* em Pau Ferro também não compunham uma renda suficiente para suas despesas —, restava-lhe apelar para a chantagem. Seu silêncio, a partir de então, teria um preço.

Aparentemente, aquela conversa chegou a Lampião. Aos amigos mais chegados, Virgulino andara se queixando de que Benjamin contara detalhes sobre o coito para quem não devia e, além disso, fizera muita confusão com as fotos e imagens do bando. Se, por um lado, a intimidade dos cangaceiros despertara a simpatia do bando em determinadas parcelas da população, por outro, aumentara a gana das forças repressoras. No cômputo final, a publicidade mais prejudicara do que ajudara Lampião. Virgulino não era homem de arrependimento. Mas, se pudesse voltar atrás, teria agido diferente com aquele cinegrafista enrolado.

Benjamin Abrahão estava cercado por inimigos de todos os lados. Já não bastassem os cangaceiros, policiais e fazendeiros, ainda resolvera se apaixonar por Alaíde Rodrigues de Siqueira, morena que, além de não lhe corresponder o afeto, era casada com o bravo José Rodrigues Lins, o Zé de Rita.

No dia 7 de maio, depois de esvaziar alguns vasilhames de cerveja no boteco, Benjamin tomou o rumo de um beco em direção à pensão onde se hospedava. No meio do caminho, foi surpreendido pela escuridão provocada por uma pane no gerador de óleo que iluminava algumas ruas de Pau Ferro. Segundos depois, uma sequência de gritos assustou os moradores da região. Os primeiros clamavam por socorro. Os posteriores apenas expressavam dor.

Naquela noite, Benjamin Abrahão não chegaria à pensão.

No dia seguinte, uma multidão de curiosos se aboletou em frente à residência de Zé de Rita, em cujo chão da sala, tingido de sangue, repousava o corpo de Benjamin. Embora paralítico das duas pernas, Zé garantira ter dominado e matado o sírio-libanês com 42 facadas. "Mais vida tivesse, eu matava", repetia o suposto assassino confesso para quem se aproximasse, enquanto apreciava o corpanzil do estrangeiro e lambia os dedos. Naquela manhã, sua refeição foi tutano de boi, que degustou sentado a um tamborete bem próximo ao defunto.

Em Pau Ferro, muitos duvidariam da história contada por Zé de Rita. O fato de Lampião estar arranchado a menos de duas léguas dali, no Riacho do Mel, e de o carro do major Lucena ter sido visto nas proximidades levantariam suspeitas de que outros interessados na morte do fotógrafo pudessem ter algo a ver com seu triste fim. Havia ainda quem suspeitasse de pequenos comerciantes, gente que Abrahão insultara gratuitamente, ou mesmo dos fazendeiros para quem devia até as calças.

Dez dias depois, o inquérito policial seria sumariamente concluído e Zé de Rita e sua esposa foram apontados como culpados. Muita gente no sertão, porém, passaria o resto da vida achando que aquela história estava bastante mal contada.[20]

Para Maria de Déa, estranho mesmo seria o relato de Cristina, mulher do cangaceiro Português, para se defender da acusação de adultério. "O que gosto é da alegria de Gitirana, mas não tive nada com ele", asseguraria.

Dona de sobrancelhas tão grossas e extensas que pareciam uma só, Cristina era considerada mulher de poucos atrativos. "De uma feiura pasmosa. Alta, braços e pescoço compridos, rosto enorme, salientes bossas. Verdadeira fisionomia de orangotango. Dir-se-ia um tipo lombrosiano", escreveria, a respeito da moça, o médico Estácio de Lima, em sua deselegância habitual.

Em julho de 1938, espalhou-se no bando o boato de que Cristina estava de caso com Gitirana, o cangaceiro de voz afinada que gostava de uma serenata. O cantor jurou de pé junto que não era nada daquilo. Os dois se davam bem, riam juntos, mas a coisa não passava de uma forte amizade. Em pânico com a acusação, o rapaz procurou a esposa de Corisco. "Dona Dadá, pela benção de minha mãe, é mentira."

Àquela altura, Português já tinha pedido autorização a Lampião para matar os dois. Segundo contaria Dadá, Corisco não autorizaria a morte de Gitirana, que era seu cabra. Além disso, como cantava bem e animava os folguedos, o capitão também considerou que seu desaparecimento seria uma perda e tanto para o grupo. Quanto a Cristina, que Português fizesse como bem entendesse. Conforme essa mesma versão, Maria incentivara o marido supostamente traído a dar um fim na mulher. "Ela é pra morrer", teria dito a cangaceira. Cristina insistiria em sua defesa de que a risadaria era só amizade, sem conseguir convencer Maria.

Corisco teria decidido punir Cristina apenas com a expulsão. Dadá ajudaria a moça a preparar uma trouxa com alguns pertences e esconder um pouco de dinheiro na bainha do vestido. Na companhia de dois cabras, a mulher pegou a estrada com destino à casa de um vaqueiro, de onde deveria seguir sua vida. No meio do caminho, entretanto, foi interceptada por Luís Pedro, Candeeiro e Juriti. Foi morta a tiros. Segundo Dadá, o trio recebera ordens de Lampião, Português e Maria para não deixar a jovem escapar com vida.

Quando soube do ocorrido, Corisco ficou chateado de ter sido contrariado. Naquela noite, como lembraria Dadá, os dois não dormiram bem. No dia seguinte, Lampião convidaria o parceiro para atravessar o rio São Francisco. Magoado, o Diabo Louro disse que tinha outros compromissos e ficaria por ali.

Os dois se despediram. Lampião e Maria, seguidos por seus subordinados, dirigiram-se para a beira do Velho Chico. Passariam uns tempos acoitados no estado que mais oferecia segurança aos cangaceiros: Sergipe.[21]

Mais precisamente, na cidade de Porto da Folha, em um pedaço de terra conhecido como grota do Angico.

17

Acorda, Maria Bonita
Levanta, vai fazer o café
Que o dia já vem raiando
E a poliça já está em pé

As barracas dos solteiros foram dispostas bem próximas umas das outras, em trecho inclinado do terreno. No plano inferior, com mais privacidade, acomodaram-se Lampião e Maria de Déa, assegurando um espaço livre para que chefes de subgrupo que chegassem ali também erguessem suas toldas.

Zé Sereno foi um dos primeiros a se apresentar. Ele e Sila se instalaram afastados cerca de dez metros do Rei e da Rainha do Cangaço. Na mesma altura, mas com maior distância do casal, ajeitaram-se Criança e Dulce, em uma tenda, e Cajazeira e Enedina, em outra.[1]

Os cerca de cinquenta cangaceiros, entre homens e mulheres, que se hospedavam na grota do Angico atendiam a uma convocação de Virgulino Ferreira da Silva para mais uma de suas corriqueiras reuniões com a diretoria do bando.[2] Além de traçar estratégias para as próximas atividades, tais encontros serviam para que os cabras prestassem contas com o chefe. As convenções se prestavam, também, a razões lúdicas. Uma máxima do bando estabelecia que, em Pernambuco e na Bahia, cabra se demorava pouco. Em Alagoas, dormia de pijama. E, em Sergipe, ia-se para a cama de cueca.[3]

Ali, sob a proteção de Eronides de Carvalho, os cangaceiros se sentiam seguros a ponto de depor as armas. Especialmente na fazenda Angico, de propriedade de Guilhermina Rodrigues Rosa, viúva de Cândido Rodrigues da Silva e mãe de Pedro e Durval Rodrigues Rosa, mais conhecidos como Pedro e Durval de Cândido. Os dois rapazes gozavam não apenas da amizade, como da extrema confiança de Virgulino. Pedro, dono de um modesto armazém de secos e molhados em Entremontes, cidade vizinha, era quem fazia as compras na feira de Piranhas quando os cabras precisavam se reabastecer. Durval, o mais novo dos irmãos, morava com a mãe em uma casinha na beira do São Francisco, no caminho entre quem desembarcava do rio e se dirigia à grota. Era, portanto, uma espécie de sentinela natural do esconderijo.

Localizada cerca de mil metros da margem do Velho Chico, a grota do Angico é uma espécie de vale aonde se chega depois de vencida uma série de ladeiras, cuja dificuldade na subida e descida decorre tanto da inclinação quanto das grandes pedras dispostas ao longo da trilha. Lampião escolheu o lugar não apenas pela segurança, como também pelo conforto. Um riacho que passa pela região, o Tamanduá, garantia o abastecimento de água para o grupo, sem necessidade de deslocamento até o São Francisco.

Na tarde do dia 26 de julho, uma terça-feira, Lampião mandou chamar até o acampamento os irmãos Pedro e Durval. Tão logo se colocaram à disposição do capitão, receberam tarefas. Quarta era dia de feira em Piranhas e Pedro deveria ir até a cidade fazer uma compra grande para o grupo. Entre os itens que constavam da lista preparada por Virgulino estavam arroz, feijão, carne-seca, farinha, sal, rapadura, frutas e uma enorme quantidade de bebidas. A Durval, caberia providenciar dois bodes para o almoço do dia seguinte e máquinas de costura para que Maria e Sila costurassem roupas para um rapaz de dezessete anos recém-integrado ao grupo: José, sobrinho de Lampião, filho de sua irmã Virtuosa.[4]

Algumas horas depois, Durval concluiria a missão: mandaria entregar a Lampião as máquinas de Sila e Maria e os bodes para a refeição principal do dia 27 de julho.

Nas primeiras horas da quarta-feira, como combinado, Pedro de Cândido se dirigiu à feira de Piranhas para comprar mantimentos para o grupo. Encheu dois enormes cestos presos à cangalha de um jegue com cereais, rapaduras, carne, queijos e bebidas variadas. Também comprou agulhas, botões e retalhos de tecido.[5]

Mesmo sendo dono de um pequeno comércio, nada justificava uma compra daquele tamanho — tampouco sua reduzida preocupação em pechinchar, pagando o quanto os feirantes pediam. O movimento suspeito de Pedro chamou a atenção de Joca Bernardo, que trabalhava em uma fazenda na cidade de Pão de Açúcar, em Alagoas, e tinha ido à feira naquele dia para vender queijo.

Embora fosse coiteiro de Lampião, Bernardo vinha agindo como infiltrado. Colhia informações sobre o bando e as transmitia ao sargento Aniceto Rodrigues, comandante de uma volante de oito homens e namorado de uma das filhas do prefeito de Piranhas, João Correia de Brito.[6] Ao sair da feira — e ter vendido uma boa quantidade de produtos para o perdulário comerciante —, Joca Bernardo procurou o sargento Aniceto e lhe assegurou que Virgulino estava nas redondezas. Não podia precisar o lugar exato, mas sabia quem tinha a informação: Pedro de Cândido.[7]

O sargento Aniceto Rodrigues dispensou Joca Bernardo e se encaminhou até a estação ferroviária, onde funcionava o único telégrafo de Piranhas. Pediu ao telegrafista Valdemar Damasceno para escrever a seguinte e enigmática mensagem para o tenente João Bezerra, que se encontrava em Pedra de Delmiro, cidade próxima: "Boi no pasto. Venha urgente".

Bezerra respondeu à mensagem de pronto, sem a mesma preocupação com disfarces. Orientou Aniceto Rodrigues a reunir seus homens, conseguir um caminhão e se dirigir ao seu encontro, no meio do caminho entre Piranhas e Pedra. Bezerra faria sua parte do trajeto a pé, com seus homens.

Antes de pegar a estrada, Rodrigues deu um jeito de espalhar aos quatro ventos a informação de que estava deixando a cidade para caçar cangaceiros no município de Inhapi. Piranhas ficaria desguarnecida, informou, mas não havia nada a temer: os bandoleiros estavam bem longe dali.

Ao que tudo indica, Pedro de Cândido foi um dos muitos a acreditar na lorota. Horas depois, quando entregou as compras a Lampião, disse para ele relaxar. Se o "friozinho" permitisse — afinal, nas noites de julho, as temperaturas caem dos vinte graus às margens do Velho Chico —, Virgulino poderia até dormir de cueca. E Maria, se fosse o caso, apenas com a calcinha vermelha que usaria aquela noite.[8]

As tropas do tenente João Bezerra e do sargento Aniceto Rodrigues se encontraram em um ponto distante, a quatro léguas de Pedra e a cinco de Piranhas. Bezerra estava em desvantagem porque fizera o percurso a pé.[9] Ao todo, as duas equipes somavam 48 homens armados com metralhadoras portáteis das marcas Bergman, de 1918 e 1934, e Royal, de 1932.[10]

De lá, seguiram de caminhão até Piranhas. No porto da cidade, reservaram três pequenas canoas conhecidas como chatas. Por ordem de Bezerra, as chatas foram amarradas umas às outras com cordas, de forma a permitir que navegassem juntas, como se fossem uma só balsa. Distribuídos na improvisada embarcação, os 48 homens desceram o Velho Chico, atravessando a fronteira entre Alagoas e Sergipe na direção de Poço Redondo. Ao fim de cerca de duas horas de viagem, desembarcaram nas proximidades da casa de dona Guilhermina, na fazenda Angico. Dois soldados foram incumbidos da tarefa de ir buscar Pedro de Cândido na sua casa, em Entremontes.[11]

Dentre os homens que esperavam o coiteiro de Lampião estava o soldado Mané Véio, de Santa Brígida, amigo de juventude de Maria de Déa. Mané fora o soldado que, depois de matar a ex-esposa Cidália por suspeitar que ela arrumara outro homem, fugira da cidade e fora convidado por Maria para se tornar cangaceiro. Mané ficou de pensar, mas acabou se tornando soldado da volante de João Bezerra. Para fugir do passado de assassino de mulher inocente, trocaria de nome e passaria a assinar Antônio Jacó, embora mantivesse o vulgo com o qual se tornara famoso pela brutalidade em todo o sertão.

Mané Véio usou a ponta de seu punhal para dar as boas-vindas a Pedro de Cândido. Em busca de informações sobre o paradeiro exato do bando de cangaceiros, Véio furou o coiteiro em diversas partes do corpo e, segundo consta, usou a mesma arma para arrancar algumas de suas unhas.[12] Ensanguentado e ameaçado de morte, Cândido concordou em guiar os soldados até o esconderijo do bando. No caminho, passaram na casa de sua mãe, dona Guilhermina, para pegar o irmão Durval, que também ajudaria o grupo na caminhada até a grota.

Aquela situação, para os irmãos Cândido, parecia no mínimo estranha. Naquela mesma tarde, junto com os mantimentos, Pedro havia entregado a Virgulino uma encomenda de João Bezerra: uma caixa com munição.[13] Por segurança, o tenente evitava entregar as mercadorias diretamente nas mãos do cangaceiro. Costumava usar intermediários como Pedro de Cândido.

Naquela noite de temperatura amena, entretanto, João Bezerra parecia disposto a fazer jus à farda. Ou nem tanto. Quando soube a quantidade de cangaceiros que os aguardava ao fim da trilha — mais de setenta, pelo cálculo exagerado de Pedro de Cândido —, o tenente considerou desistir. Ponderou que aquela seria uma ação suicida. Provavelmente, seriam todos mortos pelos homens de Lampião. Melhor seria buscar reforços antes de seguir para o combate, sugeriu.[14] Entretanto, o aspirante Francisco Ferreira, um dos homens mais valentes da equipe, e o soldado Mané Véio não concordaram com a proposta. Disseram a Bezerra que, se quisesse, podia voltar. Mas eles seguiriam em frente e matariam Lampião. Como não queria entrar para a história como fujão, o tenente João Bezerra seguiu a tropa. Mas, embora estivesse no comando do grupo, permaneceu na retaguarda.[15]

Quando finalmente atingiram as proximidades do acampamento, os soldados foram divididos em quatro grupos. Pedro orientava os soldados a se posicionarem em locais estratégicos, de forma a cercar todas as barracas e deixar o mínimo de espaços desguarnecidos. João Bezerra determinou aos soldados que não disparassem nenhum tiro antes de seu sinal.[16]

Depois de comer dois bodes assados, os cangaceiros tinham passado a tarde jogando baralho e bebendo. Nem todos os chefes de subgrupos haviam atendido ao chamado de Virgulino — Corisco, ainda chateado com os recentes desentendimentos com o capitão, era um deles.[17]

De noitinha, embriagados depois de entornar todas as cachaças e conhaques que lhe haviam sido levados por Pedro de

Cândido, quase todos se recolheram às barracas para dormir.[18] No dia seguinte, logo após o raiar, deixariam o coito em busca de um novo pouso.

Depois de passar a tarde inteira costurando roupas novas para o sobrinho de Lampião, Sila e Maria decidiram espairecer jogando conversa fora em uma das enormes pedras que rodeavam as barracas. Como não gostava de fumar perto de Virgulino, Maria pediu para que se sentassem em um ponto mais afastado das tendas. Estava contrariada. Naqueles dias, havia se desentendido com o marido. Ele não gostara de seu novo corte de cabelo, mais curto do que o habitual, e ela andava irritada com sua relutância em deixar o cangaço.[19] Confidenciara a Sila que estava fatigada daquela vida. Sonhava em largar tudo, recuperar Expedita e fugir com Virgulino para o Mato Grosso, onde seria possível viver anonimamente, como um simples casal de fazendeiros vindos do Nordeste.

Igualmente cansada, Sila ouvia as queixas da amiga com o olhar perdido no horizonte. Seu torpor seria interrompido pela visão, em meio à escuridão, de uma discreta luzinha acendendo e apagando. Cutucou Maria. Perguntou se aquilo não era uma pessoa fumando — a chama lembrava aquela formada na ponta de um cigarro quando alguém traga a fumaça. Aborrecida, a Rainha do Cangaço fez pouco-caso da cisma de Sila. "Deve ser algum vaga-lume", disse, encerrando a conversa. Desejou-lhe boa noite e foi dormir.

Quando entrou na sua barraca, Sila ainda pensou em comentar sobre a luzinha com Zé Sereno. Mas, como ele já pegara no sono, deixou o assunto para depois. Tentou afastar a preocupação pensando que se Maria, com tantos anos de cangaço, dizia ser um vaga-lume, então certamente não era nada.[20]

Adormeceu. Acordaria no dia seguinte, com o barulho de gritos e tiros.

* * *

O breu da madrugada começou a se dissipar pouco depois das quatro horas da manhã daquele 28 de julho de 1938. De suas posições, os soldados começaram a perceber o cenário diante de si se transformar. Em meio às pedras e quixabeiras, viam tomar forma dezenas de barracas espalhadas pelo plano inclinado do terreno. Quando os raios solares finalmente iluminaram o ambiente por completo, perceberam os primeiros ruídos. Da barraca mais no canto da grota, saiu Virgulino Ferreira da Silva, do alto de seu 1,74 metro, ar macilento e postura curvada. Puxou uma oração — o ofício de Nossa Senhora, que roga para que "a nenhum pecador desamparais nem desprezais" — e, acompanhado pelos cabras recém-despertados, alguns deles ainda levemente embriagados pela farra do dia anterior, rezou por mais alguns minutos.[21]

Entrincheirados atrás das pedras, os soldados estudavam a cena enquanto aguardavam o sinal do tenente João Bezerra para o ataque. Viram quando Maria deixou a barraca, esquentou a água do café e preparou a bebida para o grupo. Observaram o ritual de higiene matinal de Virgulino, lavando o rosto e fazendo bochechos, e espiaram cangaceiros fazendo xixi. Alguns cabras desmontavam suas barracas quando um deles, Amoroso, notou uma movimentação estranha nos arredores.

— Tem macaco! Tem macaco! — desatou a gritar.[22]

Como João Bezerra permanecia impassível, os soldados deram início ao ataque, desconsiderando a orientação para que só o fizessem mediante seu aceno. Saraivadas de tiros vindas de todas as direções atingiram as pedras, arrancando-lhes lascas e formando faíscas. Pegos de surpresa, desarmados, restou aos cangaceiros tentar a fuga ou pegar os fuzis próximos às barracas.

Um dos primeiros tiros atingiu a cabeça de Virgulino Ferreira da Silva. O capitão, o Rei do Cangaço, o terrível e invencível Monarca das Caatingas caiu sobre as pedras. Lampião, finalmente, estava morto.

Ao ser acordada com o barulho do tiroteio, uma atônita Sila conseguiu deixar a barraca e se unir a Enedina, Criança e Dulce. Os quatro tentavam subir uma encosta quando um tiro atingiu a cabeça de Enedina. Sila nunca esqueceria da sensação de ter a roupa e a face sujas com os miolos da colega. Seguiu correndo para longe do epicentro do combate, passando a toda velocidade por entre os mandacarus e rasgando a pele do corpo e do rosto com os espinhos.[23]

Maria estava com uma bacia na mão quando levou o primeiro tiro na barriga.[24] Ela agonizava, com as mãos sobre o ventre, no momento em que o soldado Sebastião Vieira Sandes puxou o facão e degolou Lampião.[25] Depois, teria emprestado a arma para que o colega José Panta de Godoy fizesse o mesmo em Maria de Déa. Também aproveitou para dar um tiro na cabeça do cachorro Guarani, que corria de um lado para o outro e grunhia, assustado com o barulho dos disparos. O cão tombou perto de Maria.[26]

Conforme contaria depois, o soldado Godoy ignorou os suplícios da cangaceira para que a deixasse viver. Assim como os jurados de morte de Lampião tentavam apelar para os bons sentimentos de sua mulher, ela teria contado a Godoy ter uma filha para criar.[27] Ele não se sensibilizou. Com um só golpe, arrancou-lhe a cabeça, ainda com vida. Conforme seu relato, para ajudar o sangue a escorrer — estava surpreso com a quantidade que jorrava pela base —, bateu com as mãos no topo do crânio. Depois, para estancar a sangria, enfiou os dedos "dentro do tutano". Admirou-se com sua coloração, "de um branco danado".

Depois de se livrar da trabalhosa tarefa, ainda de acordo com a história contada pelo próprio Godoy, usou a boca do fuzil para levantar a parte debaixo do vestido de Maria. Chamou a atenção dos outros soldados para a cor da calcinha que ela usava naquela manhã. Era encarnada, como descreveria.[28]

Ao todo, onze cangaceiros foram assassinados nos cerca de vinte minutos que duraram a chacina de Angico. Entre os soldados, houve apenas uma baixa, a do soldado Adrião Pedro de Souza — ao que tudo indica, vítima de fogo supostamente amigo. Segundo se comentaria por anos em todo o Baixo São Francisco, Adrião fora morto por encomenda de um marido traído. Um colega aproveitara a ocasião da chacina para dar fim ao dom-juan sem levantar maiores suspeitas.[29]

Zé Sereno conseguiu escapar, assim como o cabra Amoroso, cujo grito deu início aos disparos, e o novato José, sobrinho de Virgulino. Balão fugiu com uma alpercata no ombro, outra no pé direito — nervoso, não conseguiu se calçar.[30] Mergulhão, irmão de Sila, também seria fuzilado. Todos tiveram suas cabeças cortadas.

Embora não houvesse obedecido à ordem de João Bezerra para atirar apenas ao seu sinal, a maioria dos soldados concordou em depositar os pertences recolhidos dos cangaceiros em um só monte para ser dividido posteriormente. Mané Véio se recusou a lhe entregar o apurado, o que incluía as mãos de Luís Pedro, arrancadas para que, longe dali, conseguisse extrair os anéis dos dedos.[31]

Nos bornais e na barraca de Maria e Lampião, os oficiais pegaram joias, uma fortuna em dinheiro (cuja verdadeira quantia seria para sempre um mistério) e duas caixas repletas de cartas trocadas entre o cangaceiro e coronéis e políticos influentes do

Nordeste. Havia também, segundo boatos, uma foto do capitão com um famoso tenente da polícia alagoana. Aqueles documentos seriam devolvidos aos interessados, mediante pagamento de alta quantia para que não fossem extraviados e chegassem aos jornais.[32]

Antes de deixar a grota do Angico e recolher os objetos e o butim dos cangaceiros, as tropas do tenente João Bezerra e do sargento Aniceto Rodrigues acomodaram as onze cabeças dos cangaceiros e o corpo do soldado Adrião na embarcação. Deixaram os corpos decapitados dos bandoleiros ao relento, para deleite dos urubus.

O de Maria seria abandonado com as pernas abertas e um pedaço de madeira enfiado na vagina.[33] Um detalhe chamaria a atenção de um soldado condoído que se demorara observando-lhe os restos mortais. Sua mão direita, pálida, escapando do vestido. "É uma louça essa mãozinha", observou o homem.[34]

Quando Maria Gomes de Oliveira morreu, nasceu Maria Bonita.

Epílogo

Meu amigo, bom leitor
Eis o que pude historiar
Não inventei o que escrevi
Foi do que pude escutar

A embarcação com a tropa que dizimara Lampião, Maria e mais nove cangaceiros encostou no porto de Piranhas por volta das dez da manhã do dia 28 de julho de 1938. A movimentação de soldados chamou a atenção dos canoeiros e dos moradores da cidade que, naquela quinta-feira, estavam nas imediações da beira do Velho Chico. A cena se tornaria ainda mais surpreendente quando, dos barcos, saltaram homens com cabeças nas mãos, levadas pelos cabelos, espalhando uma forte fedentina no ar. Cheiro de cães mortos, segundo descrevera um jornalista.[1]

Da margem do rio, o grupo seguiu para a residência do tenente João Bezerra, vizinha à prefeitura da cidade. De casa, Cyra Bezerra, esposa do oficial, viu quando o marido surgiu no fim da rua, coberto de sangue. Atrás dele, como numa procissão, vinham os soldados com as cabeças nas mãos, seguidos pelos curiosos que foram engrossando o batalhão ao longo dos 240 metros que separam o porto da moradia. "Foi o quadro mais horrível que presenciei na vida", definiria ela.

Cyra levou as mãos ao rosto e correu para o quarto da filha. Debruçou-se sobre o berço e assim permaneceu, paralisada pelo terror, até que um forte odor de mistura de sangue, suor e perfume tomou conta do ambiente. No mesmo instante, Bezerra invadiu o quarto, eufórico. "Minha filha, venci. O cego está morto. Venha ver."

Como Cyra se recusasse a tirar as mãos do rosto, o marido apelou: "Estou ferido".

Ao abrir os olhos, a mulher viu um monte de soldados eufóricos, jogando perfume uns nos outros — os frascos haviam sido tomados dos bandoleiros — e cantando um trecho de "Mulher rendeira", a música popular de autoria desconhecida que se tornara o hino do cangaço por ser entoada pelos cabras em invasões pelo sertão:

Olê, mulher rendeira
Olê, mulher rendá
A pequena vai no bolso
A maior vai no bornal
Se chorar por mim não fica
Só se eu não puder levar

"Eu tinha uma sensação estranha, um arrepio me passava pelo corpo todo", narraria Cyra. Ao perceber os soldados imundos cada vez mais próximos do berço, pôs a filha no colo e correu para a sala. O lugar estava intransitável. Os curiosos que acompanharam o cortejo invadiram sua residência, para ver e tocar nas cabeças. "Quero ver se você se lembra da cara de Lampião", insistiu João Bezerra. Quando ela teve coragem de dirigir o olhar para o lugar onde estavam os "troféus" — lado a lado, encostados na parede —, surpreendeu-se com a expressão de desespero no rosto de Virgulino. E então sentiu um grande alívio. Acabara-se Lampião.

Da casa de Bezerra, as cabeças foram levadas para o prédio da prefeitura e cuidadosamente dispostas na escadaria pelo soldado

Josias Valão. Com a ajuda de pedras, utilizadas como apoiadores, Valão as posicionou em quatro degraus. Em primeiro plano, colocou Lampião, sozinho. No segundo, Quinta-feira, Maria e Luís Pedro. Logo acima, Mergulhão, Elétrico e Caixa de Fósforo. No último degrau, Enedina (totalmente desfigurada pelo tiro que lhe estourou os miolos), Cajarana, Luiz de Thereza e Diferente.[2]

Josias Valão se utilizou de parte dos objetos dos cangaceiros para compor um caprichado e mórbido altar nos degraus. Espalhou chapéus, rifles, pistolas, cartucheiras, punhais e as duas máquinas de costura em que, provavelmente, Maria e Sila costuraram as roupas novas do sobrinho de Lampião. O retrato do cenário, batido por um fotógrafo cujo nome seria motivo de controvérsia, rodaria o mundo e se tornaria uma das imagens mais representativas da naturalização da violência que marcara o cangaço e sua respectiva repressão.[3]

Às duas horas da tarde, João Bezerra se dirigiria à estação ferroviária para prestar contas com seu superior, o coronel Teodureto Camargo do Nascimento, para quem enviou o seguinte telegrama:[4]

> Rejubilado vitória nossa força vg cumpre cientificar vossoria que hoje vg conjuntamente volantes aspirante Ferreira sargento Aniceto vg cercamos Lampeão no lugar Angico no Estado Sergipe vg o tiroteio resultou morte nove bandidos duas bandidas inclusive Lampeão vg Angelo Roque vg Luiz Pedro vg Maria Bonita vg os quais foram reconhecidos pt Da volante aspirante Ferreira houve baixa um soldado saindo outro ferido pt Tambem me encontro ferido pt Saudações Tenente João Bezerra — comte volante

A despeito do erro — identificara como um dos mortos Angelo Roque, que nem estava em Angico —, João Bezerra produziria, ali, um dos mais importantes documentos da história do cangaço. Não apenas por informar oficialmente a surpreendente morte de Virgulino Ferreira da Silva, mas por tratar sua mulher, pela primeira vez em registro, pela maneira como seria eternizada: Maria Bonita.

No bando, Maria Bonita nunca foi tratada como tal. Há duas versões mais convincentes para a origem do apelido. A primeira delas, defendida pelo historiador Frederico Pernambucano de Mello, sustenta que o epíteto surgiu nas redações dos jornais do Rio de Janeiro antes da chacina de Angico.[5] Entre si, os jornalistas já tratariam a mulher do capitão com o nome da personagem-título do romance de Afrânio Peixoto, que inspirara o filme homônimo. Ambas, além de belas, viviam no sertão da Bahia e se chamavam Maria. Tratava-se, portanto, de uma associação inevitável.

Só não chegara a colar entre os cangaceiros. Inclusive, desconhece-se que eles tenham tomado conhecimento da possível graça dos repórteres cariocas. O apelido era de conhecimento do oficialato, razão pela qual João Bezerra, ao ditar o telegrama, o tenha empregado para identificar a cangaceira.

Uma segunda versão, elaborada a partir de pesquisas do economista Luiz Ruben F. de A. Bonfim, assegura que o nome Maria Bonita surgiu no próprio dia 28 de julho entre soldados e autoridades presentes em Piranhas no dia da chacina, impressionados com a beleza da bandoleira morta. Em defesa de sua tese, Bonfim alega não existir, na imprensa ou em documentos oficiais, nenhum registro prévio de Maria de Déa como Bonita.[6]

Seja qual for a versão correta, o fato é que, a partir do dia 28, Maria de Déa seria definitivamente substituída por Maria Bonita. Se seu nome de batismo seria enterrado naquele dia, o mesmo não pode ser dito sobre sua cabeça. Depois de Piranhas, as onze cabeças fariam uma excursão fúnebre pelas cidades alagoanas em um caminhão da polícia. Nas cidades por onde passavam, os policiais retiravam as cabeças de dentro das latas com água e sal, água e cal ou álcool nas quais eram transportadas e expostas ao público.[7] Em Santana do Ipanema, uma multidão acorreu às ruas, com gente subindo em muros e trepando em árvores em busca de um ângulo mais favorável para a visualização dos "troféus".[8]

Nas redações, o relato da chacina foi recebido com incredulidade. Afinal, não tinham sido poucas as vezes em que informação semelhante, sempre errada, chegara aos jornalistas. Depois, com estupor. O primeiro a noticiar o fato foi o jornal *A Noite*, que tinha entre seus quadros de repórteres o alagoano Melchiades da Rocha, informado em primeira mão pelo irmão Durval Rocha, que morava em Santana do Ipanema. Às dezenove horas do mesmo dia 28, o jornal chegava com uma edição extra às ruas do Rio de Janeiro. "MORTO LAMPEÃO!", registrava, em letras garrafais. "Em companhia do Rei do Cangaço estavam mais dez bandidos, que foram também massacrados", narrava a matéria preparada por Melchiades.

No dia seguinte, 29 de julho, uma sexta-feira, praticamente todos os jornais do Brasil deram a notícia. Nos Estados Unidos, o *The New York Times* contaria a história em matéria de meia coluna, na página sete. Além de se desculpar pelo erro de janeiro, quando também caíra na bagatela de que Lampião morrera de tuberculose na fazenda do pai de Eronides de Carvalho (uma vergonhosa "barriga", no jargão jornalístico), o jornal relatava o fim de sua atual amada — *"his current sweetheart, Maria Bonita"* —, cometendo novo equívoco ao tratar a bandoleira como parceira recente de Virgulino. A morte também seria relatada, dias depois, pelo jornal francês *Paris Soir*.

No dia 31 de julho, as cabeças finalmente chegaram a Maceió, onde ficaram sob os cuidados do médico legista Lages Filho, diretor do Serviço Médico Legal da cidade. Lages iria se deter com mais cuidado na análise de Lampião e Maria Bonita. Em seu laudo a respeito dos "traços fisionômicos" da cangaceira, alegava que "não pareciam desmentir o apelido que lhe deram". Ficaria impressionado com os dentes, "pequenos, bem plantados e em excelente estado de conservação", bem como o "cabelo negro, longo, fino e liso, arrumado em tranças pendentes".[9]

Depois do exame, Lages Filho entregou as cabeças do casal para o professor de odontologia Arnaldo Rodrigues Silveira, da Faculdade de Medicina da Bahia. A de Lampião não passava de um "simples bolo de ossos", em decorrência das coronhadas que recebera depois de morto.[10] Durante três dias, Silveira se dedicou a recompô-las. Findo o trabalho, escondeu as duas peças em latas de manteiga de dez quilos e, com os restos mortais assim disfarçados, imersos em formol, conseguiu embarcar em um voo da Panair do Brasil até Salvador — antes, chegara a ter o embarque recusado pela companhia aérea quando revelara o teor de sua bagagem. As cabeças dos outros nove cangaceiros ficariam ali mesmo, em Maceió, onde foram enterradas.[11]

Ao chegar ao seu consultório na capital baiana, o dentista Silveira teria uma prévia do que seria sua vida dali por diante: uma multidão de gente o aguardava para ver as cabeças do ilustre casal. "Gente de pés descalços. Senhoras e cavalheiros elegantes, presas daquela avidez que faz os parisienses blasés saírem das reuniões mundanas para ver operar a guilhotina", como descreveria o *Estado da Bahia*.[12]

Tão logo soube do extermínio de Lampião, Maria e seus outros companheiros de bando, Corisco se pôs a executar crudelíssima vingança. No dia 3 de agosto, invadiu a fazenda Patos em busca do vaqueiro Domingos Ventura, sobre quem fora informado ter parte com os delatores que disseram a João Bezerra onde Virgulino estava acoitado. Primeiro, pediu à esposa e à filha de Domingos que preparassem café para o bando que o acompanhava. Depois, levou o vaqueiro e um de seus filhos para o terreiro e ordenou aos cabras que cortassem suas cabeças.

Na sequência, arrastou para o local outros dois filhos, que tiveram o mesmo fim. "Agora, as mulheres", gritou Corisco, convocando para a morte dolorosa as senhoras que haviam acabado de preparar o café. Segundo o Diabo Louro, seriam degoladas para vingar a morte de Maria de Déa e Enedina. Três crianças, de dez, onze e doze anos, ficaram vivas, como diria Corisco, para contar a história, bem como a nora de Ventura, poupada por ser mãe de um recém-nascido.

Coube aos sobreviventes a tarefa de levar as seis cabeças até a cidade e entregá-las ao tenente João Bezerra, com um bilhete no qual o marido de Dadá recomendava que as utilizasse para preparar uma fritada.[13]

Durante dois anos, Corisco tentou reorganizar o bando em torno de si, arvorando-se o papel de substituto de Lampião. Entretanto, a maioria dos cabras preferiu abandonar o cangaço. Muitos se entregaram à polícia, alguns deles levando a cabeça de um colega como prova de que estavam dispostos a colaborar com as autoridades.[14]

Em agosto de 1939, Corisco ficou impossibilitado de manobrar o fuzil devido a um tiro no braço em combate. O manejo das armas ficou a cargo de Dadá até o dia 25 de maio de 1940, quando Corisco foi morto pela volante do tenente Zé Rufino. Na ocasião, Dadá foi baleada na perna e, como não recebeu tratamento médico adequado, precisou amputá-la em decorrência de uma gangrena.[15]

Dadá foi presa e deixou a cadeia em 1942. Dependente de uma muleta para se locomover, casou-se e passou a viver como costureira em Salvador. Na cadeia, de forma geral, os cangaceiros se comportaram de forma exemplar. Depois de solto, Volta Seca gravou o LP *Canções de Lampião*, com músicas relacionadas ao cangaço, como "Mulher rendeira" e "Acorda, Maria Bonita". Com a ajuda de Estácio de Lima, Ângelo Roque, o Labareda, arrumou emprego como porteiro do Fórum Ruy Barbosa, em Salvador.[16] Sila e Durvinha viveriam até o fim com os homens que conheceram no cangaço, Zé Sereno e Moreno.

Arnaldo Silveira ficou com as cabeças de Lampião e Maria Bonita até 1944, quando, cansado do assédio constante de pacientes que lhe pediam para ver o casal, endereçou-as ao museu do Instituto Médico Legal Nina Rodrigues. No local, elas permaneceram à disposição de quem as quisesse apreciar, juntamente com a de Corisco, para lá enviada alguns dias depois de seu assassinato.[17]

Em 1959, os jornais dos Diários Associados promoveriam uma campanha pelo sepultamento das cabeças. Como aliados, teriam figuras ilustres, a exemplo do deputado estadual Francisco Julião, de Pernambuco, líder das Ligas Camponesas, movimento em prol da reforma agrária. Chocado com o que vira em visita a Salvador, quando esteve frente a frente com as mórbidas faces de Maria e Virgulino no museu Nina Rodrigues, Julião se tornou um dos maiores defensores do enterro. Fazia-o, sobretudo, pelo respeito que lhe inspirava a figura histórica de Lampião, "o primeiro homem do Nordeste, oprimido pela injustiça dos poderosos, a batalhar contra o latifúndio e a arbitrariedade", como diria à imprensa. "Um símbolo de resistência", em sua opinião.[18]

Curiosamente, o médico Estácio de Lima, então diretor do IML, fazia uso do mesmo argumento para defender a permanência das cabeças no museu. Conforme diria em audiência para discutir o tema na Assembleia Legislativa da Bahia em 1959, as peças do museu eram "um valioso patrimônio cultural" do estado e representavam "um protesto histórico contra as injustiças que engendraram os cangaceiros".[19]

Além de Francisco Julião, reforçara a campanha a favor do sepultamento o dentista Arnaldo Silveira. Ele argumentava que as cabeças, totalmente deformadas e com aparência repugnante, já não prestavam mais a estudos científicos — o nome da ciência era frequentemente evocado por Estácio de Lima para justificar a permanência das cabeças no museu. E, de fato, àquela altura a aparência das faces de Lampião e Maria Bonita era algo além do terrível.[20]

Se comparadas à do Diabo Louro, entretanto, chegavam a ser angelicais. Corisco chegou a ser enterrado e, dez dias depois, teve o corpo exumado e a cabeça cortada para ser enviada ao Nina Rodrigues. Como choveu bastante no período em que o corpo esteve debaixo da terra — e fazia muito calor —, a pele sofreu saponificação, contraindo aspecto horripilante, uma verdadeira aberração.[21]

Em janeiro de 1969, o economista Sílvio Hermano Bulhões, o filho de Corisco e Dadá criado pelo padre de Santana do Ipanema, ameaçou ir à Justiça contra o museu Nina Rodrigues pela recusa em devolver para a família a cabeça de seu pai. Afirmava que as cabeças, armazenadas de forma inadequada, haviam tido partes das orelhas e olhos comidos por ratos.[22] Um mês depois, o governador da Bahia, Luiz Viana Filho, determinou que todas as cabeças dos cangaceiros que ainda estivessem no Nina Rodrigues fossem enterradas. No dia 6 de fevereiro, as de Lampião e Maria Bonita foram guardadas em urnas envernizadas de 41 por 37 centímetros, forradas em veludo vermelho, e dessa maneira transportadas, em uma Kombi do Instituto Médico Legal, até o cemitério Quinta dos Lázaros, onde foram sepultadas em gavetas, uma em cima da outra — Maria Bonita ficou na parte inferior. Dali a sete dias, seriam acompanhadas pelas cabeças de Corisco, Canjica, Zabelê, Azulão e Maria.[23]

A primeira urna a ser retirada da gaveta foi a de Lampião. Cuidadosamente disposta sobre placa de cimento de meio metro de diâmetro, rente ao chão, o objeto passou a ser analisado pelos peritos do governo da Bahia. Trinta e três anos depois, a madeira castanho-escura da base apresentava sinais de deterioração. Os fechos de metal branco estavam parcialmente enferrujados. As laterais apresentavam rachaduras. Dentro do pequeno esquife, entretanto, o material estava razoavelmente preservado: tufos de cabelo castanho cobriam inúmeros fragmentos ósseos de coloração castanha, assim como se podiam identificar dentes avulsos e outros ainda plantados nos maxilares.

Depois, foi a vez da urna de Maria Bonita. A passagem do tempo havia marcado a caixa da mesma maneira que a de Virgulino. Entretanto, as três décadas foram mais condescendentes com seus restos mortais. Ao abrir a caixa, os peritos encontraram uma caveira bem formada, com todos os ossos da face preservados e, emoldurando-a, alguns fios de cabelo castanho-escuro. A dentadura que tanto encantara o legista Lages Filho em 1938 permanecia impecável.

Extraídos das urnas, o crânio de Maria e os ossos de Lampião foram armazenados, separadamente e com identificação, em sacos plásticos azuis. Antes de entregá-los a Vera Ferreira Nunes e Gleuse Ferreira Nunes, os peritos colocaram os sacos em uma caixa de papelão, de modo a facilitar o transporte até o Fiat Palio verde, no qual as duas mulheres viajariam de volta a Aracaju com as cabeças no porta-malas. Vera e Gleuse são filhas de Expedita Ferreira Nunes, a única filha reconhecida de Lampião e Maria Bonita.[24]

Embora a ata de exumação das cabeças informasse que os restos mortais seriam trasladados para o túmulo da família, em um cemitério de Aracaju, isso nunca viria a acontecer. Naquele mesmo ano, 2002, Vera Nunes diria aos jornalistas que guardaria o que restara das cabeças em local não revelado — por motivo de segurança — até o momento em que conseguisse erguer um memorial em homenagem aos avós.[25]

Como o projeto do memorial nunca saiu do papel, as cabeças permaneceram insepultas. Em 2018, passados oitenta anos da morte de Maria Bonita e Lampião, o destino dos restos mortais permanece um mistério. Apenas mais um entre tantos, na turbulenta e fascinante história do cangaço.

Quem duvida desta história
Pensar que não foi assim
Querer zombar do meu sério
Não acreditando em mim
Vá comprar papel moderno
Escreva para o inferno
Mande saber de Caim

Este livro

Pesquisar sobre o cangaço é se deparar com violências absurdas, que mais parecem saídas de filmes de terror. Em dois anos de investigações sobre o tema, entretanto, nenhuma dessas terríveis cenas me chocou tanto quanto a mais incômoda das constatações: a de que os relatos das cangaceiras sobreviventes a Angico são geralmente desacreditados em relação à extrema brutalidade da qual foram vítimas.

Incontáveis vezes, li e ouvi autores colocarem em dúvida as narrativas dessas mulheres sobre o próprio ingresso no cangaço. Embora não houvesse completado treze anos quando entrou no bando, Dadá foi muitas vezes taxada de "exagerada" ao dar detalhes sobre o rapto e o estupro perpetrados por Corisco. Sobre Sila, raptada por Zé Sereno aos onze, há interpretações segundo as quais ela o teria acompanhado "porque quis".

Embora tenha feito uso constante do ceticismo indissociável da prática jornalística, em nenhum momento me permiti duvidar das versões apresentadas por Dadá, Sila, Inacinha, Otília e tantas outras que foram obrigadas a largar suas famílias para se tornarem cangaceiras. Não compreendo como se possa conceber que crianças ainda às voltas com bonecas escolhessem viver ao relento, subjugadas por homens extremamente violentos, submetidas a fome, sede e risco constante de morte.

Colocar em suspeição a versão das cangaceiras faz parte do mesmo padrão e da mesma lógica que insiste em desqualificar os relatos das mulheres quando violentadas. Uma distorção atávica, que transforma vítimas em culpadas e procura encontrar no comportamento feminino as alegadas razões para justificar a opressão.

Depreciadas em seus discursos dentro do fenômeno do cangaço, as bandoleiras também tiveram seu papel como personagens históricas relegado a plano inferior. Esse aspecto tornou particularmente complicado o trabalho de coleta de informações a respeito de suas trajetórias. Garimpar pistas sobre Maria Bonita, Dadá, Sila, Neném e outras cangaceiras foi tarefa árdua, que teria se tornado impraticável não fosse a generosidade de pesquisadores que estiveram ao meu lado nessa jornada.

Agradeço, de forma especial, ao casal de economistas Luiz Ruben F. de A. Bonfim e Angela Maria Felix dos Santos, que tive o prazer de conhecer pessoalmente em visita à cidade de Paulo Afonso, em julho de 2017. Eles me receberam em sua casa cheia de livros, documentos e objetos sobre o cangaço — um autêntico museu sobre o tema — e, com extrema bondade, franquearam-me livre acesso ao acervo. Incontáveis vezes os dois me socorreram quando precisei confrontar diferentes versões e obter informações aparentemente impossíveis de levantar. A dona Ângela e ao seu Luiz, meu muito obrigada, seguido de um forte abraço.

Ao sociólogo Voldi Ribeiro, com quem também estive em Paulo Afonso, devo o acesso aos documentos sobre a data de nascimento de Maria de Déa. O geólogo e historiador Rubens Antonio da Silva Filho, servidor do Museu Geológico da Bahia, não apenas me forneceu matérias de jornais antigos relacionadas às mulheres no cangaço como, em produtivas conversas, ajudou-me a resolver enigmas que me pareciam de difícil resolução.

O pesquisador sergipano Adauto Silva me apresentou a Antônio Amaury Corrêa de Araújo — a quem agradeço pela agradável tarde de conversas na varanda de sua casa em São Paulo — e me presenteou com gravações de entrevistas suas com ex-cangaceiros. Ao Adauto, meu muito obrigada pelo apoio.

Na encantadora cidade de Piranhas, em Alagoas, fui ciceroneada por Jairo Luiz Oliveira, que ministrou uma aula in loco sobre os fatos que culminaram na chacina de julho de 1938, às margens do Velho Chico, e me indicou leituras que se tornariam imprescindíveis para este livro. A ele, meu agradecimento, extensivo a todos os seus amigos e familiares que me acompanharam na ida à grota de Angico.

Ao editor Otávio Marques da Costa, que acreditou desde o primeiro instante na viabilidade deste projeto — e na ousadia de contar a história do cangaço a partir de uma perspectiva feminina. À editora Daniela Duarte, minha interlocutora constante na elaboração do texto, que conduziu o processo com rara mistura de firmeza e delicadeza. O entusiasmo com que respondeu aos primeiros envios de originais foi o grande incentivo para a conclusão deste trabalho.

Agradeço também à Renata Queiroz Jereissati, cuja convivência ao longo dos últimos dois anos me propiciou as melhores lições de disciplina, determinação e paciência.

Minha grande amiga Neide Oliveira acompanhou todo o processo de produção deste livro, de quando era um tímido esboço até a digitação do ponto final. Não fosse sua força diária para que não sucumbisse ao sono, ao cansaço e às tentações do ócio, duvido que tivesse chegado até aqui.

Cabe aqui uma menção em destaque aos meus irmãos Alricéa, Almir, Anna Christina e Alexandre, pelo carinho e estímulo que sempre demonstraram com este projeto.

Também aos meus enteados, Ícaro e Nara, que enchem nossa vida em família de encantamento. Ao Ícaro, em especial, agradeço muitíssimo pelos livros, fotografias e ideias que me apresentou depois de suas expedições pelos sertões da Bahia.

Muitos foram os amigos, familiares e colegas de trabalho que, de algum modo, contribuíram para a execução deste trabalho. Desse modo, manifesto meu muitíssimo obrigada a Admilson Torquato Dantas, Adriana Aroulho, Alex de Souza Abreu, Alexandre Ferreira, Amélia Rezende, Ana Carolina Torquato, Ana Maria Moreno, Antônia Lúcia Queiroz, Asclepius Saraiva, Bianca Castro, Benedito Vasconcelos Mendes, Camila Bucoff, Camila Gomes, Carlos Queiroz, Cesar Dominique, Cézar Alves, Daniel Motta, Danilo Souza Dantas, Denise Dahdah, Diógenes Cunha Lima, Edna Dantas, Edson Aran, Eduardo Freire, Eliete Rocha Dantas, Erilene Firmino, Felipe Maciel, Felipe Zylbersztajn, Fernando Barros e Silva, Filipe Vilela, Frederico Pernambuco de Mello, Geovana Cartaxo, Gerlane Garcia, Honório de Medeiros, Inácio Carvalho, Inês Figueiró, Isadora Brant, Ivan Padilla, Jardel Sebba, Jeferson de Souza, João Paulo Bezerra Júnior, José Bezerra Lima Irmão, José de Paiva Rebouças, Juliana Thomazo, Juliana Linhares, Juliane Alencar, Júlio Alencar, Kelsen Bravos, Kika Paulon, Kydelmir Dantas, Lídia Aroulho, Lidiane Moura, Lucas Vilela, Luciana Pinsky, Luís Sergio Santos, Luiz Rivoiro, Manoel Severo, Maria Laura Neves, Maria Luci De Biaji Moreira, Mariana Pontes, Marcelo Bucoff, Marlyana Lima, Matheus Pontes, Nathan Fernandes, Neide Freitas, Nilma Dominique, Nina Thomazo, Patrícia Zaidan, Paulo Mota, Rafael Cariello, Rafael Oliveira, Rafael Reis, Raquel Zangrandi, Rodolfo Prates, Rodrigo

Reis, Rogério Silva, Renan Reis, Sandra Carla Queiroz, Sergio Picciarelli, Sílvio Aroulho, Sônia Lúcia Queiroz, Simone Ruiz, Sibelle Pedral, Thaís dos Anjos, Thaissa Lamha, Theo Bucoff, Tiago Tambelli, Tomé Silva e Wanessa Campos.

Dedico este trabalho a meu pai, Almir (in memorian) e a minha mãe, Alcinéa.

Especialmente, para minhas filhas amadas, Emilia e Alice. Este livro é para elas.

Também para o Lira Neto, de quem tenho o imenso orgulho e privilégio de ser mulher — e por quem sinto um amor tão imenso que sem dúvida não cabe no mundo.

São Paulo, outono de 2018.

Fontes

ARQUIVOS ELETRÔNICOS

Biblioteca digital da Universidade Estadual Paulista (https://bibdig.biblioteca.unesp.br).
Biblioteca digital do Senado (http://www12.senado.leg.br/institucional/biblioteca).
Tribunal Superior Eleitoral (http://www.tse.jus.br).
Academia Brasileira de Letras (www.academia.org.br).

FILMES E VÍDEOS

Disponíveis no Youtube:

A estética do cangaço por Frederico Pernambucano, da Fundação Joaquim Nabuco.
A estética do cangaço. Entrevista de Frederico Pernambucano de Mello à Globonews.
A história de Dadá, de Adauto Silva.
Cangaço na fazenda Arrasta-pé, de Adauto Silva.
Feminino cangaço, de Lucas Viana e Manoel Neto.
Sila e Daniel Lins, de Aberbal Nogueira.
Sila. Entrevista no programa Jô Soares Onze e Meia.
Versões sobre Angico, de Aderbal Nogueira.

FILMES

A MULHER NO CANGAÇO. Direção: Hermano Penna. Produção: Globo Repórter Documento. Criação e Supervisão: Carlos Augusto de Oliveira. Brasil. 1976. 50 minutos. Programa de TV.

MEMÓRIAS DO CANGAÇO. Direção: Paulo Gil Soares. Produção: Divisão Cultural do Itamarati; Departamento de Cinema do Patrimônio Histórico e Artístico Nacional. Produção executiva: Edgardo Pallero. Distribuição: Thomaz Farkas Filmes Culturais. Brasil. 1964. 26 minutos. Documentário.

OS ÚLTIMOS CANGACEIROS. Direção e roteiro: Wolney Oliveira. Produção: Margarita Hernández. Intérpretes: Jovina Maria da Conceição e José Antonio Souto. Distribuição: Imovision. Brasil. 2011. 79 minutos.

JORNAIS E REVISTAS (com título e procedência dos arquivos consultados.)

A Manhã (RJ) — Biblioteca Nacional.
A Noite (RJ) — Biblioteca Nacional.
A Noite Ilustrada (RJ) — Biblioteca Nacional.
A Ordem (CE) — Biblioteca Nacional.
A Razão (CE) — Biblioteca Nacional.
Brazil Livre (CE) — Biblioteca Nacional.
Correio da Manhã (RJ) — Biblioteca Nacional.
Correio Paulistano (SP) — Biblioteca Nacional.
Diário do Nordeste (CE) — www.diariodonordeste.com.br.
Diário de Notícias (RJ) — Biblioteca Nacional.
Diário de Pernambuco (PE) — Biblioteca Nacional.
Folha de S.Paulo (SP) — www.folha.com.br.
Jornal das Moças (RJ) — Biblioteca Nacional.
Jornal do Recife (PE) — Biblioteca Nacional.
Jornal do Brasil (RJ) — Biblioteca Nacional.
Nação (CE) — Biblioteca Nacional.
O Cruzeiro (RJ) — Biblioteca Nacional.
O Debate (CE) — Biblioteca Nacional.
Veja — www.veja.com.br.

OBRAS CONSULTADAS

ABRANTES, Elizabeth Sousa. "A educação da mulher na visão do médico e educador Afrânio Peixoto". *Dossiê história e educação: Revista Outros tempos*, São Luiz: Universidade Estadual do Maranhão, v. 7, n. 10, pp. 143-57, 2010.

ALBUQUERQUE, Ricardo (org.). *Iconografia do cangaço*. São Paulo: Terceiro Nome, 2012.

ALMEIDA, Isnaia Firminia de Souza. "Lampião: a medicina e o cangaço". *Caos: Revista Eletrônica de Ciências Sociais*, João Pessoa: Universidade Federal da Paraíba, n. 11, pp. 112-30, 2006.

ARAÚJO, Antônio Amaury Corrêa de. *Gente de Lampião: Dadá e Corisco*. São Paulo: Traço Editora, 1982.

_____. *Gente de Lampião: Sila e Zé Sereno*. São Paulo: Traço, 1987.

_____. *Lampião, as mulheres e o cangaço*. São Paulo: Traço, 2012.

_____. *Maria Bonita*. Salvador: Assembleia Legislativa do Estado da Bahia, 2011.

_____; BONFIM, Luiz Ruben F. de A. *Lampião e as cabeças cortadas*. Paulo Afonso: Graf Tech, 2008.

ASSUNÇÃO, Moacir. *Os homens que mataram o facínora*. São Paulo: Record, 2007.

BANDEIRA, Renato Luís. *Dicionário biográfico cangaceiros & jagunços*. Salvador: edição do autor, 2014.

BARROS, Luitgarde Oliveira Cavalcanti. *A derradeira gesta: Lampião e nazarenos guerreando no sertão*. 2. ed. Rio de Janeiro: Mauad, 2007.

BATISTA, Abraão. *João Peitudo, o filho de Maria Bonita e de Lampião*. Fortaleza: edição do autor, 1982.

BEZERRA, Capitão João. *Como dei cabo de Lampeão*. 3. ed. Recife: Fundação Joaquim Nabuco, 1983.

BONFIM, Luiz Ruben F. de A. *Fim do cangaço: As entregas*. Paulo Afonso: edição do autor, 2015.

_____. *Lampião conquista a Bahia*. Paulo Afonso: edição do autor, 2011.

_____. *Notícias sobre a morte de Lampião*. Paulo Afonso: edição do autor, 2008.

CAETANO, Maria do Rosário (org.). *Cangaço, o Nordestern no cinema brasileiro*. Brasília: edição do autor, 2005.

CAMPOS, Wanessa. *A dona de Lampião*. Recife: Sesc, 2012.

CARVALHO, Rodrigues. *Lampião e a sociologia do cangaço*. Rio de Janeiro: edição do autor, 1976.

CASCUDO, Luís da Câmara. *Dicionário do folclore brasileiro*. 12. ed. São Paulo: Global, 2012.

CHANDLER, Billy Jaynes. *Lampião, o rei dos cangaceiros*. São Paulo: Paz e Terra, 2003.

CONSOLIM, Marcia Cristina. "Gabriel Tarde e as ciências sociais francesas: Afinidades eletivas". *Revista Mana: Estudos de Antropologia Social*, Rio de Janeiro: Universidade Federal do Rio de Janeiro, v. 14, n. 2, pp. 269-98, 2008.

CORRÊA, Mariza. *As ilusões da liberdade: A escola Nina Rodrigues e a antropologia no Brasil*. 3 ed. Rio de Janeiro: Editora Fiocruz, 2013.

COSTA, Alcino Alves. *Lampião além da versão: Mentiras e mistérios de Angico*. Cajazeiras: Real, 2011.

DIAS, José Umberto. *Dadá*. Salvador: EGBA/Fundação Cultural do Estado da Bahia, 1988.

DRAKE, Emma F. A. *O que uma jovem esposa deve saber*. São Paulo: Livraria Liberdade, 1932.

FANKA. *A mulher e o cangaço*. Fortaleza: Fundação Memorial Padre Cícero, 1997.

FERNANDES, Raul. *A marcha de Lampião*. Mossoró: Fundação Vingt-Un Rosado, 2005.

FERREIRA, Vera; AMAURY, Antônio. *O espinho do quipá: Lampião, a história*. São Paulo: Oficina Cultural Mônica Buonfiglio, 1997.

FIELL, Charlotte; DIRIX, Emmanuelle (orgs). *A moda da década: 1930*. São Paulo: Publifolha, 2014.

FONTES, Oleone Carvalho. *Lampião na Bahia*. 2. ed. Petrópolis: Vozes, 1996.

FREITAS, Ana Paula Saraiva de. *A presença feminina no cangaço: Práticas e representações: 1930-1940*. 2005. Dissertação (Mestrado em História). Faculdade de Ciências e Letras de Assis. Universidade Estadual Paulista, São Paulo.

GÓIS, Joaquim. *Lampião, o último cangaceiro*. Aracaju: Sociedade de Cultura Artística de Sergipe, 1966.

GUEIROS, Optato. *Lampeão, memórias de um oficial ex-comandante de forças volantes*. 2. ed. São Paulo: edição do autor, 1953.

HOLANDA, Firmino. *Benjamin Abrahão*. Fortaleza: Edições Demócrito Rocha, 2000.

IRMÃO, José Bezerra Lima. *Lampião, a raposa das caatingas*. 3. ed. Salvador: JM, 2015.

JASMIN, Élise Gruspán. *Lampião, senhor do sertão: Vidas e mortes de um cangaceiro*. São Paulo: Edusp, 2006.

_____. *Cangaceiros*. São Paulo: Terceiro Nome, 2006.

LIMA, Estácio de. *O mundo estranho dos cangaceiros*. 2. ed. Salvador: Assembleia Legislativa da Bahia, 2006.

LOMBROSO, Cesare. *O homem delinquente*. São Paulo: Ícone, 2016.

LUCIENE, Maria. *Lampião e Maria Bonita na história*. Fortaleza: Folheteria Padre Cícero, 2008.

LUSTOSA, Isabel. *De olho em Lampião: Violência e esperteza*. São Paulo: Claro Enigma, 2011.

MACEDO, Nertan. *Lampião, capitão Virgulino Ferreira*. 5. ed. Rio de Janeiro: Renes, 1975.

MACHADO, Maria Christina Matta. *As táticas de guerra dos cangaceiros*. 2. ed. São Paulo: Brasiliense, 1978.

MACIEL, Frederico Bezerra. *Lampião, seu tempo e seu reinado*, v. 5. Petrópolis: Vozes, 1987.

MELLO, Frederico Pernambucano de. *Benjamin Abrahão: Entre anjos e cangaceiros*. São Paulo: Escrituras, 2012.

_____. *Estrelas de couro: A estética do cangaço*. 3. ed. São Paulo: Escrituras, 2015.

_____. *Guerra em Guararapes & outros estudos*. São Paulo: Escrituras, 2017.

_____. *Guerreiros do sol: Violência rural e banditismo no Nordeste do Brasil*. 5. ed. São Paulo: A Girafa, 2011.

MENEZES, Fátima. *Nas entrelinhas do cangaço*. Fortaleza: Edição do autor, 1994.

MOTA, Leonardo. *No tempo de Lampião*. 2. ed. Fortaleza: Imprensa Universitária do Ceará, 1967.

NARBER, Gregg. *Entre a cruz e a espada: Violência e misticismo no Brasil rural*. São Paulo: Terceiro Nome, 2003.

NASCIMENTO, Geraldo Maia do. *Amantes guerreiras: A presença da mulher no cangaço*. 2. ed. Natal: Sebo Vermelho, 2015.

NETO, Lira. *Padre Cícero: Poder, fé e guerra no sertão*. São Paulo: Companhia das Letras, 2009.

_____. *Getúlio (1930-1945): Do governo provisório à ditadura do Estado Novo*. São Paulo: Companhia das Letras, 2013.

OLIVEIRA, Aglae Lima de. *Lampião, cangaço e Nordeste*. 2. ed. Rio de Janeiro: O Cruzeiro, 1970.

PACHECO, José. *A chegada de Lampião no inferno*. São Paulo: Editora Luzeiro, s.d.

PEIXOTO, Afrânio. *Maria Bonita*. Rio de Janeiro: Ediouro, 1985.

PERICÁS, Luiz Bernardo. *Os cangaceiros: Ensaio de interpretação histórica*. São Paulo: Boitempo, 2010.

PORTO, Walter Costa. *O voto no Brasil*. Rio de Janeiro: Topbooks, 2002.

PRATA, Ranulfo. *Lampião: Documentário*. 2. ed. São Paulo: Piratininga, s.d.

PRIORE, Mary del. *História das mulheres no Brasil*. São Paulo: Contexto, 2004.

QUEIROZ, Maria Isaura Pereira de. *Os cangaceiros*. São Paulo: Duas Cidades, 1977.

RAMOS, Graciliano. *Angústia*. 32. ed. Rio de Janeiro: Record, 1986.

_____. *Cangaços*. Organização de Thiago Mio Salla e Ieda Lebensztayn. Rio de Janeiro: Record, 2014.

REIS, Daniel Aarão. *Luís Carlos Prestes, um revolucionário entre dois mundos*. São Paulo: Companhia das Letras, 2014.

RINARÉ, Rouxinol do; VIANA, Klévisson. *A história completa de Lampião e Maria Bonita*. 9. ed. Fortaleza: Tupynanquim, 2001.

ROCHA, Melchiades da. *Bandoleiros das catingas*. Rio de Janeiro: Francisco Alves, 1988.

ROUDINESCO, Elisabeth; PLON, Michel. *Dicionário de psicanálise*. Rio de Janeiro: Zahar, 1998.

SANTOS, Antônio Teodoro dos. *Maria Bonita, a mulher cangaço*. São Paulo: Luzeiro, 1986.

SCHWARCZ, Lilia Moritz. *O espetáculo das raças: Cientistas, instituições e questão racial no Brasil. 1870-1930*. São Paulo: Companhia das Letras, 1993.

_____; STARLING, Heloisa M. *Brasil: Uma biografia*. São Paulo: Companhia das Letras, 2015.

SEVCENKO, Nicolau (org. volume) e NOVAIS, Fernando (org. coleção). *História da vida privada no Brasil*, v. 3. São Paulo, Companhia das Letras, 2002.

SILVA, Gonçalo Ferreira da. *Maria Bonita, a eleita do Rei*. 2000.

SOARES, Paulo Gil. *Vida, paixão e mortes de Corisco, o Diabo Louro*. Porto Alegre: L&PM, 1984.

SOUZA, Ilda Ribeiro; ORRICO, Israel Araújo. *Sila, uma cangaceira de Lampião*. São Paulo: Traço Editora, 1984.

TÁVORA, Juarez. *Uma vida e muitas lutas: Memórias*, v. 2 — A caminhada no Altiplano. Rio de Janeiro: Biblioteca do Exército, 1976.

VASCONCELOS, Márcio. *Na trilha do cangaço: O sertão que Lampião pisou*. São Paulo: Vento Leste, 2016.

VIANNA, Marly de Almeida Gomes. *Revolucionários de 35: Sonho e realidade*. São Paulo: Companhia das Letras, 1992.

VILLA, Marco Antonio. *Vida e morte no sertão: Histórias das secas no Nordeste nos séculos XIX e XX*. São Paulo: Ática, 2001.

ZATZ, Lia. *Dadá, bordando o cangaço*. São Paulo: Callis, 2004.

ZENIO, Francisco. *A surra que Lampião levou*. Fortaleza: s.d.

SITES

http://blogdomendesemendes.blogspot.com.br
http://sarau-da-ademar.blogspot.com.br
http://cangaconabahia.blogspot.com.br

Notas

PRÓLOGO. SALVE MARIA BONITA/ MARIA DO CAPITÃO/ MULHER FORTE DESTEMIDA/ QUE VIVEU SUA PAIXÃO [pp. 11-6]

Título extraído de Dalinha Catunda, "Maria do capitão". Disponível em: <http://mundocordel.blogspot.com.br/2011/03/poesia-de-dalinha-catunda.html>. Acesso em: 10 jun. 2018.

1. Julie Miller, "About That Time Elizabeth Taylor Custom-Ordered 200 Pairs of Mink Earmuffs". Disponível em: <http://sarau-da-ademar.blogspot.com.br/2012/03/cordel-maria-bonita.html>. Acesso em: 10 jun. 2018.

2. O acervo virtual da estilista Zuzu Angel contém fotos da coleção, do desfile, material de divulgação e recortes dos jornais com as matérias sobre as peças e a apresentação na loja, incluindo a edição citada do *New York Times*, de 15 nov. 1970. Disponível em: <http://acervo.zuzuangel.com.br/documental/material-de-divulgacao-international-dateline-collection-i-the-new-york-times-181170--bergdorf-goodman>. Acesso em: 10 jun. 2018.

3. O trecho em questão pode ser visto no vídeo *Lampião e Maria Bonita: o casal namora*. Disponível em: <http://memoriaglobo.globo.com/programas/entretenimento/minisseries/lampiao-e-maria-bonita/trama-principal.htm>. Acesso em: 10 jun. 2018.

1. MEU PADIM PADE CIÇO/ ME CLAREIE A INSPIRAÇÃO/ PRA FALAR DE UMA MULÉ/ ARRETADA FEITO O CÃO [pp. 17-31]

Título extraído de Soraia da Brasa. "Cordel Maria Bonita". Disponível em: <http://sarau-da-ademar.blogspot.com/2012/03/cordel-maria-bonita.html>. Acesso em: 10 jun. 2018.

1. Antônio Amaury Corrêa de Araújo, *Maria Bonita*, pp. 125-6.
2. Aglae Lima de Oliveira. *Lampião, cangaço e Nordeste*, p. 258.
3. A altura de Maria de Déa foi anotada por Benjamin Abrahão quando filmou o grupo de cangaceiros, em 1936, conforme narra Frederico Pernambucano de Mello, em *Benjamin Abrahão: Entre anjos e cangaceiros*, p. 197.
4. Joaquim Góis. *Lampião, o último cangaceiro*, p. 212.
5. Voldi de Moura Ribeiro, *A verdade acerca do nascimento de Maria Bonita*. Comunicado à curadoria do Cariri Cangaço e aos participantes (Crato, 17 de setembro de 2013). Documento fornecido à autora pelo pesquisador.
6. Luiz Bernardo Pericás, *Os cangaceiros: Ensaio de interpretação histórica*, p. 35.
7. José Bezerra Lima Irmão, *Lampião, a raposa das caatingas*, p. 278.
8. Oleone Carvalho Fontes, *Lampião na Bahia*, pp. 243-5.
9. Alcino Alves Costa,. *Lampião além da versão: Mentiras e mistérios de Angico*, p. 125.
10. *A Manhã* (RJ), 7 nov. 1926.
11. *The New York Times*, 8 set. 1928.
12. Lei nº 3.071, de 1º de janeiro de 1916. Artigo 233.
13. Lira Neto, *Padre Cícero: Poder, fé e guerra no sertão*, pp. 469-79.
14. Élise Gruspán Jasmin, *Lampião, senhor do sertão: Vidas e mortes de um cangaceiro*, pp. 57, 109 e 112.
15. Ibid. nota 7, pp. 98-100.
16. Ricardo Albuquerque (org.), *Iconografia do cangaço*, p. 36.
17. *Jornal do Brasil*, 11 e 23 jun. 1926.
18. *Jornal do Recife*, 30 nov. 1926.
19. Ibid. nota 7, p. 276.

2. MARIA GOMES DE OLIVEIRA/ AMOU MUITO A LAMPIÃO/ DECIDIU SER A PRIMEIRA/ CANGACEIRA DO SERTÃO [pp. 32-46]

Título extraído de Rouxinol do Rinaré e Klévisson Viana, *A história completa de Lampião e Maria Bonita*, p. 24.

1. Antônio Amaury Corrêa de Araújo, *Gente de Lampião: Dadá e Corisco*, p. 20; José Umberto Dias, *Dadá*, p. 17; Fátima Menezes, *Nas entrelinhas do cangaço*, p. 22. O povoado de Macureré é citado por Estácio de Lima em *O mundo estranho dos cangaceiros*, p. 84.

2. José Umberto Dias, *Dadá*, pp. 11, 13, 17, 25-6; Maria Isaura Pereira de Queiroz, *Os cangaceiros*, p. 101.

3. Depoimento de Dadá reproduzido no documentário *Feminino cangaço*, de Lucas Viana e Manoel Neto. Em *Vida, paixão e mortes de Corisco, o Diabo Louro*, p. 38, Paulo Gil Soares reproduz uma frase de Dadá em que ela diz terem os irmãos, na ocasião, doze e catorze anos.

4. Gilberto Freire, no prefácio à primeira edição de *Guerreiros do sol*, de Frederico Pernambucano de Mello, p. 10.

5. Luiz Ruben F. de A. Bonfim, *Lampião conquista a Bahia*, pp. 51-2

6. Ibid., p. 33.

7. Ibid., p. 49.

8. Ibid., pp. 34-7.

9. José Bezerra Lima Irmão, *Lampião, a raposa das caatingas*, p. 276.

10. Ibid. nota 5, p. 60.

11. Ibid., p. 68.

12. Idem nota 31, pp. 374-5; "Eu sou o Labareda de Lampião". In: *O Cruzeiro* (19 out. 1968); Wanessa Campos, *A dona de Lampião*, p. 57.

13. Ibid. nota 9, p. 291.

14. Ranulfo Prata, *Lampião*, p. 146.

15. Ibid., p. 152. A história do cinema consta também em José Bezerra Lima, *Lampião, a raposa das caatingas*, p. 333.

16. *Jornal do Brasil*, 27 out. 1929.

17. Ibid. nota 9, p. 343.

18. A reconstituição da visita de Lampião a Queimadas foi feita a partir dos relatos de Oleone Coelho Fontes, em *Lampião na Bahia*, pp. 142-7. José Bezerra Irmão, em *Lampião, a raposa das caatingas*, pp. 340-4, e o relatório feito, no dia seguinte ao massacre, pelo tenente Geminiano José dos Santos ao capitão José

Galdino de Souza e publicado por Rubens Antonio da Silva Filho no site *Cangaço na Bahia*. Geminiano seria morto pelo bando em julho de 1930.

19. Antônio Amaury Corrêa de Araújo, *Gente de Lampião: Dadá e Corisco*, p. 15.
20. José Umberto Dias, *Dadá*, p. 18
21. Antônio Amaury Corrêa de Araújo, *Maria Bonita*, p. 71.

3. TODOS OS CABRAS FICARAM/ UM A UM MAIS ALARMADO/ VENDO QUE O CHEFE ESTAVA/ POR MARIA APAIXONADO
[pp. 47-61]

O verso do título é de autoria de Manoel D'Almeida Filho. Extraído de *Amantes guerreiras, a presença da mulher no cangaço*, p. 88, de Geraldo Maia do Nascimento.

1. José Bezerra Lima Irmão, *Lampião, a raposa das caatingas*, p. 377.
2. Antônio Amaury Corrêa de Araújo, *Lampião, as mulheres e o cangaço*, p. 254.
3. A reconstituição do crime contra os Couro Seco e a consequente entrada de Labareda no bando foi feita a partir do depoimento do próprio reproduzido por Estácio de Lima, em *O mundo estranho dos cangaceiros*, pp. 197-201, bem como no relato de José Bezerra Lima Irmão, em *Lampião, a raposa das caatingas*, p. 300.
4. Ilda Ribeiro Souza e Israel Araújo Orrico, *Sila, uma cangaceira de Lampião*, p. 41.
5. Joaquim Góis, *Lampião, o último cangaceiro*, p. 212.
6. Ranulfo Prata, *Lampião: Documentário*, pp. 36-7.
7. A tese do glaucoma é defendida pelo historiador Frederico Pernambucano de Mello na página 54 do texto "As muitas mortes de um rei vesgo", que serve de introdução à 3ª edição de *Como dei cabo de Lampeão*, do Capitão João Bezerra. O memorialista Antônio Amaury Corrêa de Araújo informa que, segundo Dadá, a lesão foi provocada por um ferimento de espinho de quipá durante combate com as volantes no início da carreira em *Lampião, as mulheres e o cangaço*, p. 244. Sobre a altura de Virgulino, considerei a medição feita pelo fotógrafo Benjamin Abrahão, conforme seu biógrafo Frederico Pernambucano de Mello apresenta em *Benjamin Abrahão: Entre anjos e cangaceiros*, p. 197.
8. Ibid. nota 2, p. 176.
9. Isabel Lustosa, *De olho em Lampião: Violência e esperteza*, p. 16.
10. Nertan Macedo, *Lampião, capitão Virgulino Ferreira*, p. 45.
11. Estácio de Lima, *O mundo estranho dos cangaceiros*, p. 241.
12. Ibid., p. 234.

13. Ibid. nota 1, pp. 356-7. Sobre a morte de Sabiá, ver também Amaury Corrêa de Araújo e seu livro, *Lampião, as mulheres e o cangaço*, pp. 55-6.

14. Ibid. nota 2, p. 330.

15. Emma F. A. Drake, *O que uma jovem esposa deve saber*, pp. 34 e 47.

16. Geraldo Maia do Nascimento, *Amantes guerreiras, a presença da mulher no cangaço*, p. 36; Élise Gruspán Jasmin, *Lampião, senhor do sertão: Vidas e mortes de um cangaceiro*, p. 130.

17. Geraldo Maia do Nascimento, *Amantes guerreiras: A presença da mulher no cangaço*, p. 65.

18. Ibid. nota 11, p. 67.

19. Lilia Moritz Schwarcz e Heloisa M. Starling, *Brasil: Uma biografia*, pp. 329 e 343.

20. Elisabeth Roudinesco e Michel Plon, *Dicionário de psicanálise*, p. 442.

21. *Jornal do Brasil*, 1 jul. 1930 (relativa ao prêmio da loteria) e 22 jul. 1930 (sobre o anúncio da venda do sítio).

22. *A Noite*, 27 set. 1930.

23. O anúncio da venda do terreno foi extraído do *Jornal do Brasil*, 3 ago. 1930.

24. Élise Gruspán Jasmin, *Lampião, senhor do sertão: Vidas e mortes de um cangaceiro*, pp. 275-6.

25. Leonardo Mota, *No tempo de Lampião*, p. 15.

26. Ibid., pp. 45-6. Sobre a expressão "*cherchez la femme*", ver o artigo homônimo publicado pela escritora Ana Miranda no jornal *Diário do Nordeste*, 3 dez. 2006.

27. Frederico Pernambucano de Mello, *Guerreiros do sol: Violência rural e banditismo no Nordeste do Brasil*, pp. 148-9.

28. Antônio Amaury Corrêa de Araújo, *Gente de Lampião: Dadá e Corisco*, p. 34.

4. APESAR DE SER VALENTE/ MARIA ERA AFEIÇOADA/ ÀS COISAS BEM FEMININAS/ SÓ ANDAVA PERFUMADA [pp. 62-76]

1. José Umberto Dias, *Dadá*, pp. 26-8. Sua queixa sobre a "maior dor do mundo" encontra-se na página 30.

2. Lia Zatz, *Dadá, bordando o cangaço*, p. 14.

3. Ibid. nota 1, p. 34. A risada dobrada de Maria seria mencionada pela então ex-cangaceira Durvinha no filme *Os últimos cangaceiros*, de Wolney Oliveira.

4. Depoimento de Frederico Pernambucano de Mello no documentário *A estética do cangaço* (Fundação Joaquim Nabuco).

5. Frederico Pernambucano de Mello, *Estrelas de couro: A estética do cangaço*, pp. 73, 112, 127, 131, 134 e 179.
6. Ibid., p. 51; Fátima Menezes, *Nas entrelinhas do cangaço*, p. 23.
7. José Bezerra Lima Irmão, *Lampião, a raposa das caatingas*, p. 369.
8. Billy Jaynes Chandler, *Lampião, o rei dos cangaceiros*, p. 261.
9. Segundo Frederico Pernambucano de Mello em *Guerreiros do Sol*, p. 158, Corisco serviu no 28º BC, em Aracaju.
10. Antônio Amaury Corrêa de Araújo, *Gente de Lampião: Dadá e Corisco*, pp. 22-3. Segundo Estácio de Lima, em *O mundo estranho dos cangaceiros*, p. 87, Corisco matou o homem com um punhal.
11. Ibid. nota 7, p. 281.
12. Paulo Gil Soares, *Vida, paixão e mortes de Corisco, o Diabo Louro*, p. 58.
13. Ibid. nota 2, p. 13.
14. Geraldo Maia do Nascimento, *Amantes guerreiras: A presença da mulher no cangaço*, p. 21.
15. Marina Maluf e Maria Lúcia Mott, "Recônditos do mundo feminino". In: *História da vida privada*, pp. 417-9. A missão da *Revista Feminina* está descrita na Biblioteca Digital da Universidade Estadual Paulista. Disponível em: <https://bibdig.biblioteca.unesp.br/handle/10/6167>. Acesso em: 10 jun. 2018.
16. Ibid. nota 1, pp. 26-7.
17. Élise Gruspán Jasmin, *Lampião, senhor do sertão: Vidas e mortes de um cangaceiro*, pp. 228-9.
18. Ibid. nota 1, p. 13.
19. Antônio Amaury Corrêa de Araújo, *Lampião, as mulheres e o cangaço*, p. 318; Estácio de Lima, *O mundo estranho dos cangaceiros*, p. 150.
20. Luiz Bernardo Pericás, *Os cangaceiros: Ensaio de interpretação histórica*, p. 46; Estácio de Lima, *O mundo estranho dos cangaceiros*, pp. 151-2; Isnaia Firminia de Souza Almeida, "Lampião: A medicina e o cangaço". In: *Caos: Revista Eletrônica de Ciências Sociais*, pp. 119-20.
21. Aglae Lima de Oliveira, *Lampião, cangaço e Nordeste*, p. 268.
22. Ibid. nota 19, pp. 281, 317-8.
23. Ibid. nota 5, p. 52.
24. Ibid. nota 14, p. 72.
25. Estácio de Lima, *O mundo estranho dos cangaceiros*, p. 79.

5. DA HISTÓRIA DO CANGAÇO/ MUITO TEM PRA SE SABER/ ENFEITE E BALA DE AÇO/ CONHAQUE PARA BEBER [pp. 77-89]

Título extraído de Fanka, *A mulher e o cangaço*, p. 1.

1. Antônio Amaury Corrêa de Araújo, *Lampião, as mulheres e o cangaço*, p. 256.
2. José Bezerra Lima Irmão, *Lampião, a raposa das caatingas*, p. 397.
3. Estácio de Lima, *O estranho mundo dos cangaceiros*, p. 94.
4. Os comentários de Durvinha sobre Maria Bonita constam do filme *Os últimos cangaceiros*, de Wolney Oliveira.
5. Nertan Macedo, *Lampião*, pp. 178-9.
6. Ranulfo Prata, *Lampião*, p. 168.
7. Luiz Bernardo Pericás, *Os cangaceiros: Ensaio de interpretação histórica*, p. 90.
8. Ibid., p. 95.
9. Frederico Pernambucano de Mello. *Estrelas de couro: A estética do cangaço*, p. 144.
10. *A Noite* (RJ), 20 fev. 1931; *Jornal do Brasil* (RJ), 25 fev. 1931.
11. *Jornal do Recife*, 13 mar. 1931.
12. *A Noite*, 9 maio 1931.
13. *A Noite*, 16 abr. 1931.
14. Ibid.
15. Élise Gruspán Jasmin, *Lampião, senhor do sertão: Vidas e mortes de um cangaceiro*, p. 135.
16. Ibid. nota 8, p. 173.
17. Ibid. nota 2, p. 405.
18. *A Noite* (RJ), 11 maio 1931.
19. Ibid. nota 15, p. 136.
20. Ibid. nota 9, p. 48.
21. José Umberto Dias, *Dadá*, p. 10.
22. *A Noite*, 11 maio 1931.
23. *A Noite*, 20 abr. 1931. Em *Lampião, as mulheres e o cangaço*, Antônio Amaury chama a viúva de Joana Expedita, p. 69.
24. Ibid. nota 6, p. 100.
25. Leonardo Mota, *No tempo de Lampião*, p. 30.
26. Ibid. nota 2, pp. 405-6.
27. *A Noite*, 26 set. 1931.
28. Ibid. nota 8, p. 92.

29. Ibid. nota 2, p. 407. A informação sobre o orçamento da secretaria de obras públicas foi retirada do *Jornal do Commercio*, 2 jan. 1931.

30. Ibid. nota 21, p. 21.

31. Ibid. nota 9, p. 93, Antônio Amaury Corrêa de Araújo, *Maria Bonita*, p. 89; José Umberto Dias, *Dadá*, p. 21.

32. Ibid. nota 4.

6. DEZENOVE TRINTA E DOIS/ A BRISA SOPROU RASTEIRA/ DIA TREZE DE SETEMBRO/ NASCEU EXPEDITA FERREIRA
[pp. 90-104]

Título extraído de Maria Luciene, *Lampião e Maria Bonita na história*, p. 8.

1. *A Noite Ilustrada*, 30 mar. 1932.
2. Ibid.
3. *O Cruzeiro*, 2 abr. 1932.
4. Élise Gruspán Jasmin, *Lampião, senhor do sertão: Vidas e mortes de um cangaceiro*, p. 152.
5. *O Cruzeiro*, 5 mar. 1932.
6. Ibid.
7. Idem nota 5, 2 abr. 1932.
8. José Bezerra Lima Irmão, *Lampião, a raposa das caatingas*, p. 408.
9. Frederico Pernambucano de Mello fez um minucioso estudo sobre o visual dos cangaceiros em seu *Estrelas de couro, a estética do cangaço*. Sobre o assunto, consultar também Élise Gruspán Jasmin, *Lampião, senhor do sertão: Vidas e mortes de um cangaceiro*, p. 136; Antônio Amaury Corrêa de Araújo, *Maria Bonita*, pp. 84-7, e Aglae Lima de Oliveira, *Lampião, cangaço e Nordeste*, p. 148.
10. José Umberto Dias, *Dadá*, pp. 18 e 44.
11. Ibid., p. 10.
12. Ibid. nota 4, p. 134.
13. Antônio Amaury Corrêa de Araújo, *Gente de Lampião: Dadá e Corisco*, p. 36.
14. Ibid. nota 8, pp. 414-5.
15. Antônio Amaury Corrêa de Araújo, *Maria Bonita*, p. 136.
16. Alcino Alves da Costa, *Lampião além da versão*, p. 160.
17. Vera Ferreira e Antônio Amaury, *O espinho do quipá*, p. 167.

18. A reconstituição do combate de Maranduba foi feita com base nos relatos de José Bezerra Lima Irmão, *Lampião, a raposa das caatingas*, pp. 416 a 423; Alcino Alves Costa, *Lampião além da versão*, pp. 159-69.
19. *Jornal do Brasil*, 25 mar. 1932.
20. Ibid.
21. *O Cruzeiro*, 9 abr. 1932.
22. Ibid. nota 8, p. 431.
23. Ibid. nota 10, p. 98.
24. Ibid. nota 8, p. 433.
25. Em *O espinho do quipá*, na página 153, Vera Ferreira e Antônio Amaury relatam o uso da faixa de pano por mulheres durante a gravidez. Em depoimento a Antônio Amaury, Dadá revela o uso do acessório no pós-parto: *Lampião, as mulheres e o cangaço*, p. 95.

7. TRATE BEM ESSE MENINO/ COM AMOR E INSTRUÇÃO/ NÃO DEIXE QUE ELE SIGA/ O CAMINHO DE LAMPIÃO [pp. 105-17]

Título extraído de Abraão Batista, *João Peitudo, o filho de Lampião e Maria Bonita*, p. 10.

1. O método de sangramento é explicado por Frederico Pernambucano de Mello, em *Estrelas de couro: A estética do cangaço*, p. 127.
2. Antônio Amaury Corrêa de Araújo, *Lampião, as mulheres e o cangaço*, pp. 177-9; *O Jornal*, 7 set. 1958 ("Maria Bonita era tão má quanto o próprio Lampião").
3. José Bezerra Lima Irmão, *Lampião, a raposa das caatingas*, p. 436.
4. *A Noite Ilustrada*, 16 ago. 1938.
5. *Diário da Noite*, 3 nov. 1930.
6. Marco Antonio Villa, *Vida e morte no sertão: História das secas no Nordeste nos séculos XIX e XX*, p. 144.
7. Depoimento de Moreno a Wolney Oliveira em seu filme *Os últimos cangaceiros*.
8. Estácio de Lima, *O mundo estranho dos cangaceiros*, pp. 143 e 221; José Umberto Dias, *Dadá*, pp. 33-4.
9. Sobre a "Seca de João Miguel", ver Billy Jaynes Chandler, *Lampião, o rei dos cangaceiros*, p. 230; Élise Gruspán Jasmin, *Lampião, senhor do sertão: Vidas e*

mortes de um cangaceiro, p. 272; Luiz Bernardo Pericás, *Os cangaceiros: Ensaio de interpretação histórica*, p. 144; Ranulfo Prata, *Lampião*, p. 272.

10. Billy Jaynes Chandler, *Lampião, o rei dos cangaceiros*, pp. 241-2.

11. Leônidas relembra o ocorrido em depoimento a Antônio Amaury Corrêa de Araújo, que publicou a história em *Maria Bonita*, pp. 148-50.

12. Rodrigues de Carvalho, *Lampião e a sociologia do cangaço*, p. 152.

13. Capitão João Bezerra, *Como dei cabo de Lampeão*, pp. 147-8

14. Ibid. nota 11, pp. 73-7; Alcino Alves da Costa, "Mané Véio, o carrasco de Angico". Disponível em: <http://lampiaoaceso.blogspot.com.br/2008/11/histria-dos-volantes-man-vio.html>. Acesso em: 10 jun. 2018.

15. Sobre o assassinato de Manoel Salinas, consultar Ranulfo Prata, *Lampião*, p. 129; Élise Gruspán Jasmin, *Lampião, senhor do sertão: Vidas e mortes de um cangaceiro*, p. 218; José Bezerra Lima Irmão, *Lampião, a raposa das caatingas*, p. 354.

16. Ibid. nota 10, p. 221.

17. Ibid. nota 11, pp. 58-9; José Bezerra Lima Irmão, *Lampião, a raposa das caatingas*, p. 443.

8. AS MOÇAS DE VILA BELA/ SÃO POBRES, MAS TÊM AÇÃO/ PASSAM O DIA NA JANELA/ NAMORANDO LAMPIÃO [pp. 118-28]

Versos do título de autoria de José Aluísio Vilela, extraído de *Lampião, cangaço e Nordeste*, de Aglae Lima de Oliveira, p. 182.

1. Graciliano Ramos, *Cangaços*, p. 41.
2. *Jornal do Brasil*, 2 ago. 1932. As informações sobre a personalidade de Pó Corante foram retiradas do *Dicionário biográfico cangaceiros & jagunços*, de Renato Luís Bandeira, p. 186. Aglae Lima de Oliveira, em *Lampião, cangaço e Nordeste*, mencionou a lenda do choro na p. 128.
3. Aglae Lima de Oliveira, *Lampião, cangaço e Nordeste*, p. 257.
4. Lira Neto, *Padre Cícero: Poder, fé e guerra no sertão*, p. 328.
5. Ibid. nota 3, p. 126.
6. Ibid., p. 261.
7. Billy Jaynes Chandler, *Lampião, o rei dos cangaceiros*, p. 266.
8. Entrevista de Dadá extraída do documentário *A mulher no cangaço*, da TV Globo.
9. Depoimento de Adília a Aderbal Nogueira no documentário *Adília e Canário*, bem como entrevistas dela e de Dadá extraídas do documentário *A mulher no cangaço*, de Hermano Penna.

10. Geraldo Maia do Nascimento, *Amantes guerreiras: A presença da mulher no cangaço*, p. 22; José Umberto Dias, *Dadá*, p. 34.
11. Ibid. nota 3, p. 167.
12. *Jornal do Brasil*, 23 mar. 1932.
13. Ibid. nota 3, p. 165; José Bezerra Lima Irmão, *Lampião, a raposa das caatingas*, p. 446.
14. José Bezerra Lima Irmão, *Lampião, a raposa das caatingas*, p. 449.
15. Ibid., p. 453.
16. José Umberto Dias, *Dadá*, p. 19.
17. A reconstituição da trajetória e morte de Lili no bando foi feita, além do depoimento de Dadá no livro de José Umberto Dias (ver nota acima), com base nos relatos de Antônio Amaury Corrêa de Araújo, em *Lampião, as mulheres e o cangaço*, pp. 99-100; Estácio de Lima, em *O estranho mundo dos cangaceiros*, p. 100; e Geraldo Maia do Nascimento, em *Amantes guerreiras: A presença da mulher no cangaço*, p. 75.
18. Ibid. nota 14, p. 446.
19. Ibid. nota 16, p. 76.

9. PODE TÊ CORPO DE GENTE/ MAS GENTE MESMO NÃO É/ ACHO INTÉ QUE NÃO NASCEU/ DAS ENTRANHA DE MUIÉ
[pp. 129-40]

Versos do título de autoria de Alexandre Zabelê, retirados de *Bandoleiros das catingas*, de Melchiades da Rocha, p. 79.

1. A história é relatada por Antônio Amaury Corrêa de Araújo, em *Maria Bonita*, pp. 165-8.
2. Sobre crenças e superstições de Virgulino, ver Élise Gruspán Jasmin, *Lampião, senhor do sertão: Vidas e mortes de um cangaceiro*, pp. 227-9; José Umberto Dias, *Dadá*, p. 10; Luiz Bernardo Pericás, *Os cangaceiros, ensaio de interpretação histórica*, p. 48; Frederico Pernambucano de Mello, *Estrelas de couro, a estética do cangaço*, p. 52; e Aglae Lima de Oliveira, *Lampião, cangaço e Nordeste*, p. 118.
3. Sobre o medo de Virgulino de ser envenenado, ver Élise Gruspán Jasmin, *Lampião, senhor do sertão: Vidas e mortes de um cangaceiro*, p. 247. Aglae Lima de Oliveira também menciona esse assunto e cita os pratos preferidos do capitão em *Lampião, cangaço e Nordeste*, p. 144.
4. José Bezerra Lima Irmão, *Lampião, a raposa das caatingas*, p. 454; Billy Jaynes Chandler, *Lampião, o rei dos cangaceiros*, p. 235; Antônio Amaury Corrêa de Araújo e Luiz Ruben F. de A. Bonfim, *Lampião e as cabeças cortadas*, p. 89.

5. Um resumo sobre a atuação do "Lampeão Paulista" pode ser lido em *Jornal do Brasil*, 12 ago. 1933.
6. *Jornal do Brasil*, 12 jul. 1933.
7. Luiz Bernardo Pericás, *Os cangaceiros, ensaio de interpretação histórica*, caderno de fotos.
8. *A Noite*, 24 abr. 1933.
9. Aglae Lima de Oliveira, *Lampião, cangaço e Nordeste*, p. 320; Billy Jaynes Chandler, *Lampião, o rei dos cangaceiros*, p. 274.
10. José Bezerra Lima Irmão, *Lampião, a raposa das caatingas*, pp. 442 e 445.
11. Ibid., p. 439.
12. Antônio Amaury Corrêa de Araújo, *Lampião, as mulheres e o cangaço*, p. 324.
13. Estácio de Lima, *O mundo estranho dos cangaceiros*, p. 54.
14. Ibid., p. 75.
15. Ibid., pp. 83-4.

10. PRA MODE SE VÊ DEFUNTO/ NUM É PRECISO ADOECÊ/ QUARQUÉ INTRIGA É BASTANTE/ PRA SE MATÁ OU MORRÊ [pp. 141-52]

Título extraído de Melchiades da Rocha, *Bandoleiros das catingas*, p. 143 (Coleção de José Aloísio Vilela).

1. Ranulfo Prata, *Lampião, documentário*, p. 58.
2. *Jornal do Brasil*, 24 jan. 1934.
3. Ibid. nota 1, pp. 57-8 e 62.
4. Ibid., pp. 120-2.
5. Ibid; pp. 14 e 16.
6. Ibid., pp. 36 (características físicas), 72 (verso) e 125 (sangramento).
7. Frederico Pernambucano de Mello, *Guerreiros do sol: Violência e banditismo no Nordeste do Brasil*, p. 81.
8. Melchiades da Rocha, *Bandoleiros das catingas*, pp. 81-2.
9. Antônio Amaury Corrêa de Araújo, *Maria Bonita*, pp. 142-3.
10. Billy Jaynes Chandler, *Lampião, o rei dos cangaceiros*, p. 272.
11. Joaquim Góis, *Lampião, o último cangaceiro*, pp. 207-9.
12. Ibid. nota 10, p. 236.
13. José Umberto Dias, *Dadá*, p. 48.

14. Idem nota 11. pp. 206-7.
15. Estácio de Lima, *O mundo estranho dos cangaceiros*, p. 79.
16. O assassinato de Lídia foi reconstituído a partir dos relatos de Estácio de Lima, *O mundo estranho dos cangaceiros*, pp. 79-81; Geraldo Maia do Nascimento, *Amantes guerreiras*, pp. 72-4; José Umberto Dias, *Dadá*, p. 77; Antônio Amaury Corrêa de Araújo, *Maria Bonita*, pp. 103-9; Antônio Amaury Corrêa de Araújo e Luiz Ruben F. de A. Bonfim, *Lampião e as cabeças cortadas*, pp. 60-1. Segundo Araújo, o nome do cangaceiro que tentou fazer sexo com Lídia é Coqueiro, e não Besouro.
17. Ibid. nota 10, p. 238.
18. *Correio do Sertão*, 3 jun. 1934. Arquivo de Liandro Antiques. Disponível em: <http://blogdomendesemendes.blogspot.com.br/2014/10/mataram-o-cangaceiro-arvoredo.html>. Acesso em: 10 jun. 2018.
19. *A Noite Ilustrada*, 13 jun. 1934.
20. Ibid. nota 1, p. 181.
21. *A Noite Ilustrada*, 12 jun. 1934.
22. Antônio Amaury Corrêa de Araújo, *Lampião, as mulheres e o cangaço*, pp. 104-6.
23. Idem, *Gente de Lampião: Dadá e Corisco*, pp. 51-5.

11. A BAHIA TÁ DE LUTO/ PERNAMBUCO DE SENTIMENTO/ SERGIPE DE PORTA ABERTA/ LAMPIÃO SAMBANDO DENTRO [pp. 153-63]

Título extraído de Frederico Pernambucano de Mello, *Guerreiros do sol, violência e banditismo no Nordeste do Brasil*, p. 297.

1. José Bezerra Lima Irmão, *Lampião, a raposa das caatingas*, pp. 464-6.
2. Alcino Alves Costa, *Lampião além da versão: Mentiras e mistérios de Angico*, pp. 137-9.
3. Depoimento de Cícera, irmã de Dulce, extraído do filme *Os últimos cangaceiros*, de Wolney Oliveira.
4. Aglae Lima de Oliveira, *Lampião, cangaço e Nordeste*, p. 150.
5. Ibid. nota 1, pp. 463 e 473.
6. Joaquim Góis, *Lampião, o último cangaceiro*, pp. 201-2.
7. Ibid. nota 1, p. 462.
8. Luís da Câmara Cascudo, *Dicionário do folclore brasileiro*, p. 732.

9. Billy Jaynes Chandler, *Lampião, o rei dos cangaceiros*, p. 233.
10. José Bezerra Lima Irmão, *Lampião, a raposa das caatingas*, pp. 225-8. O episódio da castração também é mencionado por Luitgarde Oliveira Cavalcanti Barros, em *A derradeira gesta: Lampião e nazarenos guerreando no sertão*, p. 55.
11. Ibid. nota 1, pp. 462 e 471-2.
12. Walter Costa Porto, *O voto no Brasil*, pp. 240 e 267.
13. Frederico Pernambucano de Mello, *Guerreiros do sol: Violência rural e banditismo no Nordeste do Brasil*, p. 298.
14. Estácio de Lima, *O mundo estranho dos cangaceiros*, pp. 223-7.
15. Ibid. nota 1, p. 474.
16. Billy Jaynes Chandler, *Lampião, o rei dos cangaceiros*, p. 245; Gregg Narber, *Entre a cruz e a espada: Violência e misticismo no Brasil rural*, p. 147; José Bezerra Lima Irmão, *Lampião, a raposa das caatingas*, p. 473.
17. Antônio Amaury Corrêa de Araújo, *Lampião, as mulheres e o cangaço*, pp. 106-7.
18. *Diário de Notícias*, 18 maio 1935; Depoimento de Otília colhido no documentário *Memórias do cangaço*, de Paulo Gil Soares.

12. A MULÉ DE LAMPIÃO/ É FACEIRA E É BONITA/ CADA CACHO DE CABELO/ TEM CINCO LAÇOS DE FITA [pp. 164-75]

Verso do título extraído de Melchiades da Rocha, *Bandoleiros das catingas*, p. 141.

1. João Paulo Caldeira, *A história de José Sampaio de Macedo, major brigadeiro do Ar*. Disponível em: <https://jornalggn.com.br/noticia/a-historia-de-jose-sampaio--de-macedo-major-brigadeiro-do-ar>. Acesso em: 10 jun. 2018.
2. *Diário de Notícias*, 18 maio 1935.
3. Billy Jaynes Chandler, *Lampião, o rei dos cangaceiros*, p. 249; José Bezerra Lima Irmão, *Lampião, a raposa das caatingas*, pp. 479-80.
4. José Bezerra Lima Irmão, *Lampião, a raposa das caatingas*, p. 481.
5. Estácio de Lima, *O mundo estranho dos cangaceiros*, p. 94.
6. Os depoimentos de Zé Sereno e Dadá sobre o episódio foram dados a Antônio Amaury Corrêa de Araújo, que os relatou em seu *Lampião, as mulheres e o cangaço*, pp. 147-52.
7. Ibid. nota 4, p. 482.
8. Graciliano Ramos, *Angústia*, p. 201.
9. Idem nota 7.

10. José Umberto Dias, *Dadá*, pp. 45-6.

11. Luiz Bernardo Pericás, *Os cangaceiros, ensaio de interpretação histórica*, p. 209. Foi excluído o trecho "outro Acunto cuidado com meu filho cou u mezmo" no final do bilhete, entre as palavras "Dadá" e "Capitão".

12. Ibid. nota 4, pp. 484-6.

13. Joaquim Góis, *O último cangaceiro*, p. 220.

14. Luitgarde Oliveira Cavalcanti Barros, *A derradeira gesta: Lampião e nazarenos guerreando no sertão*, pp. 184-5.

15. Lira Neto, *Getúlio (1930-1945): Do governo provisório à ditadura do Estado Novo*, p. 230. Sobre a relação entre Prestes e cangaceiros, ver ainda a biografia do Cavaleiro da Esperança escrita por Daniel Aarão Reis: *Luís Carlos Prestes: Um revolucionário entre dois mundos*, p. 166.

16. Frederico Pernambucano de Mello, *Benjamin Abrahão: Entre anjos e cangaceiros*, p. 126.

17. Marly de Almeida Gomes Vianna, *Revolucionários de 35: Sonho e realidade*, p. 91.

13. TIRARAM A MINHA FARDA/ DEPOIS ME PUSERAM NU/ ME DERAM TÃO GRANDE SURRA/ COM FACÃO E COURO CRU
[pp. 176-86]

Verso do título de autoria de João Martins de Ataíde, retirado de Nertan Macedo, *Lampião*, p. 84.

1. Frederico Pernambucano de Mello, *Benjamin Abrahão: Entre anjos e cangaceiros*, 2012, pp. 45, 48-9, 52-3, 121-5.

2. Ibid. nota 1, pp. 126, 140 e 313. Sobre o patrocínio da Zeiss, ver ainda o livro de Elise Jásmin, *Cangaceiros*, p. 24.

3. Élise Gruspán Jasmin, *Lampião, senhor do sertão: Vidas e mortes de um cangaceiro*, p. 149.

4. Ibid. nota 1, p. 134.

5. Ibid. nota 1, p. 152.

6. Ibid. nota 1, pp. 163-4.

7. Ibid. nota 1, pp. 136-7.

8. *Jornal do Commercio*, 19 jan. 1936.

9. A morte de Zé Baiano foi reconstituída com base nos relatos de José Bezerra Lima Irmão, *Lampião, a raposa das caatingas*, pp. 495-501; Antônio Amaury Corrêa

de Araújo e Luiz Ruben F. de A. Bonfim, *Lampião e as cabeças cortadas*, pp. 62-7; Billy Jaynes Chandler, *Lampião, o rei dos cangaceiros*, p. 254.

10. Em livro assinado pela própria Sila (Ilda Ribeira de Souza) em parceria com Israel Araújo Orrico (*Sila, uma cangaceira de Lampião*), é informada a sua data de nascimento: 26 de outubro de 1924 (p. 11). Em entrevistas — a cangaceira morreu em 2005 — Sila diria que entrara no cangaço aos catorze anos. Entretanto, ela aparece nas fotos de Benjamin Abrahão, tiradas entre julho e outubro de 1936. Se a data de nascimento de Sila estiver correta, ela entrou no cangaço aos onze anos. Na página 21 do mesmo livro, Sila cita seu desenvolvimento precoce.

11. Ilda Ribeiro de Souza (Sila) e Israel Araújo Orrico, *Sila, uma cangaceira de Lampião*, p. 29.

14. OUVIU O PAI DA DEFUNTA/ DIZER NESTA EXCLAMAÇÃO/ SOU CULPADO PORQUE DEI/ HOSPEDAGEM A LAMPIÃO
[pp. 187-98]

Verso do título extraído de Francisco Zenio, *A surra que Lampião levou*, p. 9.

1. Frederico Pernambucano de Mello, *Benjamin Abrahão: Entre anjos e cangaceiros*, p. 140.
2. Optato Gueiros, *Lampeão, memórias de um oficial ex-comandante de forças volantes*, pp. 138-9.
3. Ibid. nota 1, p. 136.
4. Luitgarde Oliveira Cavalcanti Barros, *A derradeira gesta: Lampião e nazarenos guerreando no sertão*, pp. 173 e 180; José Bezerra Lima Irmão, *Lampião, a raposa das caatingas*, pp. 506 e 552.
5. Capitão João Bezerra, *Como dei cabo de Lampeão*, pp. 36-7.
6. A menção aos dentes de ouro é feita por Dadá em *Dadá*, de José Umberto Dias, p. 66.
7. A reconstituição do ataque a Piranhas e a morte de Gato foi feita com base nos relatos de Dadá em *Dadá*, de José Umberto Dias, pp. 66-71; Antônio Amaury Corrêa de Araújo, *Lampião, as mulheres e o cangaço*, pp. 283-7; José Bezerra Lima Irmão, *Lampião, a raposa das caatingas*, pp. 506-7.
8. Antônio Amaury Corrêa de Araújo, *Lampião, as mulheres e o cangaço*, p. 286.
9. Ibid. nota 1, p. 144 (sobre a desconfiança em relação a Benjamin Abrahão).
10. Todas as cenas citadas da filmagem de Benjamin Abrahão podem ser vistas no DVD que acompanha o livro *Iconografia do cangaço*, organizado por Ricardo Al-

buquerque, neto do fundador da Aba Film. O material também pode ser localizado no Youtube. Os depoimentos de Durvinha e Moreno sobre a morte de Mariano foram extraídos do filme *Os últimos cangaceiros*, de Wolney Oliveira.

11. Alcino Alves Costa, *Lampião além da versão: Mentiras e mistérios de Angico*, pp. 297-304. Sobre a complementação da renda dos soldados com dinheiro de cangaceiro morto, ver Luiz Bernardo Pericás, *Os cangaceiros, ensaio de interpretação histórica*, p. 90.

12. Nertan Macedo, *Lampião, capitão Virgulino Ferreira*, p. 199.

13. José Bezerra Lima Irmão, *Lampião, a raposa das caatingas*, pp. 517-8. Segundo Alcino Alves Costa, quem matou Rosinha foi Zé Sereno (*Lampião além da versão: Mentiras e mistérios de Angico*, p. 308). Segundo Antônio Amaury Corrêa de Araújo, Pó Corante deu o tiro em Rosinha quando atravessavam o rio São Francisco (*Lampião, as mulheres e o cangaço*, p. 389).

14. José Umberto Dias, *Dadá*, p. 34.

15. Billy Jaynes Chandler, *Lampião, o rei dos cangaceiros*, p. 206.

16. Ilda Ribeiro de Souza (Sila) e Israel Araújo Orrico, *Sila, uma cangaceira de Lampião*, pp. 29-32.

17. Luiz Bernardo Pericás, *Os cangaceiros, ensaio de interpretação histórica*, p. 46.

15. SE NÃO FOSSE ESSAS CABOCA/ NÃO TINHA GRAÇA O SERTÃO/ NÃO BRIGAVA OS CANGACEIRO/ NÃO HAVIA LAMPIÃO [pp. 199-211]

Verso de "As moças do São Francisco", de Alexandre Zabelê, retirado de Melchiades da Rocha, *Bandoleiros das catingas*, p. 75.

1. Frederico Pernambucano de Mello, *Benjamin Abrahão: Entre anjos e cangaceiros*, p. 31; Élise Gruspán Jasmin, *Cangaceiros*, p. 139.

2. Entrevista de Sila ao programa Jô Soares, no SBT.

3. Lia Zatz, *Dadá bordando o cangaço*, p. 14.

4. *Diário de Pernambuco*, 27 dez. 1936.

5. Ibid. nota 1, p. 173.

6. Elizabeth Sousa Abrantes, "A educação da mulher na visão do médico e educador Afrânio Peixoto". In: *Dossiê história e educação*, p. 148.

7. Site da Academia Brasileira de Letras, biografia de Afrânio Peixoto. Disponível em: <www.academia.org.br/academicos/afranio-peixoto/biografia>. Acesso em: 10 jun. 2018.

8. Frederico Pernambucano de Mello, "Maria Bonita, a mulher e o nome de guerra". In: *Guerra em Guararapes & outros estudos*, p. 324.
9. Capitão João Bezerra, *Como dei cabo de Lampeão*, p. 45.
10. As confissões do general Manuel Cordeiro Neto foram feitas ao historiador Frederico Pernambucano de Mello em 1979 e constam no livro *Benjamin Abrahão: Entre anjos e cangaceiros*, pp. 217-9.
11. Ibid. nota 1, p. 219; Firmino Holanda, *Benjamin Abrahão*, p. 63.
12. *Jornal do Brasil*, 1 ago. 1937.
13. Ibid., 14 abr. 1937.
14. Sobre a menção à Lei de Segurança Nacional, ver Lira Neto, *Getúlio (1930--1945): Do governo provisório à ditadura do Estado Novo*, p. 205.
15. Ilda Ribeiro de Souza (Sila) e Israel Araújo Orrico, *Sila, uma cangaceira de Lampião*, pp. 39 e 40.
16. Ibid., p. 70. A informação sobre Enedina consta de Renato Luís Bandeira, *Dicionário biográfico cangaceiros e jagunços*, p. 102; Estácio de Lima, *O mundo estranho dos cangaceiros*, p. 94.
17. Ibid. nota 15, p. 36; Estácio de Lima, *O mundo estranho dos cangaceiros*, p. 96.
18. Depoimento de Sila colhido do documentário *A mulher no cangaço*.
19. Ibid. nota 15, pp. 80-9.
20. *A Noite Ilustrada*, 16 ago. 1938.
21. Melchiades da Rocha, *Bandoleiros das catingas*, p. 83.

16. LAMPIÃO TEM MUITA IDEIA/ SUA VIDA ESTÁ SEGURA/ ATIRÁ NELE É BOBAGEM/ A BALA BATE E NÃO FURA [pp. 212-24]

Verso do título de autoria desconhecida.

1. *Mademoiselle Cinema* foi reeditado, em 1999, pela editora Casa da Palavra. A esse respeito, ler o texto de Bernardo de Carvalho publicado na *Folha de S.Paulo*, 9 set. 1999: "*Mademoiselle Cinema* é best-seller moralista". Disponível em: <http://www1.folha.uol.com.br/fsp/ilustrad/fq09099917.htm>. Acesso em: 10 jun. 2018.
2. *Jornal do Brasil*, 12 jan. 1938.
3. Gabriela Lamarca e Mario Vettore, *Expectativa de vida ao nascer no Nordeste*. Disponível em: <http://dssbr.org/site/2013/07/expectativa-de-vida-ao-nascer-no-nordeste/>. Acesso em: 10 jun. 2018.

4. Billy Jaynes Chandler, *Lampião, o rei dos cangaceiros*, p. 276.
5. Ilda Ribeiro de Souza e Israel Araújo Orrico. *Sila, uma cangaceira de Lampião*, p. 96.
6. Alcino Alves Costa, *Lampião, além da versão*, p. 129.
7. Oleone Coelho Fontes, *Lampião na Bahia*, p. 339; Frederico Bezerra Maciel, *Lampião, seu tempo e seu reinado*, p. 37.
8. Aglae Lima de Oliveira, *Lampião, cangaço e Nordeste*, pp. 149 e 243.
9. Ibid. nota 4, p. 217.
10. Capitão João Bezerra, *Como dei cabo de Lampeão*, p. 51.
11. Optato Gueiros, *Lampeão*, pp. 139-40.
12. Frederico Pernambucano de Mello, *Benjamin Abrahão: Entre anjos e cangaceiros*, p. 275.
13. Ibid. nota 4, p. 284; Élise Gruspán Jasmin, *Lampião, senhor do sertão: Vidas e mortes de um cangaceiro*, p. 159; Nertan Macedo, *Lampião, capitão Virgulino Ferreira*, p. 216; José Bezerra Lima Irmão, *Lampião, a raposa das caatingas*, p. 549.
14. Ibid., pp. 552-3.
15. Ibid. nota 11, p. 158.
16. Lira Neto, *Getúlio (1930-1945): Do governo provisório à ditadura do Estado Novo*, p. 310.
17. A fala atribuída a Corisco foi retirada de Frederico Bezerra Maciel, *Lampião, seu tempo e seu reinado*, vol. 5, p. 42.
18. Ibid. nota 12, pp. 268-9.
19. Ibid. nota 10, pp. 115-8.
20. As informações sobre as dívidas de Benjamin Abrahão, suas diversas inimizades e os fatos que culminaram com seu assassinato foram todas colhidas do livro de Frederico Pernambucano de Mello, *Benjamin Abrahão: Entre anjos e cangaceiros*, pp. 262-73.
21. José Umberto Dias, *Dadá*, pp. 77-9.

17. ACORDA, MARIA BONITA/ LEVANTA, VAI FAZER O CAFÉ/ QUE O DIA JÁ VEM RAIANDO/ E A POLIÇA JÁ ESTÁ EM PÉ
[pp. 225-35]

Verso do título de autoria de Alexandre Zabelê retirado de Estácio de Lima, *O mundo estranho dos cangaceiros*, p. 183.

1. José Bezerra Lima Irmão, *Lampião, a raposa das caatingas*, p. 562.

2. Ibid. nota 1, p. 570; Ilda Ribeiro de Souza e Israel Araújo Orrico, *Sila, uma cangaceira de Lampião*, pp. 93-4. A informação sobre o número de cangaceiros consta no livro de Luiz Ruben F. de A. Bonfim, *Fim do cangaço: As entregas*, p. 33.

3. Depoimento do cangaceiro Vinte e Cinco a Aderbal Nogueira no documentário *Versões sobre Angico*.

4. Ibid. nota 1, p. 568. Os itens da lista de compras constam de Ilda Ribeiro de Souza e Israel Araújo Orrico, *Sila, uma cangaceira de Lampião*, p. 94.

5. A informação sobre os jegues foi fornecida à autora por Jairo Luiz Oliveira, pesquisador de Piranhas que entrevistou diversos contemporâneos dos episódios de Angico, entre eles ex-cangaceiros, soldados e coiteiros.

6. A informação sobre o romance entre Aniceto e a filha do prefeito foi extraída de José Bezerra Lima Irmão, *Lampião, a raposa das caatingas*, p. 568. Sobre o trabalho de infiltrado de Joca Bernardo, ver também Luitigarde Oliveira Cavalcanti Barros, *A derradeira gesta: Lampião e nazarenos guerreando no sertão*, p. 183.

7. Élise Gruspán Jasmin, *Lampião, senhor do sertão: Vidas e mortes de um cangaceiro*, p. 160, nota 6.

8. A calcinha vermelha de Maria de Déa é mencionada por Antônio Amaury Corrêa de Araújo, com base no relato do soldado Panta de Godoy, em *Maria Bonita*, p. 234. Sobre o teor dos telegramas, o combinado entre João Bezerra e o sargento Aniceto e as ações deste para despistar Lampião, ver o livro de José Bezerra Lima Irmão, *Lampião, a raposa das caatingas*, p. 568; Capitão João Bezerra, *Como dei cabo de Lampeão*, p. 204.

9. Capitão João Bezerra, *Como dei cabo de Lampeão*, p. 204.

10. Ibid. nota 1, p. 568.

11. Ibid. nota 1, p. 207.

12. Alcino Alves Costa, *Lampião, mentiras e mistérios de Angicos*, pp. 336-7.

13. Luitgarte Oliveira Cavalcanti Barros, *A derradeira gesta: Lampião e nazarenos guerreando no sertão*, p. 182.

14. Ibid. nota 1, pp. 572-3.

15. Billy Jaynes Chandler, *Lampião, o rei dos cangaceiros*, p. 291. A menção a Mané Véio é feita por Alcino Alves Costa em *Lampião além da versão, mentiras e mistérios de Angico*, p. 336.

16. Billy Jaynes Chandler, *Lampião, o rei dos cangaceiros*, pp. 293-4.

17. Ibid. nota 1, p. 567. Sila menciona a chateação de Corisco em *Sila, uma cangaceira de Lampião*, p. 94.

18. A informação sobre o estado de embriaguez dos cangaceiros foi fornecida à autora pelo pesquisador Jairo Luiz Oliveira (ver nota 5).

19. Antônio Amaury Corrêa de Araújo, *Maria Bonita*, p. 218.

20. Sila narrou seus momentos finais com Maria de Déa em diversas entrevistas à imprensa e os registrou em seu livro, *Sila, uma cangaceira de Lampião*, pp. 96-8.
21. Ibid. nota 9, pp. 48-9.
22. Ibid. nota 1, p. 576.
23. Ilda Ribeira de Souza e Israel Araújo Orrico, *Sila, uma cangaceira de Lampião*, p. 98.
24. Ibid. nota 19, p. 232.
25. Sobre as mãos juntas sobre a barriga, ver o depoimento do aspirante Francisco Ferreira apresentado por Estácio de Lima, em *O mundo estranho dos cangaceiros*, p. 303.
26. Ibid. nota 19, p. 243.
27. Sobre a referência de Maria à filha, ver nota 5.
28. O depoimento de Panta de Godoy a Antônio Amaury Corrêa de Araújo consta de seu livro *Maria Bonita*, p. 234. Nas páginas 238-9, Araújo cita a conclusão do médico Arnaldo Silveira de que Maria foi degolada viva. Outro soldado reivindicaria para si a glória de ter decepado a cangaceira – Antônio Bertoldo da Silva, como mostra Melchiades da Rocha, em *Bandoleiros das catingas*, p. 30.
29. Ibid. nota 5.
30. Ibid. nota 9, p. 49.
31. Alcino Alves Costa, *Lampião, mentiras e mistérios de Angicos*, pp. 336-8.
32. Frederico Pernambucano de Mello conta a história das caixas com cartas em entrevista ao jornalista Francisco José, da Globo News, 7 nov. 2010.
33. Ibid. nota 16, p. 293.
34. Melchiades da Rocha, *Bandoleiros das catingas*, p. 71.

EPÍLOGO. MEU AMIGO, BOM LEITOR/ EIS O QUE PUDE HISTORIAR/ NÃO INVENTEI O QUE ESCREVI/ FOI DO QUE PUDE ESCUTAR [pp. 237-47]

Verso do título de autoria do Abraão Batista, extraído de *João Peitudo, o filho de Maria Bonita e de Lampião*, p. 30. O verso final é de autoria de José Pacheco e foi retirado de *A chegada de Lampião no inferno*, p. 8.

1. "Enterremos Lampião", *O Cruzeiro*, 17 out. 1953.
2. Entre os pesquisadores, não há consenso quanto à identificação dos cangaceiros mortos. Utilizamos, para efeito desta narrativa, as identificações que constam da própria imagem. Um deles, originalmente apresentado como Desconhecido, teve

a identidade revelada pelo pesquisador Luiz Ruben F. de A. Bonfim em seu livro *Fim do cangaço: As entregas*, pp. 274-82. Trata-se de Luiz de Thereza, conforme lhe revelou o soldado que arrumou as cabeças na escadaria.

3. Élise Gruspán Jasmin, *Lampião, senhor do sertão: Vidas e mortes de um cangaceiro*, pp. 307-9.

4. Frederico Pernambucano de Mello, *Guerra em Guararapes & outros estudos*, p. 320.

5. Ibid., pp. 313-26.

6. Luiz Ruben F. de A. Bonfim. "O nome Maria Bonita". Documento apresentado no evento Cariri Cangaço, em Fortaleza, em abril de 2018.

7. Antônio Amaury Corrêa de Araújo, *Maria Bonita*, p. 245.

8. Melchiades da Rocha, *Bandoleiros das catingas*, p. 65.

9. Capitão João Bezerra, *Como dei cabo de Lampeão*, pp. 254-5.

10. Antônio Amaury Corrêa de Araújo e Luiz Ruben F. de A. Bonfim, *Lampião e as cabeças cortadas*, pp. 191-2.

11. Ibid., p. 193. A informação de que a companhia aérea foi a Panair consta de Antônio Amaury Corrêa de Araújo, *Maria Bonita*, p. 246.

12. Edição de 12 de agosto. Extraído de Luiz Ruben F. de A. Bonfim, *Notícias sobre a morte de Lampião*, p. 81.

13. Ibid. nota 3, pp. 172-3. Para reconstituir a chacina de Corisco foram utilizados também os relatos de Billy Jaynes Chandler, *Lampião, o rei dos cangaceiros*, p. 298; *Lampião além da versão, mentiras e mistérios de Angico*, p. 341; Joaquim Góis, *O último cangaceiro*, pp. 168 e 240.

14. José Bezerra Lima Irmão, *Lampião, a raposa das caatingas*, p. 647.

15. Ibid. nota 12, pp. 673, 676-9.

16. Estácio de Lima, *O mundo estranho dos cangaceiros*, pp. 15-6 e 317.

17. Ibid. nota 8, p. 193.

18. Ibid., p. 181.

19. Ibid., p. 180.

20. Ibid., p. 194.

21. Ibid., p. 313.

22. "Sepultem a cabeça de meu pai". *O Cruzeiro*, 2 jan. 1969.

23. Ibid. nota 8, pp. 218-22.

24. Ibid. nota 5, pp. 248-55 (no livro, consta a íntegra da ata de exumação).

25. *Época*, 24 jun. 2002, extraída de Antônio Amaury Corrêa de Araújo, *Maria Bonita*, pp. 255-7.

Referências das imagens

A maior parte das imagens foi reproduzida dos livros abaixo, por Jorge Bastos.

Araújo, Antônio Amaury Corrêa de. *Maria Bonita: A mulher de Lampião.* Coleção Gente da Bahia. Salvador: Alba (Assembleia Legislativa da Bahia), 2011.
Albuquerque, Ricardo (Org.). *Iconografia do cangaço.* São Paulo: Terceiro Nome, 2012.
Lustosa, Isabel. *De olho em Lampião: Violência e esperteza.* São Paulo: Claro Enigma, 2011.
Mello, Frederico Pernambucano de. *Benjamin Abrahão: Entre anjos e cangaceiros.* São Paulo: Escrituras Editora, 2012.
_____. *Guerreiros do sol: Violência e banditismo no Nordeste do Brasil.* São Paulo: A Girafa Editora, 2011.
_____. *Estrelas de couro: A estética do cangaço.* São Paulo: Escrituras Editora, 2015.

Índice remissivo

I Congresso Brasileiro de Eugenia, 56

Aba Film, produtora, 176, 178, 183, 191, 199, 203, 205, 220
Abdom, soldado, 137
Abóbora, Bahia, 41, 87
Abrahão, Benjamin, 12, 176-7, 181, 183, 187-8, 190-1, 194-5, 197, 199, 202-7, 215, 219-21
Adelaide (cangaceira), 154-5, 163, 196
Adília (cangaceira), 122-3, 209
africanos no Brasil, Os (Nina Rodrigues), 56
Águas Belas, Pernambuco, 179, 216
Albuquerque, Ademar, 176, 206
Aliança Nacional Liberal (ANL), 174
Alves de Souza, Arsênio, 67
Alves, Tania, 14
Amoroso (cangaceiro), 234
Ana (cangaceira), 165
Ananias (Pretão, suposto filho de Maria Bonita), 117
Angel, Eliana, 204
Angel, Zuzu, 14
Angico, grota do, 224-6, 234-5, 239
Angústia (Ramos), 170
anjo das ruas, O (filme), 42
Antônia (irmã de Maria Bonita), 131
Antônia (Pereira da Silva, cangaceira), 54-5, 166
Antônio de Chiquinho, 184
Antônio de Engrácia (cangaceiro), 162, 168-9
Aranha, Oswaldo, 83
Armani, Giorgio, 14
Armstrong, Louis, 216
Arvoredo (Hortêncio Gomes da Silva, cangaceiro), 39, 68, 138-9, 150
Áurea (cangaceira), 208
Azulão (cangaceiro), 138-9

Balão (cangaceiro), 60, 74, 234
Baliza (cangaceiro), 125
Bananeira (Horário Teixeira Júnior, cangaceiro), 101-2
Barbosa, Acelino, 77

Barreto, Octávio, 90
Batalhões Patrióticos, 25-6
Bayer, 176, 178, 190
Beija-Flor (cangaceiro), 68
Bem-te-vi (cangaceiro), 147, 149
Bergdorf Goodman, 14
Bernardes, Artur, 25
Besouro (cangaceiro), 148
Bezerra, Inácio, 166
Bezerra, tenente João, 162, 192-3, 217-8, 228-30, 232, 234, 237-9, 243
Biano, João de, 150
Bibiana e Aureliano (reféns de Lampião), 118-9
Blahnik, Manolo, 14
Bonfim, Luiz Ruben F. de A., 240
Borges, Herculano, 87-8
Brito, Cyra de (depois Bezerra), 192-4, 237-8
Brito, família, 110
Brito, Manoel, 157
Brooks, Louise, 66
Bugrinha (Peixoto), 205

Cabeleira (José Gomes), 35
Caboclo, André, 48-9
Cacheado, João, 166
Caixa de Fósforo (cangaceiro), 239
Cajarana (cangaceiro), 239
Cajazeira (Zé Julião, cangaceiro), 209, 225
Cajueiro (cangaceiro), 80
Calumbo, Joaquim Manuel (filho de Sebastiana e Moita Brava), 211
Camargo do Nascimento, coronel Teodureto, 218-9, 239
Campo Formoso, Bahia, 127
Canário (cangaceiro), 122, 124, 182, 209

Canções de Lampião (LP), 244
Candeeiro (cangaceiro), 223
cangaceiras: sexualidade das, 140, 234
cangaceiros: chacina do Angico, 232-4; como tema de documentário, 177, 187-8; cuidados com a saúde, 214; divisão de tarefas, 97; luta contra a sede, 110; receita para ferimentos, 167; trajes, 95-6
Canindé, Sergipe, 99, 157
Canjica (cangaceiro), 138-9
Carneiro da Silva, Manuel Cândido, 142-3, 211
Carvalho Barroso, 213
Carvalho, Antônio (Antônio Caixeiro), 111, 213-4, 216
Carvalho, Eronides de, 110, 159, 174, 208, 213-4, 217, 226, 241
Carvalho, família, 110
Carvalho, João Maria de, 22, 99, 104
Carvalho, Liberato de, 100, 134, 210
Carvalho, Raimundo Ferreira de, 174
Castro Barbosa, 84
Catingueira (cangaceiro), 100
Cavalcanti, João, 93
Ceará, O (jornal), 27
Chevalier, Carlos, 82, 83
Cirilo de Engrácia (cangaceiro), 162, 168-73, 196, 207
Cocada (cangaceiro), 134
Colchete (cangaceiro), 29
Coluna Prestes, 25, 26, 81, 174
Conselheiro, Antônio, 56
Coquete (filme), 19
Coragem, Antônio dos Santos, 71
Cordão de Ouro (cangaceiro), 80, 159
Cordeiro Neto, Manuel, 205

Corisco, o Diabo Louro (Cristino Gomes da Silva, cangaceiro), 16, 33-4, 39, 45, 63, 68, 87-8, 126-7, 136, 141, 144, 150-1, 156, 169-71, 173, 176, 182, 192-4, 196, 217, 223, 230, 242-3, 245, 249
coronel Petro ver Reis, Petronilo de Alcântara
Corrêa de Araújo, Antônio Amaury, 15
Correia de Brito, João, 192, 227
Correio da Manhã, 23-4, 108
Correio de Aracaju, 191
Costa, Evaristo Carlos da, 42, 44
Costallat, Benjamin, 212
Couro Seco (Horácio Caboclo), 48
Cravo Roxo (cangaceiro), 208
Criança (cangaceiro), 154-5, 163, 196, 225, 233
Cristina (cangaceira), 193, 222
Cruzeiro, O, revista, 92, 94, 102, 119, 203
Cumbe, Bahia, 39
Cunha, Euclides da, 204

Dadá (Sérgia Ribeiro da Silva, cangaceira), 16, 32-4, 45, 60, 62-3, 69, 71, 79, 88, 97, 103, 112, 119, 122-3, 126-7, 137, 144, 147-8, 151, 164, 169-71, 173, 176, 193, 196, 200-1, 209-10, 223, 243, 245, 249
dama das camélias, A (filme), 201
Damasceno, Valdemar, 227
Delicado (cangaceiro), 123
desarmamento da população (1931), 81
Dia Internacional da Mulher, 15
Diário da Bahia, 37
Diário da Noite, 59, 92, 179, 181

Diário de Notícias, 36, 58, 81, 164, 212-3
Diário de Pernambuco, 59, 200-1, 203, 207, 213, 221
Diferente (cangaceiro), 239
Domingues, João, 151
dona Déa (Maria Joaquina Conceição de Oliveira, mãe de Maria Bonita), 18-9, 39-41, 130-1
dona Vitalina (tia de Corisco), 33, 45, 60, 62
Dórea, José da Costa, 20-1
Dores, Sergipe, 80
Dourado, Francisco Moutinho (Douradinho), 79
Drake, Emma F. A., 54
Dulce (cangaceira), 155, 225, 233
Dumas, Alexandre (pai), 60
Durval de Cândido (Durval Rodrigues Rosa), 226, 229, 241
Durvinha (Durvalina Gomes de Sá, cangaceira), 78-9, 89, 103, 136, 194-5, 244

Elétrico (cangaceiro), 196, 239
Enedina (cangaceira), 42, 209, 225, 233, 239, 243
Era Nova, jornal, 39
Esperança (cangaceiro), 134
espinho do quipá: Lampião, a história, O (Correa de Araujo e Ferreira), 15
Espírito Santo, Victor do, 92-4, 102
Estado da Bahia, jornal, 242
estupros, 31, 52-4, 66-7, 142, 163

Facó, João, 90, 125, 135
Fatores do cangaço (Carneiro da Silva), 143, 211

Federação Brasileira pelo Progresso Feminino (1922), 22
Feitosa, Agripino, 169
feminismo na década de 1920, 22-3
Fernandes, João, 125
Fernandes, Rodolfo, 29
Ferreira da Silva, Angélica (irmã de Lampião), 79
Ferreira da Silva, Antônio (irmão de Lampião), 28, 30
Ferreira da Silva, Levino (irmão de Lampião), 28, 30
Ferreira Nunes, Expedita (filha de Maria Bonita e Lampião), 15, 104-5, 107, 136, 231, 247
Ferreira Nunes, Gleuse (neta de Maria Bonita e Lampião), 246
Ferreira Nunes, Vera (neta de Maria Bonita e Lampião), 246
Ferreira Santos, Emílio de Moura (Padre Santo), 21
Ferreira, Cícero, 150
Ferreira, Francisco, 230
Ferreira, João (irmão de Lampião), 214
Ferreira, José (pai de Lampião), 27
Ferreira, Maria Lopes (mãe de Lampião), 28, 142
Ferreira, Vera, 15
Ferreira, Virtuosa (irmã de Lampião), 227
Ferrugem (cangaceiro), 68, 125
Figueiredo, Lídia Vieira de Barros, 55, 75
Flor, Euclydes, 93
Flor, sargento Odilon, 208
Fontes, Lourival, 205
Fortaleza (cangaceiro), 80
Fortaleza, Ceará, 205

Fraga, Alcides, 38
Freud, Sigmund, 57
Fruta do mato (Peixoto), 205

Garbo, Greta, 202
Garcia de Rezende, repórter, 81
Gato (Santílio Barros, cangaceiro), 53-4, 148, 166, 182, 192-3, 195, 197, 200
Gavião (cangaceiro), 53, 139
gera (estupro coletivo), 52-3
Gitirana (cangaceiro), 86, 222
Globo, TV, 14
Góis, Joaquim, 50, 82, 144, 158, 174
Gomes de Sá, Pedro, 78-9
"Gosto que me enrosco" (canção), 77
Grande, José Joaquim, 173
Guarani, cachorro de Maria Bonita, 187-8, 201, 233
Guararu, Sergipe, 195
Gueiros, Optato, 190, 216-7
Guimarães, Constantino, 215

Hermano Bulhões, Sílvio (filho de Dadá e Corisco), 172, 245
Hermano Bulhões, vigário José, 172
Hitler, Adolf, 57, 176
homem delinquente, O (Lombroso), 56

Iglesias, Luiz, 84
Inacinha (Inácia Maria das Dores, cangaceira), 54-5, 166, 192-3, 197, 200, 249

Jacaré (cangaceiro), 196, 207
Jararaca (cangaceiro), 29
Jeremoabo, Bahia, 17, 20-1, 102, 115, 139, 156, 163, 165, 195

Jesuíno Brilhante (Jesuíno Alves de Melo Calado), 35, 56
João Calais (cangaceiro), 138
João Miguel, 110
Joca Bernardo, 227
Jornal das Moças, 98
Jornal do Brasil, 29, 58, 67, 83, 102-3, 119, 141, 151, 206-8, 212
Josafá (filho de Dadá e Corisco), 63
José (sobrinho de Lampião, cangaceiro), 227, 234
José Faustino, 12
José Joaquim (primo de Adília), 123
Juazeiro do Cariri (Peixoto), 120
Juazeiro do Norte, Ceará, 25, 177
Julião, deputado Francisco, 244
Jung, Carl, 57
Jurema (cangaceiro), 68, 166
Juriti (cangaceiro), 181, 188, 200, 223

Keaton, Buster, 45
Komel, Elvira, 107
Kretschmer, Ernst, 57, 139

Labareda (Angelo Roque, cangaceiro), 47-8, 52-3, 147, 161, 182, 244
Lagerfeld, Karl, 14
Lages Filho, 241
Lajes, Rio Grande do Norte, 24
Lampião (Virgulino Ferreira da Silva): cantor, 86; colaboração com o exército, 26; como garoto-propaganda, 176, 190; como pai, 105-6; como Robin Hood do sertão, 175; comportamento sexual, 52; e Dadá, 71; enterro de, 246; fama internacional, 65; fonte de inspiração, 134; hábitos de higiene, 65; morte de, 233; nomeado capitão, 26; ódio aos negros, 43, 51; perseguição ao bando narrada em *O Cruzeiro*, 92-4; perseguido por Juarez Távora, 81; planos políticos de, 207-8; procurado vivo ou morto, 58; protegido pelos poderosos, 29; regras impostas ao cangaço, 156-7; sonho de deixar o cangaço, 135; superstições, 133; suposta morte de, 212-3; supostos poderes mágicos, 132; traído por Petro, 66; violência do bando, 35, 66, 87-8, 114-6, 121, 123, 134, 149, 159, 174, 198, 239
Lampião e Maria Bonita (série de tv), 14
Lampião, documentário (Prata), 141, 150
Lavandeira (cangaceiro), 124
Lennon, John, 14
Lica (Joaquina Maria da Conceição, cangaceira), 103
Lídia (cangaceira), 147-8
Ligeiro, cachorro de Maria Bonita, 187, 189, 201
Lili (cangaceira), 124, 210
Lima, Estácio de, 55-7, 75, 139-40, 147, 168, 222, 244
Limoeiro (cangaceiro), 169-70, 173
Lombroso, Cesare, 55, 139, 147
Lucas da Feira (Lucas Evangelista dos Santos), 35, 56
Luís Pedro (Cordeiro, cangaceiro), 30, 39, 78, 144, 159, 186, 196-8, 223-4, 239
Luiz de Thereza (cangaceiro), 239
Lutz, Berta, 160
Luz, sargento, 197

Macedo, José Sampaio, 165
Macedo, Otacílio, 27, 29
Macureré, Bahia, 32
Madame Pompadour (Jeanne-Antoinette Lenormant d'Etiolles), 202
Mademoiselle Cinema (Costallat), 212
Magalhães, Juracy, 21, 83, 88, 92, 100, 108, 110, 165
Malhada da Caiçara, Bahia, 11, 12, 17, 20, 40, 132
manda-chuva de Lampeão, O (opereta), 29
Mandel, Julien, 204, 206
Mané Revoltoso (cangaceiro), 53
Mané Véio (Manoel Marques da Silva), 113-4, 147, 229, 234
Manoel Neto, tenente, 66, 100, 107
Maranhão, major José Lucena de Albuquerque, 218, 220, 222
Maria Bonita *ver* Maria de Déa
Maria Bonita (filme), 204, 206
Maria Bonita (Peixoto), 205
Maria Celeste (filha de Dadá e Corisco), 210
Maria da Conceição (cangaceira), 103
Maria de Déa (Maria Gomes de Oliveira, Maria Bonita, cangaceira): alvejada por fazendeiros, 166-8; armas de, 89; autoridade questionada no grupo, 128; bem tratada por Lampião, 75; ciúmes de, 189; clemência de, 144-5; coleção de moda baseada em, 14; como garota-propaganda, 176, 190; como Joana D'Arc da caatinga, 13; como marca, 16; crueldade de, 121; desejo de abandonar o cangaço, 231; enterro de, 246; entra para o bando de Lampião, 45; foto em *O Povo*, 200; grávida, 89; infidelidades no casamento com Zé de Neném, 22; influência sobre Lampião, 137; morte de, 233; namoro com Lampião, 41; nascimento, 15, 19; origem do apelido, 240; primeiro encontro com Lampião, 40; trabalho como espiã, 113; trajes, 64, 96-7
Maria de Déa e Lampião: comparados a Bonnie e Clyde, 14; em lua de mel, 85; vida sexual e superstições, 72
Maria de Ema (cangaceira), 167
Maria de Pancada (Maria Jovina, cangaceira), 74-5, 193-4
Maria Dora (cangaceira), 138-9
Maria Honorina (cangaceira), 90, 101
Mariano (Laurindo Granja, cangaceiro), 30, 39, 44, 87, 103, 151, 163, 195, 197, 201
Mariquinha (Maria Miguel dos Santos, cangaceira), 47, 49
Marques, Vicente, 99
Marreca (cangaceiro), 181, 200
Mello, Frederico Pernambucano de, 240
Mergulhão (Antônio Juvenal da Silva, cangaceiro), 30, 39, 41, 44, 234, 239
Moça (Joana Gomes, cangaceira), 168-71, 196, 200, 207
moicanos de Paris, Os (peça teatral), 60
Moita Brava (cangaceiro), 126, 147, 173, 210
Monte Alegre, Bahia, 137-8
Moreno (Manoel, cangaceiro), 109, 125, 194-5, 208, 244
Mormaço (cangaceiro), 53
Morris, Bernardine, 14
Mossoró, Rio Grande do Norte, 23, 29

Mota, Leonardo, 59-60, 83, 87
Mourão (cangaceiro), 53, 101-3
Museu Casa de Maria Bonita (Paulo Afonso, Bahia), 11-2
Mutti, José, 129-31

Nascimento, Manoel Hilário do, 42
Neném (cangaceira), 78-9, 144, 183, 186, 189, 196-8, 208, 250
Nevoeiro (cangaceiro), 66
New York Times, The, 14, 24, 65, 213, 241
Nina Rodrigues, Raimundo, 56
Ninho de amor (filme), 45
No tempo de Lampião (Mota), 59
Noite Ilustrada, A, revista, 91, 151
Noite, A, jornal, 66-7, 77, 83, 85, 135, 183, 213, 241
Nota, A, jornal, 203
Nova York, 13-4

O que uma jovem esposa deve saber (Drake), 54
Obama, Michelle, 15
Óia o Lampeão (peça teatral), 84
Oliveira, Lauro Cabral de, 25, 29
Oliveira, Maria Joaquina Conceição de, mãe de Maria Bonita *ver* dona Déa
Oliveira, Virgolino Isaías de, 134
Ono, Yoko, 14
Orismídia, Maria (dona Beijinha), 162
Otília (cangaceira), 103, 106, 151-2, 163-4, 165, 201, 249

padre Cícero (Romão Batista), 25-6, 28, 120, 133, 159, 174, 177-8, 191
Pai Véio (cangaceiro), 195
Pancada (cangaceiro), 69

Panta de Godoy, José, 233
Pão de Açúcar, Alagoas, 170, 195
Paranhos, Antônio, 216
Paris Soir, 241
Passarinho (cangaceiro), 103
Pau Ferro, Pernambuco, 220
Paulo Afonso, Bahia, 11-2, 15
Pavão (cangaceiro), 195
Pedra Branca, Bahia, 87
Pedro Alexandre, 22
Pedro de Cândido (Pedro Rodrigues Rosa), 226-30
Peixoto, Afrânio, 204, 206, 240
Peixoto, padre Alencar, 120
Pereira de Queiroz, Carlota, 160
Pereira, Sebastião (sinhô Pereira), 28, 35, 60, 64, 120
Pickford, Mary, 19
Pinheiro, vigário Manuel Firmino, 152
Piranhas, Alagoas, 193
Pó Corante (cangaceiro), 119, 126, 196, 210
Poço das Trincheiras, Alagoas, 210
Poço Redondo, Sergipe, 153
polícia volante, violência da, 35-6, 116, 125, 137, 229, 233, 239
Ponto Fino (Ezequiel Ferreira, irmão de Lampião), 30, 39, 67
Porter, Cole, 216
Porto da Folha, Sergipe, 224
Português (cangaceiro), 156, 193, 222-3
Povo, O, 199-200
Prata, Ranulfo, 50, 80, 87, 141-2, 150
Prestes, Luís Carlos, 26, 174
Propriá, Sergipe, 214

Queimadas, Bahia, 42, 44, 90, 100, 215

Quina-Quina (cangaceiro), 100
Quinta-feira (cangaceiro), 239
Quixabeira (cangaceiro), 116

Ramos, Graciliano, 118, 170
Raso da Catarina, Bahia, 61-2, 71, 93, 163
Reis de Souza, Ladislau, 125
Reis, Mário, 77
Reis, Petronilo de Alcântara (coronel Petro), 20-1, 38, 65, 67
Revista Feminina, 70
Ribeiro da Silva, Maria Santana, 33, 35
Ribeiro da Silva, Vicente, 32, 34, 46
Ribeiro, Voldi, 15
Rifle de Ouro (Antônio Silvino), 35, 59
Rocha, Melchiades da, 241
Rodrigues de Siqueira, Alaíde, 221
Rodrigues Mello, Virgílio, 39
Rodrigues Rosa, Guilhermina, 226, 229
Rodrigues Silveira, Arnaldo, 242
Rodrigues, sargento Aniceto, 227, 235, 239
Roquette Pinto, Edgar, 56
Rosinha (cangaceira), 163, 195-6
Rosinha de Vicentão, 104
Rufino, tenente Zé, 146, 163, 195, 209, 243

Sá, João, 20-1, 38, 49, 102-3
Sabiá (cangaceiro), 53
Sabina da Conceição, 103
Sabino (cangaceiro), 30
Sabonete (cangaceiro), 100, 188
Salinas, Manoel, 115
Sandes, Sebastião Vieira, 233
Santa Brígida, distrito de Jeremoabo, Bahia, 17, 40, 129, 156, 229

Santa Rosa de Lima, Bahia, 88
Santo Antônio da Glória, Bahia, 21, 117-8, 160
Santos, Delfina dos, 112, 114, 155, 209
Santos, Pedro José dos (Batatinha), 80
Santos, Venceslau (Lau), 116
Sebastiana (cangaceira), 126, 210
Sento Sé, Bahia, 145
Serra do Umbuzeiro, Bahia, 11
Serra Talhada, Pernambuco, 27
Serrinha do Catimbau, Pernambuco, 166
sertões, Os (Cunha), 204
Sila (cangaceira), 185-6, 197, 201, 208-10, 225, 227, 231, 233-4, 239, 244, 249
Silveira, Arnaldo, 245
Silveira, Nise da, 24
Silvino, Antônio, 192
Sinhô, 77
Siqueira Torres, Joana Vieira (baronesa de Água Branca), 64, 72
Smith, Virgil Frank, 65
Soares, Lé e Pureza, 154, 163, 196
Soares, Vital, 45
Solange, Leonor Prado, 107, 109
Soriano, Luiza Alzira, 23
Sousa, Antônio Inácio de, 125, 127
Souza, Adrião Pedro de, 234

Tarará, Mané, 209
Tarde, A, 38-9
Tarde, Jean-Gabriel de, 139
Távora, Franklin, 35
Távora, Juarez, 81, 85
Taylor, Elizabeth, 14
Tenório, Audálio, 85, 216, 220
Thomaz, J., 84

Uchôa, Pedro de Albuquerque, 26

Valão, Josias, 239
Vargas, Getúlio, 81, 88, 107, 160, 174, 217, 219
Velocípede, burro de Maria Bonita, 71, 156
Ventura, Domingos, 242
Viana Filho, Luiz, 245
Viana, Celina Guimarães, 23
Virgínio (Fortunato da Silva, cangaceiro), 30, 39, 78, 80, 143, 149, 156, 159, 182, 193-7
Volta Seca (Antônio dos Santos, cangaceiro), 43, 66, 90-1, 94, 101-2, 139, 144, 244
"Vou pegá Lampião" (canção), 84

Wallace, Edgard, 204
Wanderley, Sebastião de Medeiros, 210
Washington Luís (Pereira de Souza), 80

Xavier, Nelson, 14

Zabelê (cangaceiro), 138-9
Zambrano, Andrés, 179-81, 214
Zé Baiano, a Pantera Negra dos Sertões (José Aleixo Ribeiro da Silva, cangaceiro), 55, 67, 73, 75, 99, 140-1, 147, 149, 183-4, 186
Zé de Déa (José de Oliveira, irmão de Maria Bonita), 129-31
Zé de Felipe (José Gomes de Oliveira, pai de Maria Bonita), 18-9, 39-40, 46, 100, 105-6, 129, 131, 157
Zé de Neném (José Miguel da Silva, marido de Maria Bonita), 17, 19, 22, 24, 47
Zé de Rita (José Rodrigues Lins), 221-2
Zé Sereno (cangaceiro), 168-9, 182, 186, 197, 209, 225, 231, 234, 244, 249
Zeiss, 176, 178

1ª EDIÇÃO [2018] 8 reimpressões

ESTA OBRA FOI COMPOSTA PELA ABREU'S SYSTEM EM INES LIGHT
E IMPRESSA EM OFSETE PELA LIS GRÁFICA SOBRE PAPEL PÓLEN DA
SUZANO S.A. PARA A EDITORA SCHWARCZ EM JANEIRO DE 2025

A marca FSC® é a garantia de que a madeira utilizada na fabricação do papel deste livro provém de florestas que foram gerenciadas de maneira ambientalmente correta, socialmente justa e economicamente viável, além de outras fontes de origem controlada.